Chère lectrice,

Ce mois-ci, j'ai le grand plaisir de vous proposer le dernier volet de votre belle trilogie « Héritières rebelles », signée Lynne Graham. Dans *Le chantage d'un homme d'affaires* (Azur n° 3354), Tawny se voit contrainte d'épouser le milliardaire Navarre Cazier, dont elle est enceinte après une unique nuit de passion. Mais cette union de convenance, qu'elle n'a acceptée que pour le bien de son bébé à naître, va lui réserver une très étonnante surprise…

Mais ce n'est pas tout ce que je vous propose… Vous découvrirez également le deuxième volume de « La Couronne de Santina », votre grande saga Azur (*L'enfant secret du cheikh*, Azur n° 3355). Et puis, vous ferez la connaissance de Drusilla, Gracie, Maxie, Kim, Lorrayne, Hannah, Tahlia et Zoe, toutes vos autres héroïnes de ce joli mois de mai… Des jeunes femmes au destin hors du commun qui vous feront partager leur bonheur d'avoir enfin trouvé l'amour… après avoir parcouru un chemin semé d'embûches !

Bonne lecture et à bientôt.

La responsable de collection

Un bouleversant tête-à-tête

*

Le secret de Sarah

CAITLIN CREWS

Un bouleversant tête-à-tête

Collection : Azur

Cet ouvrage a été publié en langue anglaise
sous le titre :
A DEVIL IN DISGUISE

Traduction française de
ANNE DAUTUN

HARLEQUIN®
est une marque déposée par le Groupe Harlequin

Azur® est une marque déposée par Harlequin S.A.

83-85, boulevard Vincent-Auriol, 75646 PARIS CEDEX 13.

Service Lectrices — Tél. : 01 45 82 47 47

www.harlequin.fr

ISBN 978-2-2802-7927-7 — ISSN 0993-4448

1.

— Vous n'allez pas démissionner, dit avec impatience Rafael Vila, sans même lever les yeux de son immense bureau en marbre et en acier.

La table de travail trônait devant une baie panoramique ouverte sur la City noyée dans la brume. Non pas qu'il appréciât particulièrement ce spectacle, pensa Drusilla Bennett. Il était surtout heureux de savoir que beaucoup d'autres désiraient en jouir, et ce plaisir le comblait plus que la vue elle-même. Rafael Vila aimait avant tout posséder ce que convoitaient ses pareils !

— Ne soyez pas mélodramatique, ajouta-t-il avec dédain.

Drusilla adressa un sourire contraint à l'homme qui avait dominé chaque instant de sa vie depuis cinq ans, en tout point du globe où s'étendait son vaste empire. Comme assistante de direction, elle lui avait obéi au doigt et à l'œil quelle que fût l'heure, gérant pour lui tout un éventail de problèmes — liés autant à ses besoins personnels qu'aux affaires de toutes sortes qu'il traitait.

Elle détestait Rafael Vila. Oh ! oui, elle le haïssait même !

Ce sentiment bouillonnait en elle, brûlant, tourmenté comme un orage, si profond qu'elle en frémissait. Elle avait peine à imaginer, depuis qu'elle connaissait la vérité, qu'elle avait pu nourrir pour cet homme, pendant si longtemps, des sentiments beaucoup plus tendres. Mais peu importait. Ils s'étaient dissipés, pensa-t-elle avec dureté. Il y avait veillé !

Une bouffée de chagrin la submergea — ce chagrin qui

l'avait envahie aux moments les plus inattendus au cours de ces derniers mois, postérieurs à la mort de Dominic, son frère jumeau. Une période intense et âpre, compliquée, éprouvante. Mais elle avait tenu bon envers et contre tout. Il l'avait bien fallu ! Il n'y avait eu qu'elle pour faire face à la maladie de Dominic — ses multiples addictions, les soins nécessaires, les nombreuses factures médicales dont elle venait enfin de s'acquitter. Elle avait été seule aussi pour les démarches complexes inhérentes à ses obsèques, sa crémation. Cela avait été dur. Cela *restait* dur.

Ceci en revanche était simple. Il était hors de question qu'elle continue à se laisser traiter comme une moins que rien, une personne de moindre importance. Elle s'efforça d'ignorer le sentiment d'humiliation qui allait de pair avec la découverte qu'elle avait effectuée le matin même dans les dossiers. Elle voulut se convaincre que, de toute façon, elle aurait démissionné bientôt, et que la révélation des agissements de Rafael n'était qu'une raison secondaire de quitter cet emploi.

— Voici ma lettre de démission, énonça-t-elle, sereine et imperturbable.

Ce calme apparent était chez elle une seconde nature. Mais elle se déferait de cette « personnalité » dès qu'elle aurait quitté cet immeuble et cessé de travailler pour cet homme ! Elle se dépouillerait de l'attitude glaciale qu'elle avait adoptée ces dernières années pour s'en sortir, ce masque d'indifférence qui lui avait servi de bouclier contre elle-même et contre Rafael ! Elle serait de nouveau elle-même : émotive, illogique, *mélodramatique* même, si ça lui chantait ! Déjà, la carapace qui l'avait protégée si longtemps se craquelait.

— Ma lettre prend effet à cette minute, ajouta-t-elle.

Avec lenteur et incrédulité, laissant filtrer cette impression de menace latente, ce charisme déconcertant qui émanait de lui à l'instar d'un courant mystérieux, Rafael Vila releva la tête — Rafael Vila, le fondateur tant vanté du Vila Group, avec son impressionnante collection d'hôtels, de compagnies d'aviation, d'industries diverses et de toute autre affaire qu'il lui plaisait d'entreprendre ; le riche et redoutable Rafael Vila !

Ses sourcils de jais se rejoignirent au-dessus de ses yeux de braise, au brun doré soutenu. Le cœur battant, Drusilla contempla ses traits farouches, implacables, d'une sensualité presque brutale et le pli courroucé qui déformait sa belle bouche. Le trouble qu'elle ressentait, comme chaque fois qu'il lui accordait son attention pleine et entière, n'était ni affadi ni dissipé par des années de proximité. Et elle fut horrifiée de sa propre faiblesse.

L'ambiance se modifia, comme chargée d'électricité. Et l'immense bureau aux lignes contemporaines et froides, où les baies vitrées omniprésentes semblaient inviter le temps maussade à envahir la pièce, parut se rétrécir, la prendre au piège.

— Pardon ? fit Rafael.

Drusilla capta l'inflexion légèrement chantante de sa voix, rappel discret de ses ascendances hispaniques et de son tempérament explosif qu'il contrôlait en général avec une volonté de fer. Elle réprima de son mieux le frisson qui la parcourait tout entière. Ce n'était pas pour rien qu'on l'appelait le diable espagnol. Pour sa part, elle l'aurait affublé volontiers de surnoms encore moins flatteurs !

— Vous m'avez parfaitement entendue, répliqua-t-elle toujours aussi calme.

C'était bon de lui tenir tête ! Comme si elle se lavait d'une souillure.

— Je ne suis pas disponible, lui assena-t-il. Faites-moi part de vos inquiétudes par e-mail et…

— Si, vous avez le temps.

Ils marquèrent un arrêt. Peut-être s'avisaient-ils au même instant qu'elle n'avait jamais osé l'interrompre auparavant… Elle sourit, faisant fi de ne pas remarquer combien il était sidéré par son audace, puis réaffirma :

— Vous avez le temps. J'ai réservé ce quart d'heure exprès sur votre agenda.

Un instant s'écoula, chargé de tension, interminable, tandis que Rafael la dévisageait. Secouée par cet examen, elle eut l'impression que son regard viril, tel un rayon laser, allait la réduire en cendres.

— Serait-ce votre version d'une négociation, mademoiselle Bennett ? suggéra-il, le regard noir. Aurais-je négligé de tenir compte de votre évaluation annuelle ? Prendriez-vous l'initiative de demander une augmentation, ou une majoration de votre intéressement aux bénéfices ?

Il s'exprimait d'une voix brusque, sèche, glaciale, et quelque chose de sombre, de ténébreux, se mêlait à son déplaisir et à son ironie. Malgré son armure professionnelle, Drusilla en fut affectée. Comme s'il l'avait perçu, il sourit à son tour. D'un sourire qui lui affola le cœur. Depuis le temps qu'elle le côtoyait, et sachant ce qu'il avait fait… elle aurait tout de même dû être immunisée contre lui ! Contre son propre émoi !

— Ce n'est pas une négociation, déclara-t-elle, et je ne demande ni augmentation ni quoi que ce soit d'autre. Je ne veux même pas de références. J'ai tenu à m'entretenir avec vous par pure courtoisie.

— Si vous croyez emporter mes secrets chez un rival, fit-il avec une décontraction qu'elle savait trompeuse, sachez qu'en cas de trahison je veillerai à vous détruire. Au tribunal et ailleurs. Sans aucune pitié.

— Je me doutais que vous proféreriez quelque menace. Mais celle-ci est superflue en l'occurrence. Le monde des affaires n'a aucun intérêt pour moi.

Il eut un sourire cynique, puis lâcha d'une voix embrumée et sensuelle :

— Faites-moi connaître votre prix, mademoiselle Bennett.

Elle ne s'étonna plus que tant de malheureux rivaux, comme fascinés et envoûtés, lui accordent ce qu'il voulait dès l'instant où il le demandait. Il avait tout du charmeur de serpents ! Mais elle n'était pas un cobra dans son panier, et elle refusait d'onduler au son de sa flûte, si séducteurs qu'en soient les accents. Il y avait trop longtemps qu'il la faisait danser, il fallait que cela cesse !

Il était une époque, pas si lointaine, où un sourire de lui aurait suffi pour qu'elle s'évertue à lui décrocher la lune. Mais c'était terminé. Aujourd'hui, elle s'émerveillait — façon de parler ! — d'avoir été aussi naïve et crédule. Ah ! il l'avait bien eue…

— Je ne suis pas à vendre, soutint-elle.

— Tout le monde a un prix.

— Pas moi.

L'époque où j'étais achetable est révolue, pensa-t-elle. Dominic n'était plus, elle avait cessé d'être l'unique soutien de son frère. Et la chaîne impalpable d'émotions et de désirs nostalgiques qui l'avait longtemps maintenue prisonnière ici ne la retenait plus… puisqu'elle avait découvert, par le plus grand hasard, ce que Rafael pensait réellement d'elle !

A présent, il se contentait de la scruter. Son regard d'ébène aux éclats dorés la parcourait de haut en bas comme l'auraient fait ses mains viriles. Elle savait ce qu'il voyait. Elle avait modelé son apparence professionnelle pour se conformer à ses goûts. Se redressant de toute sa taille, elle affronta son examen pénétrant, résistant à la tentation de rajuster sa jupe et son chemisier de couleurs sourdes, comme il le préférait. Elle savait que la torsade de ses cheveux bruns, d'une simplicité travaillée, avait du chic. Elle ne portait pas de bijoux spectaculaires qu'il aurait trouvés « inappropriés ». Son maquillage discret donnait l'impression d'être superflu, comme si elle possédait au naturel un teint frais, des lèvres appétissantes, des yeux brillants. Elle était passée maître dans l'art d'être conforme à ses désirs, de tenir ce rôle. Elle l'avait joué pendant si longtemps !

Elle perçut l'instant précis où il réalisa qu'elle était sérieuse, qu'il ne s'agissait pas d'une manœuvre destinée à lui soutirer quelque chose ; qu'elle était sincère — si incompréhensible que cela soit pour lui. Dans son regard viril si perspicace, une expression méditative, presque sombre, se substitua à la lueur d'impatience qui y brillait un instant plus tôt. Il se carra dans son imposant fauteuil, délibérément choisi pour intimider les visiteurs, et la soumit à cette « dissection » intense qui le rendait si redoutable. Un refus était toujours inadmissible pour Rafael Vila. Cela le stimulait, le poussait au combat.

Tandis qu'elle n'envisageait pour sa part qu'un retrait pur et simple. Irrévocable. Elle éprouva un sentiment de satisfaction à l'idée qu'elle serait la seule à lui tenir tête. Il ne pourrait pas lui imposer sa volonté conquérante. Elle avait fini de plier !

— Qu'est-ce qu'il y a ? s'enquit-il avec calme, sans doute convaincu de mieux parvenir à ses fins s'il faisait preuve de sollicitude au lieu de lui porter une attaque. Etes-vous malheureuse ?

Quelle question grotesque ! Elle laissa échapper un rire qui, de toute évidence, le prit à rebrousse-poil. Ce n'était pas fait pour la surprendre ! Il plissa les paupières, son regard flamboya. L'expression de la colère, chez lui, ne dépassait guère ce stade. Il en laissait rarement exploser toute la violence. Ce n'était en général qu'une fureur rentrée, sourde, une menace en suspens que nul n'avait envie de le voir mettre à exécution.

— Bien sûr que je suis malheureuse ! répliqua-t-elle. Je n'ai *aucune* vie personnelle. En fait, je n'ai pas de vie du tout. Au lieu d'en avoir une, je gère la vôtre depuis cinq ans.

— En échange d'un salaire royal.

— Il n'y a pas que l'argent qui compte dans l'existence, dit-elle presque avec pitié. Mais vous n'êtes pas près d'en prendre conscience…

De nouveau, il lui décocha un de ses regards aigus et ténébreux.

— Y a-t-il un homme là-dessous ?

Elle rit une fois encore, et voulut croire qu'elle n'avait pas trahi son émotion en le voyant toucher du doigt la vérité amère qu'elle se gardait d'admettre.

— Quand aurais-je l'occasion de rencontrer un homme,

selon vous ? Entre un rendez-vous et un voyage d'affaires ? Entre deux envois de cadeaux d'adieu à vos ex-maîtresses ?

— Ah ! Je vois, fit-il avec un sourire condescendant et acide dont elle sentit tout le mordant. Je vous suggère de prendre une ou deux semaines de vacances, mademoiselle Bennett. Trouvez-vous donc une plage et des mâles fougueux. Laissez-vous tenter et assouvissez vos désirs à l'envi. Vous ne m'êtes d'aucune utilité dans l'état d'esprit où vous êtes.

Elle pâlit de rage, remuée par quelque chose d'obscur et de destructeur, et se laissa envahir, consumer, par tout ce qu'il faisait remonter à la surface — les années de nostalgie et de sacrifices, les espoirs qu'elle avait nourris, les illusions qu'il avait étouffées dans l'œuf à son insu, et même cette fameuse nuit à Cadix, trois ans plus tôt, dont ils n'avaient jamais parlé et ne parleraient jamais. Puis elle laissa tomber avec ironie et froideur :

— J'apprécie votre délicate attention, monsieur Vila. Mais, contrairement à vous, je ne suis pas du genre à donner dans la débauche pour « assouvir mes désirs » !

Il cilla, sans plus. Mais elle dut réprimer un mouvement de recul en voyant la colère qui flamboyait dans son regard. Ne trahissant sa fureur que par une crispation de mâchoire, une inflexion plus marquée de son accent espagnol, il lança :

— Vous ne vous sentez pas bien ? Ou auriez-vous perdu la tête ?

Drusilla ne fut pas dupe. Elle savait interpréter ces signes de danger. Elle répliqua pourtant d'un ton sec :

— Je suis *franche*, voilà tout. Je réalise que vous n'êtes pas habitué à une telle attitude, surtout de ma part. Mais c'est à cela qu'on s'expose quand on est comme vous désinvolte, exaspérant et dominateur. Vous êtes entouré de séides obséquieux qui ont trop peur pour parler vrai. J'en sais quelque chose : comme eux, je me suis prêtée à cette comédie pendant des années.

Il se figea — immobile au point d'être terrifiant. Elle

sentit monter, grossir, enfler, sa colère virile. Son corps musclé semblait frémir sous la contrainte qu'il s'imposait sans doute de ne pas exploser. Son regard noir rivé au sien lui parut létal.

A moins qu'elle ne fût encore trop sensible à ce qui émanait de lui…, pensa-t-elle dans un regain de désespoir.

— Je vous suggère de tourner sept fois votre langue dans votre bouche avant de reprendre la parole, dit-il avec une retenue perfide. Sinon, vous pourriez le regretter.

Cette fois, Drusilla éclata d'un rire spontané. Des sentiments confus — chagrin et satisfaction mêlés — la poussaient à la rébellion, à une folle audace. Sa révolte lui insufflait une sensation voisine de la jubilation. Etait-elle vraiment en train de défier Rafael Vila ? Parvenait-elle enfin à l'atteindre ?

— Je m'en moque ! lui lança-t-elle. Je suis immunisée contre vous. Que pourriez-vous faire ? Me refuser une lettre de recommandation ? Me mettre à l'index ? Allez-y, ne vous gênez pas. Je démissionne, de toute façon.

Et, réalisant enfin ce dont elle rêvait depuis qu'elle avait accepté ce travail harassant pour aider son frère — car, en dépit de tout, elle avait aimé Dominic —, Drusilla gagna le seuil en tournant le dos à Rafael Vila, la plaie de son existence.

Cela aurait mérité une salve de canon ! Au lieu de lui valoir l'étrange angoisse qui la gagnait, et rendait les choses si difficiles.

Elle avait presque atteint la porte de son propre bureau, qui précédait le sanctuaire directorial, lorsque Rafael Vila lança son nom d'une voix sèche. C'était un rappel à l'ordre abrupt, l'un de ceux qu'elle était dressée à exécuter. Elle s'arrêta — même si cela lui faisait horreur. C'était la dernière fois, après tout. Quel mal pouvait-il en résulter ?

Quand elle se retourna, elle faillit tressaillir de surprise : Rafael était déjà près d'elle, et elle ne l'avait même pas entendu venir ! Mais ce qui la frappa surtout, ce fut son expression aussi sombre et menaçante qu'un ciel d'orage.

Son cœur se mit à battre la chamade. D'autant que l'éclat de ses prunelles dardées sur elle, couleur d'or bruni, lui remémorait toutes les choses qu'elle aurait préféré oublier…

D'un ton glacial qui contrastait avec l'éclat sauvage de son regard, il assena :

— Si j'ai bonne mémoire, votre contrat stipule que vous me devez quinze jours de préavis.

— Vous ne parlez pas sérieusement !

— Il se peut que je sois un débauché, comme vous dites, mademoiselle Benett… mais cela ne m'empêche pas de savoir lire un contrat. Le vôtre stipule deux semaines de préavis. Qui comportent, si je ne m'abuse, ce dîner d'investisseurs à Milan que nous avons mis des mois à organiser.

— Pourquoi exigez-vous un préavis ? Etes-vous pervers à ce point ?

— Je m'étonne que mes ex-maîtresses, dont vous semblez si proche, ne vous aient pas déjà fourni la réponse !

Il croisa les bras, et Drusilla se surprit à admirer, pour la énième fois, le modelé superbe de son corps élancé et athlétique. C'était une des choses qui le rendaient si vénéneux. Rafael était aussi affuté qu'une arme blanche, et usait de cela sans vergogne pour parvenir à ses fins. Il la toisait, intimidateur, jouant de sa haute taille, de sa carrure et de sa force, de sa virilité implacable. Même avec ce costume sur mesure qui aurait dû lui donner l'allure d'un dandy, il paraissait redoutable, capable de tout. Il y avait en lui quelque chose de sauvage et qu'il arborait avec un orgueil délibéré.

Or, elle n'avait pas envie de voir l'homme en lui. Elle n'avait pas envie de se remémorer la chaleur de ses mains sur sa peau, sa bouche si exigeante sur la sienne. Elle aurait préféré mourir plutôt que de laisser entrevoir qu'il l'affectait. Même si la sensation de brûlure, de feu ardent, persistait.

— Vous connaissez le dicton, lâcha-t-elle. « L'amour de la femme et les caresses du chat durent aussi longtemps qu'on leur en donne. »

Il n'eut pas de réaction apparente. Pourtant, elle eut l'impression d'une déflagration annonciatrice de tempête, et elle faillit reculer, trahir sa nervosité. Elle se domina. Elle avait fini de se recroqueviller devant Rafael, fini de lui obéir sans piper mot ! Pour ce que ça lui avait rapporté…

— Prenez le reste de votre journée, dit-il enfin, sa voix un peu rauque dénotant sa fureur. Et apprenez à refréner votre tendance inédite aux commentaires sans détour. Nous nous reverrons demain, mademoiselle Bennett. A 7 h 30, comme d'habitude.

Ce fut comme si elle perdait soudain ses œillères, comme si une lumière crue et aveuglante lui donnait une perception brute, limpide, des choses.

A trois pas, Rafael la toisait, envahissant l'espace — vigilant, ténébreux, ingérable, vaguement effrayant en dépit de son silence. Et elle saisissait avec acuité cette facette de son caractère. Le comportement de Rafael était un constant témoignage de son incapacité à tolérer un refus, à accepter ce que disaient les autres si ce n'était pas ce qu'il voulait entendre. Il ne s'était jamais heurté à une règle qu'il n'ait pu violer, un mur qu'il n'ait pu escalader, une barrière qu'il n'ait pu abattre pour la seule raison qu'elle se dressait sur sa route. Il *s'emparait* des choses et des gens.

Il avait puisé en elle, et jusqu'à aujourd'hui elle n'en avait rien su. Une part d'elle-même regrettait encore d'avoir ouvert ce fatal tiroir, d'avoir découvert avec quelle facilité il avait aiguillé sa carrière sur une voie de garage, trois ans auparavant. Hélas ! le mal était fait.

Elle vit défiler sa vie future comme en un flash, en une intolérable, une déprimante, cascade d'images. Si elle acceptait de faire ce préavis, autant mourir ! Car il vampiriserait son existence comme il l'avait fait ces cinq dernières années, et cela n'en finirait plus. Drusilla savait, sans aucune prétention de sa part, qu'il n'avait jamais eu de meilleure assistante qu'elle. Elle avait été bien obligée d'être la meilleure ! Car elle avait eu besoin du salaire qu'il lui versait et du prestige attaché à son nom pour réussir à faire entrer Dominic dans les meilleures cliniques des Etats-Unis. Même si cela avait été vain. Elle demeurait convaincue que l'effort en avait valu la peine, et tant pis si elle n'en retirait rien, tant pis si elle se sentait vide et abattue. Dominic n'était pas mort seul sur un coin de trottoir d'un quartier misérable, anonyme, abandonné, en ne laissant derrière lui ni souvenirs ni regrets. C'était là l'important.

Mais Dominic n'avait été que la raison initiale qui l'avait amenée à se rendre indispensable à Rafael Vila. La seconde — et *consternante* — raison, c'était ses sentiments pour cet homme. Elle avait même été *fière* de sa capacité à le servir. Aujourd'hui, cela lui laissait un goût amer dans la bouche, mais c'était vrai. Elle avait été masochiste à ce point ! Si elle restait ne fût-ce qu'un jour de plus, son ultime chance de reprendre possession de sa destinée, d'accomplir quelque chose pour elle-même, de vivre *pour de bon*, de ramper hors du trou affreux où elle s'était enfoncée, serait engloutie par le grand tourbillon ténébreux qu'était Rafael Vila.

Il continuerait à acheter et revendre, à faire des milliards, à détruire des existences à sa guise — la sienne incluse. Elle continuerait à s'occuper de lui, à lui obéir, à effacer pour lui les obstacles, à anticiper ses moindres désirs. Jusqu'au moment où, laminée par lui, elle ne serait plus, sous son apparence sereine et agréable à regarder, qu'une coquille vide. Un robot. Esclave de sentiments qu'il ne voudrait ni ne pourrait jamais lui rendre, en dépit de ce qu'elle avait entrevu une fois, lors de cette soirée dont il ne serait plus jamais fait mention.

Pis, elle *voudrait* tout cela. Elle voudrait être ce qu'il lui était permis d'être pour Rafael Vila, du moment qu'elle pouvait rester près de lui. Exactement comme elle l'avait fait depuis cette nuit à Cadix où elle l'avait découvert sous un jour différent, plus humain. Elle se raccrocherait à n'importe quoi, n'est-ce pas ? Elle ferait même semblant de ne pas savoir qu'il avait anéanti ses rêves de promotion avec un courriel brutal. Oui, elle était pathétique à ce point ! Ne l'avait-elle pas prouvé au cours des trois dernières années ?

A son : « Nous nous reverrons demain », elle répondit :

— Non.

Un mot qu'il entendait rarement !

Il fronça de nouveau les sourcils. Ses yeux mordorés au regard dur flamboyèrent d'étonnement. Ses belles lèvres, qui donnaient à ses innombrables maîtresses l'illusion qu'il pouvait y avoir de la douceur en lui, se pincèrent de façon menaçante.

— Comment ça, *non* ?

— Ce mot ne vous est peut-être pas familier, énonça-t-elle avec une assurance feinte. Il exprime la contestation. Le refus. Deux concepts que vous avez quelque difficulté à saisir, je ne l'ignore pas. Mais ce n'est pas mon problème.

— Cela le deviendra. Je vais vous…

— Allez-y, attaquez-moi devant les tribunaux, le coupa-t-elle encore, ponctuant sa réplique d'un geste désinvolte. Qu'y gagnerez-vous ?

Pour la première fois depuis qu'elle le connaissait, Rafael resta sans voix. Un silence vibrant de tension s'installa entre eux. Il la considéra d'un air interdit — une expression qu'elle ne lui avait jamais vue.

Bien fait ! pensa-t-elle. Et, enhardie peut-être par ce silence inédit de sa part, par le tumulte qu'il avait fait naître en elle, elle continua de plus belle :

— Allez-vous me prendre mon appartement ? Ce n'est qu'une chambre meublée de location. Je vous l'abandonne volontiers. Je suis même prête à vous laisser vider mon compte en banque, si vous y tenez.

Elle rit, d'un rire sonore qui fit naître un écho, et acheva :

— Je vous ai donné cinq ans de ma vie, je ne vous donnerai pas deux semaines de plus. Pas même une seule seconde. Plutôt mourir !

*
* *

Rafael dévisageait Drusilla comme s'il la voyait pour la première fois. Il y avait quelque chose d'indéfinissable dans son port de tête, dans son visage ovale et ravissant, dans le flamboiement coléreux de ses yeux gris ordinairement calmes, dans le pli de sa bouche. Il n'arrivait pas à détourner d'elle son regard.

Sans y être invitée, une réminiscence vint rôder dans sa mémoire — celle de sa main sur sa joue, de ses yeux gris réchauffés par un sentiment voisin de l'affection, de ses lèvres… Ah non ! Inutile de raviver ce souvenir vieux de trois ans ! Après tous les efforts qu'il avait faits pour effacer de sa conscience cette aberration ! C'était une soirée regrettable dans une suite de cinq années fluides et sans heurt, sans l'ombre d'un problème. Pourquoi remuer cela ?

— Plutôt mourir ! répéta-t-elle.

— Cela peut toujours s'arranger, répliqua-t-il, scrutant son visage, quêtant quelque indice de ce qui avait pu amener cette crise. Auriez-vous oublié que je possède un pouvoir fatal ?

— Si vous tenez à proférer des menaces, essayez au moins de les rendre vraisemblables, au lieu de faire insulte à mon intelligence. Quels que soient vos défauts, vous n'avez rien d'un malfrat.

Pour la première fois depuis longtemps, Rafael était désarçonné — depuis sa naissance, peut-être, lorsque sa mère, dont le déshonneur n'était que trop connu au village, avait préféré se réfugier au couvent plutôt que d'affronter les conséquences de son péché. Il aurait pu trouver amusant que sa secrétaire — soi-disant si parfaite ! — l'ait réduit à cet état alors que rien ni personne n'y était jamais parvenu. Car rien ne le déstabilisait. Ni une négociation portant sur des milliards, ni une énième affaire ourdie par la presse à scandale, ni les manœuvres d'une entreprise téméraire. Oui, rien ne l'entamait.

A part cette femme. N'y était-elle pas déjà parvenue une fois ?

C'était comique, vraiment. Il en rirait à un moment

ou à un autre, et aux éclats, mais pour l'instant... il avait besoin d'elle ! Il fallait qu'elle reprenne la place qu'il lui avait assignée, le rôle qu'il préférait lui voir jouer. Une voix intérieure lui murmura que ceci était irréparable ; qu'elle ne serait plus jamais aussi commodément « invisible » qu'auparavant, qu'il était trop tard, qu'il jouait des prolongations illusoires depuis l'incident de Cadix, et que cette crise n'en était que la répercussion tardive. Il lui imposa le silence.

— Je pars, lui assena Drusilla. Il va falloir que vous l'acceptiez. Si vous éprouvez le besoin de m'intenter un procès, eh bien, faites. J'ai réservé un billet pour Bora Bora. Tout va bien pour moi.

Enfin, Rafael retrouva la faculté d'activer ses neurones. C'était une chose qu'elle s'en retourne à Londres, ou s'en aille en vacances à Ibiza comme il l'avait suggéré. Mais en Polynésie française ? A l'autre bout du monde ? Pas question !

Il refusait qu'elle parte. Et il n'avait pas plus envie d'examiner ses motivations qu'il ne l'avait eue la fois précédente, lorsqu'il avait découvert, une semaine seulement après la nuit de Cadix, qu'elle voulait le quitter. Trois ans plus tôt, il n'avait pas jugé bon d'approfondir. Il en allait de même aujourd'hui.

Ses motifs n'avaient rien de personnel, bien sûr. Drusilla était un atout. Pour de nombreuses raisons, elle était même son atout le plus précieux ! Elle savait sur lui trop de choses. *Tout*, en fait — de la taille de ses chemises à son breakfast favori en passant par ses prestations hôtelières préférées dans les grandes villes du monde, sans parler des complexités de ses affaires et de la manière dont il les traitait. Il n'arrivait même pas à imaginer le temps qu'il faudrait pour former sa remplaçante, et n'avait aucune intention de le savoir. Comme toujours, il agirait au mieux pour protéger ses intérêts. Pour ça, il était prêt à tout.

Il fourra ses mains dans les poches de son pantalon, et

se balança légèrement d'avant en arrière — une posture qui n'avait rien d'agressif, au contraire.

— Veuillez excuser ma conduite, dit-il, presque solennel. J'ai été pris de court.

Il vit qu'elle le considérait d'un air soupçonneux. Il regretta de ne pas avoir appris à la déchiffrer avec autant d'acuité qu'elle savait le faire en ce qui le concernait — sa capacité en ce domaine ne lui avait pas échappé. Cela le mettait à son désavantage, encore une sensation peu familière pour lui.

— Je ne vais certes pas vous assigner au tribunal, continua-t-il en se maîtrisant avec soin. J'ai mal réagi, comme n'importe qui l'aurait fait à ma place. Vous êtes la meilleure assistante que j'aie jamais eue. Peut-être même la meilleure de tout Londres. Je suis certain que vous en avez conscience.

— Ma foi…, lâcha-t-elle, baissant les yeux et lui dérobant son regard — qu'il trouvait envoûtant.

Elle marmonna quelque chose d'indistinct. Il aurait juré que c'était : « Il n'y a pas de quoi en être fière. »

Il aurait aimé en avoir le cœur net, mais se garda de la sonder. Il était résolu à la disséquer et à percer ses plus infimes mystères afin de ne plus jamais être pris au dépourvu. Mais pas maintenant. D'abord, il allait régler cette situation de la seule façon qu'il connaissait. En la dominant. En prenant le contrôle. Et peu importaient les moyens !

Il continua donc :

— Comme vous devez vous en rendre compte, il y aura un grand nombre de documents à signer avant que vous ne puissiez quitter l'entreprise. Des accords de confidentialité entre autres.

Il consulta sa montre d'un geste bref, puis :

— Il est encore tôt. Nous pouvons partir tout de suite.

— *Partir ?* lâcha-t-elle, interloquée et rembrunie.

Il réalisa qu'il ne l'avait jamais vue froncer les sourcils. Elle était toujours si sereine ! Seul un éclat inaccoutumé dans son regard laissait parfois soupçonner qu'elle n'en pensait pas moins. Quoi ? Il n'avait jamais cherché à le savoir. Mais à présent, elle plissait vraiment le front, sourcils rapprochés, lèvres serrées, et il l'observa avec fascination. Pourquoi n'arrivait-il pas à détacher son regard de sa bouche, et de ces rides d'expression inédites qui animaient son visage ? Il en était presque mal à l'aise. Comme si Drusilla devenait à ses yeux une personne véritable, s'animait, au lieu de n'être que son assistante, transparente et discrète. Comme si elle était soudain… une *femme*.

Il n'avait pas envie de penser à elle en ces termes ! Il n'avait pas envie de se remémorer la seule fois où il l'avait vue autrement qu'une secrétaire. Il ne voulait pas la mettre dans son lit, voyons. Evidemment pas ! Elle était trop intelligente, trop bonne dans sa partie. Il voulait qu'elle soit toujours présente à la place pour laquelle elle était faite.

— Mon équipe juridique est à Zurich, rappela-t-il avec calme. Vous ne l'avez tout de même pas oublié ?

Il la vit se raidir, et crut qu'elle rechignerait à l'idée d'un voyage express en Suisse. Mais au lieu de cela, elle déglutit avec difficulté puis carra les épaules, comme si un vol de deux heures dans son jet privé s'apparentait à une ultime corvée. Une épreuve qu'elle ne consentait à subir que pour être débarrassée de lui.

— Très bien, concéda-t-elle avec un soupir énervé qui le laissa de marbre. Si vous voulez que je signe quelque chose, n'importe quoi, je le ferai. Même à Zurich si vous y tenez. Je veux en finir.

Rafael sourit. Il la tenait.

2.

Quand l'hélicoptère se posa sur l'aire d'atterrissage du grand yacht qui faisait route sans hâte, Drusilla avait à peu près recouvré son empire sur elle-même. Elle descendit de l'habitacle en réalisant qu'elle n'avait pas d'autre solution. Le pilote coupait les rotors et resterait à bord. Elle n'allait pas « camper » dans l'appareil pour le seul plaisir d'affirmer sa volonté ! Rafael l'aurait plantée là, de toute façon ! Elle aurait dû s'attendre, pensa-t-elle amèrement, qu'il lui joue un coup tordu. Puisqu'il en avait le pouvoir... C'était un enlèvement éhonté !

Bien qu'elle désirât mettre entre elle et lui des centaines de kilomètres, elle fut contrainte de lui emboîter le pas tandis qu'il traversait le pont avant à grandes foulées athlétiques. Elle était trop bouleversée pour prêter attention à la mer bleue qui les environnait, à la côte lointaine — celle de la Croatie, elle l'aurait parié. Subissant les facéties de l'air marin, des boucles vagabondes s'échappaient de son chignon. Par habitude, elle eut un instant d'inquiétude, comme si elle devait encore se soucier de son apparence, de ce que Rafael Vila pourrait y trouver à redire. Elle fut effarée de constater que le besoin instinctif de lui complaire s'était enraciné en elle. Il lui faudrait du temps pour se défaire de son emprise !

Et ce tour de passe-passe n'arrangeait rien.

— Vous êtes conscient qu'il s'agit d'un kidnapping, non ? lança-t-elle — ainsi qu'elle l'avait déjà fait à plusieurs reprises.

Cette fois, Rafael s'immobilisa et tourna la tête vers elle, avec une lenteur délibérée qui la fit frémir.

— De quoi diable parlez-vous ? s'enquit-il doucereusement. Personne ne vous a forcée à venir. Ni menacée d'une arme dans le dos. Vous étiez consentante.

C'était quand il se comportait ainsi qu'il était le plus dangereux. Mais elle ne pouvait pas se permettre de lui céder. Elle ne se laisserait pas intimider !

— Nous ne sommes pas en Suisse, souligna-t-elle en s'efforçant de juguler sa panique. Ni même dans un pays qui lui ressemble. La mer qui nous entoure en témoigne. Et, à moins de commettre une erreur monumentale, j'identifie Dubrovnik, là-bas.

Elle désigna, au large d'un flanc du yacht, la ville aux toits rouges et aux murs chaulés qui s'accrochait à la côte découpée, les murs et la forteresse qui l'entouraient d'une enceinte protectrice. Les eaux bleues de l'Adriatique — car c'est là qu'ils étaient, elle en avait la certitude — étaient plus belles et attirantes que jamais. Mais Drusilla ne songeait guère à une baignade. Elle aurait plutôt poussé Rafael par-dessus bord ! Si elle n'essaya pas de le faire, c'est qu'il était beaucoup plus grand et vigoureux qu'elle — tout en muscles qu'elle préférait éviter de toucher. Pourtant, la tentation était grande…

Il ne décocha pas un coup d'œil vers le rivage. Pourquoi l'aurait-il fait ? Il avait su à quel endroit ils se rendaient au moment même où, à Londres, il avait mentionné Zurich. Il l'avait su quand ils avaient atterri dans un mystérieux aéroport d'Europe et qu'il l'avait poussée vers l'hélicoptère sans lui laisser le loisir de s'orienter. C'était elle qui était surprise, pas lui !

— Ai-je mentionné la Suisse ? demanda-t-il avec une douceur trompeuse et d'autant plus létale. Vous avez dû comprendre de travers.

Soulevée par la colère, la peur, et un sentiment mal identifié qui lui donnait l'impression d'être au bord de l'explosion, elle lança :

— Qu'est-ce que vous complotez ? Suis-je votre prisonnière ?

— Encore du mélodrame ! Comment avez-vous pu cacher pendant si longtemps votre tendance à dramatiser ?

Elle eut la nette impression qu'il avait choisi ces mots avec soin, et que d'autres paroles beaucoup plus rudes rôdaient dans son esprit. Quant à sa voix paisible, elle n'en était pas dupe. En fait, il était fou de rage.

— Vous me preniez pour une autre ! riposta-t-elle. Vous pouvez toujours courir pour que je vous obéisse aveuglém…

— Vraiment ? coupa-t-il. Si je ne m'abuse, la discipline est un de vos points forts.

— Obéir faisait partie de mon travail. Mais j'ai démissionné.

Après l'avoir dévisagée un long moment, il laissa tomber d'un ton implacable et farouche :

— Votre démission n'a pas été acceptée, mademoiselle Bennett.

Puis il lui tourna le dos et s'éloigna sur le pont inondé de soleil. *Affaire classée*, semblait-il signifier.

Drusilla resta à l'endroit où il l'avait laissée. Elle se sentait un peu ridicule et déplacée dans ses vêtements de travail, ses escarpins mal adaptés au plancher d'un bateau. Elle ôta ses talons aiguille, les tenant à bout de bras et, plantant ses pieds nus sur le pont comme si cela pouvait lui donner un ancrage, elle inspira l'air marin à pleins poumons.

Puis, accoudée à la rambarde, elle considéra d'un air rembruni le roulement des vagues et, au loin, la superbe côte si attirante avec ses verts luxuriants et ses rouges délavés, noyés de soleil. Soudain remuée, elle sentit se bousculer en elle toutes les luttes menées, les souffrances subies, les sacrifices consentis. La nostalgie. Le chagrin. L'espoir. La vérité brutale qu'une part d'elle-même aurait préféré ne jamais connaître. Tout semblait gonfler, enfler et se soulever, s'entrechoquer, menaçant de la déchirer et la rompre — comme si, ayant enfin lâché la bonde à tout ce qu'elle avait réprimé, à tous les mensonges qu'elle s'était racontés, elle ne parvenait plus à les contenir. A faire semblant.

La souffrance l'envahit, rapide, sombre, suffocante. Un instant, elle fut obligée de céder, de la laisser prendre possession d'elle. Il y avait tant de choses qu'elle ne pouvait changer ni défaire ! Elle ne pouvait pas revenir en arrière, empêcher son père de mourir alors qu'elle et Dominic étaient encore enfants. Elle ne pouvait pas éloigner sa mère de ses nombreux amants, plus brutaux et violents les uns que les autres. Elle ne pouvait pas empêcher le doux, le sensible, Dominic de trouver refuge dans des drogues de plus en plus dures jusqu'à ce que sa vie ne soit plus qu'un jeu tragique, une attente de la fin, inévitable et fatale.

Aujourd'hui, elle était libérée de ses obligations envers lui. Mais elle était aussi irrévocablement seule. Elle se rappelait à peine son père. Et sa mère ne lui avait pas donné signe de vie depuis des années. Son existence avait eu pour pivot essentiel la maladie de Dominic. Et maintenant qu'il était parti, il ne lui restait… rien. Mais elle remplirait ce vide, se promit-elle. Elle se bâtirait une vie fondée sur ses désirs au lieu de n'être qu'une réponse à des êtres et des choses qui lui échappaient. Une vie qui ne serait pas édifiée en opposition aux choix de sa mère. Une vie qu'elle ne mènerait pas en fonction des problèmes de son frère. Une vraie vie, quelle qu'elle soit.

Il lui fallait seulement, pour commencer, échapper à Rafael Vila.

De nouveau, une vague de souffrance la submergea, aussi dure à affronter que la première. Plus aiguë, d'une certaine façon. Sombre et déchirante. *Rafael.* Trois ans plus tôt, elle avait cru entrevoir en lui un éclair d'humanité, un signe qu'il ne se résumait pas à l'homme qu'il faisait semblant d'être en public. Et elle s'était fondée sur cette nuit, sur une conversation intime et un unique baiser, inapproprié et beaucoup trop passionné, pour bâtir un monde de possibilités imaginaires. Oh ! Comme elle l'avait désiré, comme elle avait cru en lui ! Et, pendant tout ce temps, il avait eu si piètre opinion d'elle qu'il lui avait coupé toute possibilité d'avoir un autre poste dans le Vila Group, et donc, toute carrière indépendante. Sans même lui en toucher un mot. Sans l'ombre d'une conversation avec elle.

Trois phrases négligentes avaient suffi. *Mlle Bennett est une assistante*, avait-il écrit dans son courriel au directeur des ressources humaines, peu de temps après la nuit qui, avait-elle cru dans sa folle sottise, avait tout changé entre eux. Elle avait postulé pour la direction du marketing, se disant qu'elle devait déployer ses ailes, prendre sa propre carrière en main au lieu de soutenir celle de Rafael. *Elle n'a pas l'étoffe d'une vice-présidente. Cherchez ailleurs.*

Il n'avait pas caché cette intervention. Pourquoi l'aurait-il fait ? C'était là, dans le dossier de Drusilla, si elle avait voulu se donner la peine de le consulter. Elle ne l'avait pas fait jusqu'à aujourd'hui, où elle avait entrepris un peu de rangement dans le bureau. Elle avait été si sûre que tout avait changé après Cadix ! Même si cela restait dans le non-dit. Elle n'avait pas souffert de ne pas obtenir le poste — elle croyait alors qu'elle et Rafael se comprenaient, formaient une équipe.

Fasse le ciel, se dit-elle à présent en refoulant des larmes de colère et d'humiliation, *que je ne sois plus jamais aussi stupide !*

Elle avait très bien su qui était Rafael quand il l'avait engagée, et elle savait tout aussi bien qui il était aujourd'hui. Elle passerait sans doute le reste de son existence à se demander comment elle avait pu ignorer l'évidence pendant si longtemps ; comment elle avait pu se trahir elle-même pour un fantasme échafaudé sur un seul baiser, dont le souvenir la faisait encore rougir. Oh ! elle veillerait à ne plus se négliger ! Piètre réconfort, sans doute, mais elle n'en avait pas d'autre.

Elle trouva Rafael dans l'un des salons de marbre et d'acier du yacht au bas d'un escalier en spirale, aussi opulent et luxueux que le reste sur ce palace flottant qu'il avait gagné aux cartes lors d'une nuit de poker avec un oligarque russe. Quand elle lui avait demandé pourquoi il avait voulu ajouter un autre yacht à sa collection, il avait répondu avec un léger haussement d'épaules :

— Il était facile à prendre. Alors, je l'ai fait.

Il était maintenant assis dans l'espace salon, et l'une de ses interchangeables compagnes, énième aspirante à la célébrité toute en seins rebondis et cascade de cheveux blonds, se vautrait sur lui. Il avait déposé son veston, et avait une allure délicieusement négligée avec sa chemise entrouverte qui laissait voir un triangle de chair bistrée. La fille fit la moue et lâcha quelques mots — du tchèque ? — en voyant Drusilla, comme si c'était elle qui attirait l'attention de Rafael vers le grand écran plat de télévision plutôt que vers les appâts qui lui étaient offerts. Comme s'il avait pu s'intéresser à elle si Drusilla n'était pas survenue.

Tu te rapproches à toute vitesse de ta date d'expiration, siffla intérieurement Drusilla à l'autre femme, avant de se reprendre pour cette pensée peu charitable. Ce n'était pas un combat de chattes de gouttière. Pas même une rivalité.

Elle avait passé trop de temps à se dire que tout était très bien comme ça, qu'il lui était égal que cet homme — qui l'avait embrassée avec tant de fièvre et de passion dans une ville chargée d'histoire et l'avait regardée comme si elle seule comptait pour lui — satisfasse son appétit de luxure avec toutes ces femmes anonymes. *Pourquoi cela compterait-il* ? s'était-elle répété des centaines de fois au cœur de la nuit, alors qu'elle était seule et lui occupé à rendre hommage à sa compagne du moment. *Ce que nous partageons est tellement plus profond que le sexe…*

Pathétique ! Quelle lamentable illusion !

Elle tenait à présent une chaussure dans chaque main, telles des armes potentielles. Elle s'accorda un instant de sombre amusement en voyant que Rafael portait son regard calculateur sur les talons aiguille, l'air d'imaginer qu'elle s'en servirait comme de banderilles. Avec un sourire de dédain railleur, il se retourna vers l'écran où défilaient les données de la Bourse de New York. Comme s'il avait jaugé la menace et s'en détournait avec désinvolture. La dédaignait, ainsi qu'elle-même.

— Ça y est, vous êtes calmée ? s'enquit-il.

Une fois de plus, elle se sentit vibrer de colère — contre lui et, surtout, contre elle-même. Elle en tremblait presque.

— Je veux savoir ce que vous attendez maintenant que vous m'avez coincée sur ce bateau, lança-elle d'une voix mordante. Allez-vous me garder prisonnière ? Cela ne semble pas très réaliste. Un bateau finit toujours par accoster, et je sais nager.

— Je vous suggère d'inspirer un bon coup, mademoiselle Bennett, déclara-t-il sans même la regarder, avec une indifférence insultante. Vous frôlez l'hystérie.

Sans même réfléchir, dans un élan de rage folle, elle leva le bras et lui expédia une chaussure à la tête. L'escarpin fendit l'air, et elle imagina le talon se planter dans l'un de ses yeux railleurs… Mais il allongea le bras et l'attrapa au vol au dernier moment.

Quand il la regarda alors, ses yeux bruns flamboyèrent, scandalisés. Animés aussi par quelque chose d'obscur qui sembla se répercuter en elle, comme un écho vibrant. Etait-ce une sorte d'attente ? Le souvenir commun d'une rue de Cadix, du baiser explosif qui y avait eu lieu ? Non, c'était impossible. Une fois encore, elle était en proie à ses fantasmes éperdus !

Elle haletait légèrement comme si c'était elle qui avait fendu l'air telle une flèche acérée, et était maintenant prisonnière au creux de sa main de fer. Les courants sous-jacents, sauvages, qui la tourmentaient chaque fois qu'il était proche, semblèrent s'enrouler sur eux-mêmes tels des serpents.

— La prochaine fois, siffla-t-elle, mâchoires serrées, je ne vous raterai pas.

*
* *

Une fois encore, elle l'avait surpris. Et pas plus qu'à Londres, Rafael n'aimait ça. Le regard gris de Drusilla était animé, résolu, et il n'aimait pas ce qu'il y voyait. Il n'y comprenait rien et n'avait pas envie de comprendre. Il n'aimait pas lui voir les joues empourprées, les pieds nus, les cheveux légèrement en désordre pour la première fois depuis qu'il la connaissait. Elle avait l'air trop… *sexy.*

Il dut se contraindre à détourner d'elle son regard et, quand il le fit, il se surprit à examiner le talon aiguille qu'elle lui avait lancé à la figure. C'était bel et bien une arme ! Mais c'était aussi une chaussure élégante et délicate, d'une féminité enjôleuse, qu'il n'avait pas envie d'associer à son assistante. Il ne voulait pas l'imaginer occupée à enfiler dans cet objet effilé l'un de ses pieds racés qu'il venait seulement de remarquer, ni penser à l'effet de la hauteur vertigineuse de ces talons sur le balancement de ses hanches…

Maudite Drusilla ! Lentement, il se leva, sans la quitter des yeux.

— Que vais-je bien pouvoir faire de vous ? lança-t-il, excédé par son air de défi ; et tout aussi excédé par sa propre incapacité à mettre fin à cette situation perturbante, importune, sur laquelle il n'avait déjà plus prise.

Mais les mèches folles de ses cheveux soyeux venaient caresser ses lèvres, son menton, et il continua à la regarder malgré lui.

D'une voix qui différait de sa sèche efficacité coutumière, comme si elle bouillait de rage intérieure, elle souligna :

— Vous avez eu au fil des ans quantité d'options. Vous auriez pu, par exemple, me permettre d'occuper un autre poste dans votre entreprise. Vous auriez pu me laisser partir aujourd'hui. Au lieu de ça, vous avez choisi de m'enlever.

Brusquement, il se rappela qu'ils n'étaient pas seuls. D'un geste désinvolte, il congédia la blonde, ignorant son expression boudeuse. Elle marmonna en quittant les lieux, lui causant plus d'irritation qu'elle ne l'aurait dû. Aucune femme n'était donc disposée aujourd'hui, dans son existence soigneusement maîtrisée, à faire ce qu'il désirait ? Fallait-il que chaque chose soit une épreuve ?

Il envoya valser l'escarpin dans le fauteuil qu'occupait la blonde un instant plus tôt, et se demanda à quoi rimait cette conversation. Pourquoi encourageait-il Drusilla dans son attitude en tolérant qu'elle s'adresse à lui avec si peu de respect ?

Et pourquoi bon sang éprouvait-il la tentation, si contraire à son caractère, d'expliquer les raisons qui l'avaient poussé à couper court à sa demande de promotion trois ans plus tôt ? Que lui arrivait-il à la fin ? Quand avait-il défendu ou justifié sa conduite ?... Jamais !

— Je ne partage pas mes possessions, dit-il froidement, dans le seul but de la remettre à sa place.

Elle se raidit, et une expression blessée passa dans son regard. Pour la première fois depuis des années, Rafael éprouva un sentiment voisin de la honte. Il le dédaigna.

— Je pourrais vous demander quel genre d'homme vous êtes pour tenir ces propos insultants, mais à quoi bon ? Nous savons pertinemment l'un et l'autre à quoi nous en tenir.

— Selon les médias, je suis une force de la nature.

C'était un rappel en forme de mise en garde, la dernière qu'il était disposé à émettre. Il n'était pas du genre à tolérer l'insubordination. Pourtant, il y avait des heures qu'il supportait la sienne. Sans parler de sa tentative d'agression. *¡ Basta ya!* pensa-t-il, exaspéré. Trop, c'était trop.

Il se surprit à avancer vers elle, remarquant qu'elle déglutissait avec nervosité à son approche, comme si elle n'était pas aussi révoltée ni maîtresse d'elle-même qu'elle le semblait. Le souvenir enjôleur remonta à la surface, se ranima en lui. Dangereusement vivant.

Drusilla reporta son poids d'un pied sur l'autre, et ce geste lui rappela qu'elle était, en réalité, une femme. Et non pas un robot parfait destiné à répondre à ses besoins, comme toute bonne assistante. Elle était faite de chair, lisse et douce, et, sous sa jupe droite, ses jambes étaient superbement galbées. Elle n'était ni la statue de glace de son imagination, ni un fantôme. Et il avait directement goûté au feu qui était en elle.

Cela non plus ne lui plaisait pas. Mais il laissa pourtant errer sur elle son regard, notant que sa mince silhouette possédait là d'appétissantes rondeurs bien placées, qu'il aurait déjà remarquées s'il avait consenti à y prêter attention. Quelque chose dans le désordre de sa coiffure, l'agitation de son regard, la disparition totale de son calme coutumier, lui portait sur les nerfs. Son cœur se mit à battre sur un tempo de mauvais augure, et il pensa à des choses qu'il aurait dû oublier… Ces jambes galbées nouées autour de ses reins tandis qu'il la plaquait contre un mur de l'antique Cadix. Sa bouche humide et chaude sous la sienne. Et la dissolution, comme en un tourbillon, de cette efficacité impassible sur laquelle il avait compté pendant des années…

Inacceptable ! S'il ne s'autorisait jamais à repenser à cette nuit-là, il y avait une raison, bon sang !

— Et être une « force de la nature » vous décharge de toute responsabilité, c'est ça ? lui lança-t-elle comme si elle se moquait de le voir la toiser de haut. Vous n'êtes ni un ouragan ni un tremblement de terre mortel, monsieur Vila. Vous êtes un égoïste sans cœur qui a trop d'argent et trop peu de savoir-vivre.

— Je vous préférais telle que vous étiez avant.

— Soumise ? suggéra-t-elle sans ciller.

— Silencieuse.

— Si vous n'avez pas envie de m'entendre ni de connaître mes opinions, vous n'avez qu'à me laisser partir. Congédier les gens, ça vous connaît, non ? Je vous ai vu faire avec cette pauvre fille, il y a une minute.

Il se pencha vers elle, amenant son visage tout près du sien. Les effluves suaves de son savon, ou de son parfum, lui vinrent aux narines, et le désir le fouetta. Il se rappela qu'il avait enfoui sa tête au creux de son cou gracieux, et il eut envie de le refaire, tout de suite, avec une violence perturbante. Il ne savait pas trop s'il l'admirait ou s'il avait envie de l'étrangler en la voyant lui tenir tête au mépris du danger, en affichant même un regain de défi.

Il éprouva un sentiment des plus étranges, qu'il n'aurait pourtant pas qualifié de prémonition : cette femme était peut-être porteuse de sa mort. Il le refoula, contrarié par sa superstition — une de ces inepties qu'il croyait avoir laissées derrière lui avec son enfance malheureuse.

— Pourquoi vous préoccupez-vous du sort de cette « pauvre fille » ? dit-il d'une voix d'autant plus calme que sa colère ne cessait de croître. Savez-vous seulement son nom ?

— Et vous ? rétorqua-t-elle, plus belliqueuse que jamais.

— Pourquoi vous souciez-vous du traitement que je réserve à mes maîtresses ?

— Pourquoi ne vous en souciez-vous pas ?

Tout à coup, il comprit de quoi il retournait. C'était une évidence criante. Et ce qui l'inquiétait, c'était de n'avoir rien vu venir, alors que ceci devait bouillonner en elle depuis des années. Cette nuit de Cadix sans signification particulière, il l'avait pour sa part ignorée dès qu'elle avait eu lieu, il ne s'était pas laissé hanter par elle, il n'avait pas permis qu'elle affecte leur relation professionnelle. Il avait cru qu'il en était allé de même pour Drusilla.

— Peut-être n'étiez-vous pas tout à fait franche quand je vous ai demandé s'il y avait un homme là-dessous, et que vous avez répondu non…

Un instant, elle le fixa, interdite. Puis, alors qu'une compréhension soudaine jaillissait dans son regard, elle eut un soupir étranglé, incrédule, suivi d'un éclair de trouble fiévreux — aussitôt dompté. Mais il avait eu le temps de le capter.

— Vous plaisantez, dit-elle, l'air effaré, horrifié — un peu trop effaré et horrifié, à vrai dire. Vous supposez réellement que… qu'il s'agirait de *vous* ?

— Oui, confirma-t-il. Vous ne seriez pas la première secrétaire à avoir un faible pour son patron, n'est-ce pas ? Et je suis prêt à en endosser la responsabilité, continua-t-il, persuadé d'être magnanime. Je n'aurais pas dû permettre ce qui s'est passé à Cadix. C'était ma faute. Je vous ai amenée à entretenir… des idées fausses.

Il crut la voir pâlir et, malgré lui, malgré tout ce qu'il avait prétendu, il ne pensa plus qu'à cette nuit lointaine… L'air doux de l'Espagne alors que, revenant de la *bodega*, ils marchaient vers l'hôtel… l'agréable brouillard qui voilait le monde réel… et le bras de Drusilla autour de sa taille, comme s'il avait besoin d'aide, de soutien… Puis sa bouche sous la sienne, sa langue, son goût enivrant, plus grisant que les *manzanillas* qu'il avait bus en un hommage retors au grand-père dont, le jour même, il avait refusé de porter le deuil… Au lieu de cela, il avait embrassé Drusilla. Il y avait eu la douceur des ténèbres nocturnes, ses mains sur ses courbes féminines, ses lèvres au creux de son cou… Trois années après, il avait l'impression d'en avoir encore le goût aux lèvres.

Il s'était menti. Ce n'était pas seulement la contrariété et la colère qui l'agitaient, excitaient la part la plus intime de son anatomie, fouettaient la circulation de son sang. C'était le *désir*.

— Je serais plus susceptible d'avoir un faible pour Jack l'Eventreur, riposta-t-elle avec fureur. En fait, ce serait préférable, et de loin ! Et puis, je n'étais pas votre secrétaire, mais votre assistante.

— Ce que vous êtes, c'est moi qui en décide, lui assena-t-il comme si cela pouvait bannir ses souvenirs, bannir Drusilla elle-même et, avec elle, ce satané désir. Un fait que vous semblez avoir perdu de vue en même temps que la conscience de la place que vous occupez.

Elle laissa échapper un soupir étranglé, et il les vit poindre encore, ce trouble, cette fièvre sensuelle, cet éclat dans son regard gris, qu'il avait déjà vus une fois et n'avait pas oubliés, en dépit de ce qu'il pouvait prétendre, et de sa propre volonté.

Mensonges, pensa-t-il, le corps frémissant du besoin de la goûter. De la posséder.

— Je n'ai pas entretenu la moindre « idée fausse » au sujet de notre moment d'égarement à Cadix, siffla-t-elle — et il sut qu'elle mentait aussi. Ce n'était qu'un baiser de rien du tout. En auriez-vous entretenu, par contre ? Est-ce pour ça que vous m'avez interdit cette promotion ? Par jalousie ?

Il n'était pas *jaloux* évidemment, c'était une idée ridicule ! Mais il voulait qu'elle se taise. Il ne voyait qu'un moyen d'y parvenir. Le cœur battant, il tenta de se convaincre qu'il s'agissait d'un acte *stratégique*. Il n'y croyait pas vraiment. Pourtant, il inclina la tête, et l'embrassa.

Ce fut comme si une légère déflagration embrasait l'atmosphère.

Non, ce n'est pas possible, cela ne recommence pas… Mais Drusilla n'eut pas le loisir de réfléchir. La bouche de Rafael, sa belle bouche, s'écrasait sur la sienne. Il effaçait la distance qui les avait séparés, avec la hardiesse implacable qui le caractérisait. Comme des années plus tôt dans une rue enténébrée. Une de ses mains glissait de sa hanche vers le creux de son dos et la plaquait contre lui, tandis que ses lèvres s'emparaient des siennes, exigeaient qu'elle lui accorde un passage, qu'elle lui rende son baiser.

Et elle cédait, hélas ! Le soulier qu'elle tenait encore lui échappa des mains, elle perdit la tête, entrouvrit les lèvres. C'était si torride ! *Enfin*, souffla une petite voix vibrante de jubilation. Rafael avait le goût du péché, et elle était grisée, enivrée, éperdue. Elle n'avait plus conscience que de la tiédeur de sa bouche, de la fermeté de son torse. Ses seins écrasés contre lui étaient tendus. Partout où il la touchait, il semblait déposer une traînée de fièvre. Et elle lui rendait son baiser parce que c'était comme s'il lui avait jeté un sort. Elle était la prisonnière consentante de son charme envoûtant. Oui, elle voulait ce baiser, cette caresse qui avait quelque chose de fatal, qui l'embrasait, la changeait, modifiait tout…

Il s'interrompit et lâcha quelques mots rudes en espagnol. Cela la dégrisa. Elle le repoussa d'un mouvement irréfléchi, réalisant qu'il lui rendait sa liberté et, surtout, qu'une force intérieure lui soufflait de rester là, collée à lui comme autrefois — fût-ce à son détriment.

Elle chancela, recula d'un pas, puis de deux. Elle avait le souffle court. Un voile semblait atténuer la netteté de sa vision. Elle ne percevait que le regard sombre, ambré, de Rafael, et cette bouche qui…

Bon sang, n'avait-elle donc rien appris ? se désola-t-elle, au bord de la défaillance. Elle inspira à plusieurs reprises, et son malaise se dissipa peu à peu tandis que Rafael se contentait de la regarder. Comme si son trouble était inscrit sur son corps, comme s'il savait qu'elle brûlait de désir pour lui depuis toujours.

Incapable de le supporter, elle tourna les talons, et s'élança hors de la pièce, accélérant l'allure, débouchant au pas de course sur le pont, haletante et presque en pleurs.

Pauvre idiote, pensa-t-elle.

Parvenue sur le pont, elle cilla sous le soleil éclatant. Quand elle se retourna, elle vit sans étonnement que Rafael l'avait suivie — grand et sombre, le regard fiévreux, exigeant.

— Où allez-vous ? lança-t-il, tentateur et retors. Je croyais qu'un « baiser de rien du tout » vous laissait de marbre ?

Le diable, ou le grand plongeon, pensa-t-elle, consciente d'être au bord de la crise de nerfs. Son cœur était déjà brisé. Elle n'en pouvait plus. Survivre aussi à ça ? C'était impossible. En fait, elle n'était même pas sûre d'avoir survécu la première fois.

Faisant volte-face, elle se mit à courir vers la rambarde, et sauta par-dessus bord.

3.

Elle avait sauté ! Elle s'était bel et bien jetée à l'eau ! Planté devant la rambarde, Rafael la regarda faire surface en contrebas, puis se mettre à nager vers le rivage. Il luttait pour reprendre son empire sur lui-même, pour juguler son désir, l'enfouir dans les tréfonds de sa mémoire.

Comment cela avait-il pu se reproduire, bon sang ?

Il était conscient d'être le seul à blâmer. Et ça n'arrangeait pas les choses.

— Est-ce Dru ? demanda derrière lui une voix choquée.

— *Dru ?* fit-il d'un ton glacial.

Il ne voulait pas savoir qu'elle avait un surnom familier. Il ne voulait pas penser à elle comme à une personne. Il ne voulait pas sentir dans sa bouche la saveur de la sienne, si enivrante ; il ne voulait pas éprouver ce désir éperdu qui le secouait comme un vent furieux, l'excitait au point d'en avoir mal, et qui, surtout, lui donnait l'impression d'être étranger à lui-même. Il ne voulait pas de tout ça ! Mais une pulsation sourde, présente en lui, et qu'il voulait prendre pour de la colère, lui faisait sentir qu'il n'était qu'un menteur.

— Je veux dire : « mademoiselle Bennett », bien sûr, rectifia à côté de lui le steward hésitant. Pardonnez-moi, Monsieur, mais… est-elle tombée ? Ne devrions-nous pas nous porter à son secours ?

— Excellente question, marmonna Rafael, tendu.

Il la suivit des yeux pendant un long moment tandis qu'elle fendait les eaux bleues à grandes brasses assurées. Il fut presque forcé d'admirer la détermination et la volonté obstinée qu'elle avait manifestées aujourd'hui. Et manifestait toujours, d'ailleurs. Sans parler de sa grâce et de son aisance dans l'eau, bien qu'elle fût habillée. Il dut lutter contre lui-même pour dompter les élans de son corps, pour refouler ce désir brûlant, ce sentiment obscur, qui l'animait et n'était pas près de s'apaiser avec un seul baiser. Certes pas ! C'était-là le genre de caresse qui initiait les liaisons torrides, et si Drusilla n'avait pas été en cause, il n'y aurait pas réfléchi à deux fois. Il l'aurait prise, là, tout de suite, à même le parquet du salon. Contre le mur, ou sur les coussins moelleux. Encore et encore. Rien que pour explorer cette alchimie sensuelle réellement bouleversante qui avait jailli entre eux — celle qu'il avait voulu oublier, et qui maintenant l'obsédait.

Mais c'était de Drusilla qu'il s'agissait.

Rafael avait toujours fait preuve d'esprit pratique. Il se concentrait sur ses objectifs. Jamais il ne s'était écarté de sa route. Il n'en avait même pas eu la tentation. Exception faite de ce fatal écart à Cadix, et de sa réédition aujourd'hui sur le yacht.

Deux écarts de trop. Il devait se ressaisir, et rester maître de lui.

Alors qu'elle se renversait sur le dos, sans doute pour voir si on la poursuivait ou pas, il se débattit avec la part insidieuse de lui-même qui lui suggérait de la laisser se débrouiller. Elle ne lui avait que trop fait perdre son temps ! Il avait de nombreuses obligations, et les avait mises de côté pour essayer de la retenir, aujourd'hui. Pourquoi s'était-il donné cette peine ? Et pourquoi, ensuite, l'avait-il embrassée ?

Peu importait, se dit-il brutalement. Elle était, bien sûr, trop précieuse comme assistante pour qu'il coure le risque qu'elle se noie. Et pour qu'il se risque à devenir son amant, ainsi que son corps l'exigeait avec ardeur. Il avait pris une décision équivalente, trois ans plus tôt, quand elle avait postulé pour ce poste de direction. Il avait résolu qu'elle resterait où elle était, et que tout devait continuer comme avant leur voyage en Espagne. Il ne voyait toujours pas de raison de changer quoi que soit. Tout avait été si parfait pendant si longtemps — exception faite de deux malheureux baisers qui n'auraient jamais dû avoir lieu.

Il ne comprenait pas pourquoi elle désirait si désespérément quitter cet emploi, ni pourquoi elle lui en voulait à ce point, tout à coup. Mais il était sûr que le problème, quel qu'il soit, se résorberait de lui-même s'il mettait assez d'argent dans la balance. Surtout s'il avait froissé ses sentiments et rien de plus. Les gens cédaient toujours à l'argent, pensa-t-il en esquissant un sourire cynique.

— Monsieur ? Nous pourrions prendre le canot à moteur, non ? Elle commence à s'éloigner un peu trop…

Le steward était à la fois plus obséquieux et plus inquiet que tout à l'heure. Rafael s'en serait sans doute amusé, s'il n'avait pas été d'une humeur si étrange. Ces sensations inhabituelles, indécises et déstabilisantes lui déplaisaient. Il n'aimait pas que Drusilla lui fasse éprouver quelque chose, surtout cela. En tant qu'assistante, elle était parfaite : compétente, fiable, et *impersonnelle*. C'était quand il la voyait comme une femme qu'il ne tournait pas rond. Il commençait à avoir des sentiments indignes d'un homme tel que lui : le manque d'assurance, la sensation de privation. Cela ne lui ressemblait pas. Et cela lui faisait profondément horreur.

Plus jamais, s'était-il juré du temps de son adolescence. *Plus jamais de sentiments*. Il n'en avait éprouvé que trop dans les dix-huit premières années de sa vie, et n'en avait tiré que de la souffrance. C'était terminé, tout ça, avait-il décidé, résolu à ne jamais devenir un homme faible, malléable, ordinaire.

Il avait obéi à ce précepte pendant près de deux décennies. Si une chose était hors d'atteinte, il s'arrangeait pour étendre son rayon d'action et s'en emparer. Si elle n'était pas à vendre, il exerçait des pressions jusqu'à ce qu'elle le devienne — et l'obtenait même souvent à un moindre prix. Une femme ne voulait pas de lui ? Il l'inondait de ce qu'elle désirait, quoi que ce fût, jusqu'à ce qu'elle décide qu'elle s'était un peu trop empressée de le repousser. Une assistante voulait le quitter ? Eh bien, il la remplaçait. Et s'il jugeait qu'elle devait rester, il lui donnait ce qu'elle voulait pour qu'elle reste. Oui, il achetait ce qu'il souhaitait, car il en avait les moyens. Plus jamais il ne serait ce petit garçon marqué par la honte de sa mère, auquel on n'attachait pas plus de valeur qu'au péché dont il était issu. Pour la simple raison qu'il ne *se souciait* de personne. Il ne le pouvait pas, et ne le voulait pas.

Ce n'était pas qu'il ressentait quelque chose en ce moment, pas vraiment, bien sûr. Mais ce qui l'habitait — ce désir fou, cette obsession insensée pour une femme qui, par deux fois, avait voulu le quitter — était trop proche d'un sentiment. Beaucoup trop. Cela le rongeait. L'excitait. Le mettait en état de manque.

C'était monstrueux. Il refusait cela !

— Préparez un des canots à moteur, dit-il à voix basse. J'irai la chercher moi-même.

Tandis qu'on s'activait aussitôt derrière lui comme si l'équipage entier avait été suspendu à ses ordres, il perçut une note de surprise dans la réponse affirmative du steward. Cela n'avait rien d'étonnant. Il était Rafael Vila. Un fait qu'il avait perdu de vue, aujourd'hui. Rafael Vila n'allait pas chercher une femme ni une employée. On la lui « délivrait » comme n'importe quel autre colis. Et voici qu'il partait à la poursuite de cette femme ! C'était impensable, inouï. Pourtant, il agissait bel et bien ainsi.

Qu'allait-il faire ? La ramener de force sur le yacht et poursuivre cette petite comédie jusqu'à ce qu'il obtienne ce qu'il voulait ? Ou…

Pour le moment, alors qu'il suivait du regard la nageuse obstinée, il ne connaissait pas la réponse.

— Allez-vous monter à bord ? Vous ne pouvez quand même pas nager indéfiniment ! jeta Rafael depuis le confortable banc du canot à moteur où il était installé.

Drusilla l'ignora.

— Le rivage est plus loin qu'il ne paraît, poursuivit-il de la même voix sèche. Et puis il y a les courants. Si vous n'y prenez garde, vous serez emportée jusqu'en Grèce.

Drusilla continua à nager. Elle était morose. Ou plutôt… *a*battue. Avait-elle réellement embrassé Rafael Vila avec tant de passion ? Une fois de plus ? A Cadix, passe encore. Il avait été très différent, cette nuit-là. Et, vu les circonstances, l'acte avait été conforme à la nature, d'une certaine manière. Excusable. Alors que rien ne pouvait excuser ce qui s'était passé aujourd'hui ! Elle savait le peu de cas qu'il faisait d'elle. Oui, elle le savait ! Et pourtant, elle l'avait embrassé. Sans retenue, avec fièvre et sauvagerie. Avec une nostalgie douloureuse, une sensualité torride… Jamais elle ne se le pardonnerait !

— Entre la Grèce et vous, je choisis sans hésiter la Grèce, riposta-t-elle.

Il se contenta de claquer des doigts en direction du steward, qui était à la manœuvre, et le moteur vrombit de plus belle, couvrant ses propos.

Elle s'arrêta de nager et fit du surplace, en regardant avec consternation la petite embarcation qui décrivait un cercle autour d'elle, la piégeant dans son sillage. Une vague d'eau salée l'atteignit en plein visage, et elle dut s'essuyer les yeux pour recouvrer une vision nette. Elle constata que le canot s'était arrêté de nouveau, moteur coupé, et se trouvait bien trop près d'elle. Autrement dit, Rafael Vila aussi était beaucoup trop près. Comment arrivait-il à lui donner le sentiment d'être prise au piège alors qu'elle se trouvait en pleine mer ?

— Vous avez l'air d'un raton laveur, lui dit-il sans ménagement — comme si elle lui faisait une insulte personnelle.

— Ah ! parce que vous escomptiez que je resterais impeccable ? Vous ne savez même pas ce qu'est le mascara, je parie. Il faut l'appliquer, figurez-vous. Il n'orne pas par magie les yeux des femmes sur lesquelles vous posez les vôtres !

Elle se retint de se frotter de nouveau pour enlever le fard qui maculait sans doute aussi ses joues, à présent. *Ça n'a aucune importance*, se convainquit-elle, effarée de se découvrir si coquette.

De sa voix douce et trompeuse, Rafael laissa tomber :

— Je me moque de votre maquillage. Je veux faire comme si ce jour n'avait jamais existé.

— Tandis que moi, je me soucie comme d'une guigne de ce que vous voulez.

Il s'amusa de cette réplique, de toute évidence. Elle vit passer cela sur son visage farouche, fascinant, tel un éclat de lumière dans les ténèbres. Elle déglutit, remuée par sa propre réaction. Un effet de la mer, de l'eau salée, de la fatigue, voulut-elle croire. Ce n'était pas du tout à cause de Rafael Vila. Ce n'était pas une répercussion du baiser dont elle n'aurait même pas dû se souvenir.

Seigneur ! Quelle piètre menteuse tu fais ! pensa-t-elle.

— Ce qui vous soucie ou non m'indiffère, je ne tiens nullement à le savoir, lui assena-t-il d'une voix glaciale, rééditant ce demi-sourire carnassier dont il avait le secret.

Drusilla aurait préféré avoir affaire à un requin ! Elle aurait eu plus de chances de s'en tirer. Elle recommença à faire du surplace, ravala les mots acerbes qu'elle avait envie de lui jeter à la figure, et examina la situation. Pour parler franc, elle était fatiguée. Epuisée, même. Ces dernières années, elle avait presque tari sa réserve d'énergie. Et le peu qu'il lui restait, elle l'avait dilapidé dans le bras de fer qui l'avait opposée aujourd'hui à Rafael.

Comme pour mieux souligner cela, un nouveau mouvement de houle lui inonda le visage, l'amenant à toussoter et à plonger sous la surface. Un instant, elle se laissa flotter entre deux eaux, aux prises avec l'intensité de son effondrement intérieur, de son déchirement. Elle était laminée par cette journée perturbante ; par les longues années qui l'avaient précédée ; par des baisers qui n'auraient jamais dû avoir lieu ; par la disparition de son frère qui la laissait dévastée. Son corps tressauta alors qu'elle sanglotait, là sous les eaux, comme s'il cédait au bout de tant de peines.

Cinq ans durant, elle s'était inquiétée et tourmentée, avait imaginé un avenir plus clair sans y croire vraiment. Elle s'était efforcée tout de même d'avoir la foi. De croire que Dominic se libérerait de ses addictions. De croire qu'elle travaillait dur par choix personnel et non par obligation. De croire que ses rêves se réaliseraient si elle luttait pour. N'avait-elle pas réussi à s'extraire d'une enfance désastreuse pour aller vers quelque chose de meilleur ? Alors, pourquoi n'aurait-elle pas emporté la partie cette fois encore ?

Puis était venu le jour terrible où elle avait appris la mort de Dominic. Elle avait dû escorter Rafael sur un site de production en Belgique, se comporter comme si on ne venait pas de lui arracher le cœur. Oh ! Rafael ne s'était rendu compte de rien ! Elle avait veillé à ne rien laisser entrevoir. Elle s'était occupée de payer toutes les factures et dettes de son frère tandis qu'un chagrin massif la terrassait. Elle avait fait comme si la souffrance n'existait pas. Elle s'était persuadée que c'était son rôle de faire semblant d'aller bien. Elle s'était enorgueillie d'être parfaite aux yeux de Rafael, et de veiller à ses besoins quoi qu'elle pût subir personnellement.

En lisant le courriel, tôt ce matin à Londres, et en découvrant que toutes ces années auprès de lui n'avaient été qu'une mascarade, cela avait été le coup de grâce. Une part d'elle-même, en ce moment, avait envie de se laisser couler à pic, de sombrer dans les profondeurs de l'Adriatique. De lâcher prise et d'en finir. Etait-ce ce que Dominic avait fait, au bout du compte ? Et pourquoi ne l'imiterait-elle pas ? Elle n'avait rien à quoi se raccrocher…

Mais Rafael penserait que cela se rapportait à lui, elle en était sûre. Or, il n'était pas question qu'elle permette cela. D'un coup de reins, elle remonta à la surface, au soleil, et inspira de façon saccadée.

Rafael demeurait là, l'air irrité, comme s'il lui était égal qu'elle surnage ou coule, comme s'il se préoccupait seulement de son après-midi gâché. D'une certaine façon, cela la galvanisa. Alors qu'elle observait cet homme auquel elle s'était sacrifiée à cause de ses folles idées, elle sut qu'elle ne s'effondrerait pas. Non, elle ne craquerait pas.

De toute façon, elle était déjà brisée. Et, en un certain sens, c'était une force, pensa-t-elle en essuyant son visage d'un revers de main. Une prière farouche s'éleva en elle.

Je te promets, Dominic, que je laisserai cet homme, et t'emmènerai à Bora Bora comme promis. Je t'apporterai le vent et la mer ainsi que tu l'as toujours désiré. Et nous serons libres.

Elle aurait aimé se défouler, mais elle censura les paroles amères qui lui venaient à l'esprit, et nagea vers le canot. Quand elle en agrippa le bord, Rafael se déplaça, rapprochant d'elle son grand corps raidi par la tension. Jamais elle ne l'avait vu aussi furieux.

— Soit, fit-elle en levant la tête vers lui. Je vais monter dans ce canot.

— Je sais bien que vous le ferez. Mais puisque je vous tiens, mademoiselle Bennett, parlons un peu. Ce petit numéro tendait à me faire admettre que vous êtes une personne, j'imagine, observa-t-il avec l'exaspérante condescendance qui était sa marque de fabrique.

— Vous êtes trop bon de ne tenir aucun compte de mes propos, lui rétorqua-t-elle avec ironie.

Comme s'il ne l'avait pas entendue, il déclara :

— Je doublerai votre salaire.

Malgré elle, elle effectua le calcul de la somme ainsi offerte et, l'espace d'une seconde, se demanda s'il était vraiment nécessaire d'échapper à Rafael Vila… La réponse était « oui », bien sûr. L'alternative était claire : rester, ou agir comme il convenait pour préserver sa propre estime. Les deux options ensemble, c'était incompatible.

Elle aurait eu tant de choses à dire ! Mais si elle livrait ne fût-ce que la moitié de ce qu'elle avait sur le cœur, Rafael la laisserait croupir sur place. Il ne reculait devant rien ! Aussi se contenta-t-elle de rester accrochée au canot qui oscillait sur les vagues.

— J'ai froid. Allez-vous m'aider à monter, oui ou non ?

Un moment chargé d'intensité s'écoula. Puis il se pencha, la prit par les aisselles et la souleva comme si elle ne pesait pas plus qu'un fétu de paille. L'eau dégoulinait de ses vêtements quand ses pieds reposèrent enfin sur la surface glissante de la petite embarcation. Elle eut soudain une conscience aiguë de tout un ensemble de choses : sa jupe ruisselante, alourdie, qui collait à ses hanches et ses cuisses ; son chemisier mouillé que l'air marin plaquait contre sa poitrine ; la lourde masse emmêlée de ses cheveux humides… Elle n'en sentait que plus vivement le froid, et elle avait aussi l'étrange impression d'être… vulnérable.

Elle leva les yeux vers Rafael, et le souffle lui manqua. Elle savait qu'il regardait les courbes de son corps, modelées par ses vêtements mouillés. D'un coup d'œil, elle eut la confirmation de ce qu'elle redoutait. Son chemisier d'un vert pâle laissait transparaître son soutien-gorge. Chagrin, gêne, vulnérabilité… des émotions diverses la traversèrent, et elle eut l'impression qu'elle allait se remettre à sangloter. Elle jeta un regard de regret vers la mer…

Soudain, le canot bondit en avant — sur un signal de Rafael, sans doute. Drusilla serait tombée s'il ne l'avait saisie par la taille. Elle sentit sa force, sa chaleur, et une nouvelle poussée de désir sauvage. Puis elle se retrouva assise, ses vêtements mouillés plaqués contre elle, ses cheveux flottant au vent, tandis que le canot filait vers le yacht.

A bord, un membre d'équipage l'enveloppa d'un drap de bain bien chaud. Elle lui adressa un sourire de reconnaissance. Quand elle se tourna vers Rafael, obstinément silencieux, elle se faisait l'effet d'être Cosette, l'héroïne des *Misérables* pitoyable et mal accoutrée. Rafael, lui, la toisait tel un dieu inaccessible.

Les membres d'équipage s'éclipsèrent comme s'ils

sentaient venir l'orage. Au lieu de les imiter, elle attendit, raide comme un piquet, en affichant un air calme malgré son état pitoyable. Rafael releva ses lunettes de soleil et lui décocha un regard dont l'étrange éclat avait de quoi la faire frémir.

— Vous savez où se trouvent les vêtements de rechange sur ce bateau, observa-t-il d'une voix mesurée. Je vous suggère de vous rhabiller. Ensuite, revenez me voir. Nous discuterons plus en détail de la reconduction de votre contrat. Nous nous comporterons en gens civilisés, comme s'il ne s'était rien passé auparavant.

Drusilla se garda de s'y fier. C'était en réalité de très mauvais augure ! Elle se força à sourire.

— Je suis sortie de l'eau parce que j'avais froid, souligna-t-elle. Ma démission tient toujours.

Voyant son air incrédule, elle argumenta avec un haussement d'épaules :

— De deux choses l'une : ou bien je vous fais une réponse hypocrite puis je vous fausse compagnie à la première occasion ; ou bien je me montre honnête en espérant que vous me laisserez partir sans mettre à mal ma dignité. A vous de trancher.

— Pour ce qui est de la dignité, nous l'avons bafouée l'un et l'autre, aujourd'hui, murmura-t-il très bas.

Pendant un instant, il n'y eut pas d'autre son que celui du vent et des vagues venant se briser contre la coque. Puis il énonça d'une voix douce, sombre, menaçante :

— Allez vous changer, mademoiselle Bennett. Ensuite, nous verrons.

Lorsque Drusilla entra, un moment plus tard, dans le luxueux bureau à lambris qui faisait partie de la suite de Rafael, elle s'était changée, mais de la manière qu'il escomptait, et elle en avait conscience. Debout près de son bureau, son téléphone mobile collé à l'oreille, il parlait d'une voix brusque, celle qu'il prenait quand il traitait une affaire. Auparavant, elle aurait tendu l'oreille pour comprendre de quoi il s'agissait et répondre à toute requête de sa part. Mais elle ne voulait *plus* agir comme avant. Cela ne l'avait menée qu'à une impasse. Aussi se contenta-t-elle d'attendre.

Quand il se tourna vers elle, marqua un arrêt, puis haussa les sourcils, elle n'en fut pas surprise. Elle avait su qu'il n'aimerait pas sa tenue. Elle l'avait choisie dans ce but, non ? Et elle était toute prête à le revendiquer.

Un instant de tension s'écoula, puis un autre.

— Mais que diable portez-vous ? lâcha-t-il enfin, le regard hostile.

— J'ignorais devoir obéir à un code vestimentaire. La dernière femme que j'ai vue sur ce bateau, voici une heure, ne portait qu'un bout de chiffon.

— Elle n'est plus ici. Mais cela ne justifie pas que vous soyez vêtue comme…

Sa phrase resta en suspens, et elle enchaîna :

—… une personne normale ? Voyons, monsieur Vila, nous sommes au XXIe siècle. Vous avez tout de même déjà vu une femme en jean.

— C'est la première fois que je *vous* vois en porter un. Et je ne me doutais pas que vos cheveux étaient si… longs.

Elle vit passer dans son regard quelque chose qui lui donna le frisson. Elle haussa les épaules comme indifférente à sa réaction, puis alla s'installer dans l'un des fauteuils moelleux qui offraient la plus belle vue sur la mer.

Comme il l'avait dit, elle connaissait la garde-robe de secours constituée pour les invitées inattendues de Rafael — ainsi que pour les occasions où les nécessités des affaires les auraient contraints l'un et l'autre à naviguer sur le yacht à l'improviste. Bien sûr, c'était elle-même qui avait veillé à approvisionner les armoires ! Elle avait placé une « valise d'urgence » dans les bureaux et les résidences du globe où il se rendait fréquemment, afin de parer à toute éventualité.

Après s'être douchée, elle avait ouvert *sa* valise. Elle contenait un tailleur gris, un chemisier rose pâle et un chemisier coquille d'œuf, des sous-vêtements couleur chair très simples, des chaussures noires qui allaient avec tout et un cardigan en cachemire noir pour les occasions où elle devait faire preuve de chic décontracté. Elle y avait aussi logé des épingles à cheveux pour discipliner ses opulentes boucles rebelles, une trousse de toilette et de maquillage, des accessoires classiques. Bref, tout ce qui convenait à son rôle d'assistante-robot, en toutes circonstances.

Mais elle n'avait pas pu se résoudre à rentrer dans ce rôle. Au lieu de cela, elle avait laissé sécher ses cheveux au naturel tandis qu'elle s'habillait, et ils ondoyaient maintenant dans son dos en vagues souples. Elle avait trouvé dans une armoire un jean blanc — plus moulant qu'elle ne l'aurait voulu — et une ravissante tunique sans manches, à motifs bleu et blanc, dont la coupe flottante équilibrait l'allure du jean cigarette. Restant nu-pieds, le visage net de tout maquillage, elle s'était enveloppée d'une étole anthracite pour se protéger de la fraîcheur du soir.

Enfin, elle se ressemblait. Pourtant, Rafael la regardait comme s'il venait de voir surgir un fantôme.

— Est-ce là le pendant de votre plongeon de tout à l'heure, mademoiselle Bennett ? lança-t-il. Encore une tentative désespérée pour attirer mon attention ?

— Ce n'est pas moi qui ai demandé cet entretien, mais vous. Pour ma part, je ne demandais pas mieux que de me soustraire définitivement à votre attention, souligna-t-elle avec un sourire glacial, même si elle était loin d'éprouver de la froideur quand elle était si proche de lui — quoi qu'il fasse ou dise.

Elle le vit crisper la mâchoire. Mais tout le reste de sa personne resta figé, comme si sa rage intérieure était coulée dans un bloc de ciment.

— Si je triplais votre salaire ? lança-t-il. Vous habitez une chambre meublée, m'avez-vous dit ? Eh bien, je vous offre un appartement à Londres. Un dernier étage avec terrasse, si vous le désirez. Choisissez votre quartier préféré.

Oh ! comme elle aurait aimé dire oui ! Qui ne l'aurait voulu, à sa place ? Rafael Vila lui offrait une vie nouvelle, une très belle vie, en échange de la poursuite d'un travail qu'elle avait assumé avec plaisir, jusqu'à aujourd'hui.

Oui, mais, et après ? se demanda-t-elle. Ce qu'il proposait n'était-il pas une forme de prostitution ? Il paierait, si elle se livrait à lui. Et elle en était capable, elle en avait douloureusement conscience. Elle était capable de céder non parce qu'elle avait beaucoup à y gagner, mais parce qu'elle… avait la nostalgie de lui. Il tirerait parti de ses talents d'assistante, et, pour sa part, elle rêverait d'une autre nuit, rien qu'une autre, comme celle de Cadix. D'un baiser, rien qu'un autre, comme celui d'aujourd'hui. Mais que deviendrait-elle, après cinq autres années du régime qu'elle avait déjà connu ?

Elle ne le voyait que trop clairement, et cela la rendait malade. Si elle avait pu accepter juste pour l'argent, comme au début, cela aurait été plus simple… Même si son cœur se serrait, aspirait encore, malgré tout, à garder Rafael Vila de n'importe quelle façon, elle répondit :

— Je n'ai pas envie de vivre à Londres. Et je ne veux pas d'un appartement.

— Que visez-vous ? Une maison ? Une propriété ? Une île privée ? J'ai tout cela. Ailleurs qu'à Londres, si cette ville vous déplaît.

— Certes. Vous possédez seize résidences ou propriétés diverses. Trois îles privées et une modeste collection d'atolls. Selon le dernier recensement. Car vous allez en acquérir encore, c'est plus fort que vous.

Rafael s'appuya contre son immense bureau et croisa les bras. Elle sentit, à l'instar d'une brûlure, l'intensité de son regard ténébreux. Cela l'atteignit jusqu'au tréfonds de son être, et elle se crispa, cherchant à bloquer ses propres réactions. Pendant ce temps, il continua à l'observer, sombre et perturbant. Elle n'avait pas la moindre idée de ce qu'il pensait en la regardant ainsi.

— Faites votre choix dans le lot, décréta-t-il enfin.

Elle répliqua d'une voix aussi basse, aussi péremptoire que la sienne :

— Vous ne pouvez pas m'acheter. Je ne veux pas de votre argent.

— Tout le monde a un prix, mademoiselle Bennett. Surtout les gens qui prétendent le contraire, je l'ai souvent constaté.

Elle remua dans son fauteuil, agitée par une turbulence intérieure. Elle désirait éperdument aller de l'avant. Elle aurait voulu que tout soit réglé. Elle aurait aimé avoir déjà remporté la victoire, avoir quitté Rafael, vivre déjà sans lui. Et non avoir encore à relever ce défi.

— Oh ! je connais vos pratiques ! dit-elle. Mais je suis sans famille, je n'ai personne à protéger contre vous, personne que vous puissiez intimider. Je n'ai pas de dettes qui pourraient servir de levier à votre avantage. Pas de lourds secrets que vous pourriez menacer de révéler ou m'aider à ensevelir en échange d'une contrepartie. Rien ne vous permet de me forcer à accepter un travail que je refuse.

Il se contenta de la dévisager comme s'il restait imperméable à tout ce qu'elle pouvait dire. Parce qu'il s'en moquait, réalisa-t-elle. Il restait inébranlable. Un vrai mur. Et peut-être jouissait-il de la voir se fracasser contre sa volonté. Une vague de désespoir l'inonda, et, dans un accès de frénésie, elle se leva et s'écarta de lui.

— Mademoiselle Bennett..., commença-t-il d'une voix qui ne lui était que trop familière — celle qu'il employait pour lénifier ses victimes avant de leur porter le coup de grâce.

Ne supportant pas qu'il y ait recours contre elle, elle s'écria :

— Arrêtez à la fin !

Une force inexorable la souleva, un grand sursaut de

désespoir, qu'elle ne pouvait enrayer. Serrant les poings, elle continua :

— Pourquoi faites-vous ça ?

— Je vous l'ai déjà dit. Vous êtes la meilleure assistante que j'aie jamais eue. Ce n'est pas un compliment, c'est une constatation.

— Possible, mais cela n'explique pas votre attitude, soutint-elle, luttant pour tenir en respect les émotions qui l'agitaient. Vous pourriez me remplacer dans l'heure en choisissant à votre guise parmi une demi-douzaine d'assistantes entraînées et prêtes à vous servir. Rien ne justifie ceci.

— Selon toute apparence, votre prix est plus élevé que celui de la plupart des gens.

— C'est insensé, fit-elle en secouant la tête, en s'intimant de ne surtout pas éclater en sanglots. Vous n'avez pas besoin de moi.

— Mais je vous veux.

Un mot implacable. Il ne la voulait pas de la façon dont elle le voulait. C'était on ne peut plus clair. Ce fut comme si quelque chose cédait en elle. Elle cessa de se contrôler, de se maîtriser. A quoi bon ?

— Vous ne comprendrez jamais ! *J'aimais* quelqu'un. Je l'ai perdu. Les années écoulées, je ne pourrai pas les ravoir !

Il lui était égal que sa voix tremble et vibre trop fort, que ses yeux soient remplis de larmes. Elle se moquait de ce qu'il penserait, et s'il devinait qu'elle ne parlait pas seulement de son frère, elle s'en fichait.

— Aucune somme d'argent ne réparera tout cela ! Rien ne me rendra ce que j'ai perdu, ce qu'on m'a pris ! Rien ! Je veux me terrer dans un endroit où Rafael Vila est lettre morte pour tout le monde !

Cela, elle le voulait plus que tout le reste ! Dans un instant de lucidité poignante, elle accepta ce triste état de choses. A quoi bon des appartements, des îles, de l'argent ? S'il avait dit avec sincérité qu'il la voulait en tant que *personne*… S'il l'avait attirée contre lui pour dire qu'il n'imaginait pas la vie sans elle… La part masochiste d'elle-même aurait accepté de travailler pour lui gratuitement, s'il l'avait désirée ainsi. Mais de cette manière-là, Rafael ne voulait personne. Surtout pas elle. Elle sentait qu'il était incapable d'amour, qu'il ne l'avait jamais connu et ne le connaîtrait jamais.

Pourtant, elle brûlait d'être avec lui.

Au terme d'un instant de tension, il lâcha :

— Au moins, c'est clair.

— Alors, laissez-moi partir, je vous en prie.

Elle avait énoncé cela avec difficulté, et se fit horreur. Elle crut une seconde qu'il accepterait, et son cœur fit un bond. *Parce que je n'ose y croire*, se mentit-elle. Il y avait une étrange lueur dans les yeux fascinants de Rafael. Puis son visage se ferma et s'assombrit. Il se redressa comme pour mieux la toiser. Rafael Vila ne pliait jamais, il n'acceptait pas de compromis. Il s'obstinait jusqu'à la victoire.

— Vous me devez deux semaines, dit-il comme il aurait fait tomber un couperet. Et je compte bien les avoir. Soit vous remplissez vos obligations, soit je vous force à rester tel un chien en laisse. Ce sera ma vengeance.

Il ne semblait pourtant pas animé d'un esprit de vengeance. Il paraissait presque triste. Une fois de plus, Drusilla eut le cœur serré. Le désir nostalgique, les regrets qui la tourmentaient se ranimèrent de plus belle, et elle les refoula. Ils étaient dangereux, ils la détruisaient.

Dur, glacial et lointain, Rafael lâcha :

— A vous de choisir, mademoiselle Bennett.

4.

Il aurait dû être content. Ou du moins, satisfait.

Se carrant dans son fauteuil, Rafael survola du regard la table drapée de lin blanc de la salle à manger d'apparat, dans la suite présidentielle de l'hôtel Principe di Savoia, à Milan, où se déroulait le dîner privé dont il avait confié l'organisation à Drusilla. Dans leur splendeur, les pièces semblaient appartenir à quelque couple royal avec leurs plafonds hauts, leurs lustres en cristal de Murano aux bleus et rouges éclatants, leur mobilier ancien choisi avec soin, leurs œuvres d'art — tout un bel ouvrage « à l'italienne ». L'opulence et l'élégance imprégnaient le décor.

Les investisseurs étaient impressionnés, bien sûr. Ils fumaient le cigare et lâchaient de grands rires alors que s'achevait le repas à plusieurs services. Leur plaisir se refléterait sans nul doute dans l'importance de leurs mises de fonds. Encore un succès, Rafael en était sûr. Plus d'argent et de pouvoir pour le Vila Group.

Pourtant, ses pensées revenaient sans cesse, ce soir, à Drusilla.

— Très bien, avait-elle déclaré sur le yacht, furieuse et animée aussi d'un sentiment plus obscur. Je ne vais pas prolonger ce petit jeu. Vous voulez vos deux semaines ? Vous les aurez. Et basta !

Agité, déstabilisé par son expression, il avait répété :

— Deux semaines. Comme assistante ou animal de compagnie, peu m'importe.

— Je vous hais ! lui avait-elle lancé avec un rire qui sonnait creux.

— Quel ennui ! Cela n'a rien d'original, vous avez ce sentiment en commun avec beaucoup d'autres gens.

— Le monde entier, vous voulez dire !

— Je vous suggère de réfléchir à deux fois avant de m'opposer un excès de passivité ou d'agressivité pour tenter de me démolir, durant ce préavis. Vous en regretteriez les conséquences, mademoiselle Bennett.

— Soyez tranquille, monsieur Vila. Quand je déciderai de vous démolir, cela n'aura rien de passif !

Là-dessus, elle l'avait planté là, et il en avait été affecté d'une façon qu'il ne s'expliquait pas. Il ne l'avait pas revue avant le lendemain. Elle s'était présentée dans sa suite à l'heure du petit déjeuner, dans une des tenues discrètes qui avaient toujours été sa marque de fabrique, *avant*. Pas de jean blanc moulant les longues jambes qu'elle avait un jour nouées autour de ses reins, pas de boucles indisciplinées « à la bohémienne », rien qui puisse le tenter, entamer sa concentration, envahir ses rêves… Elle avait pris place dans un fauteuil, sa tablette sur les genoux et, comme de coutume, lui avait demandé d'un ton neutre s'il avait remanié son emploi du temps établi.

On eût dit que la veille n'avait jamais eu lieu. S'il n'avait pas su à quoi s'en tenir, se dit-il à présent, il aurait pu imaginer que rien n'avait changé. Qu'elle n'avait pas démissionné, qu'il ne l'avait pas contrainte à effectuer son préavis.

Qu'ils n'avaient jamais échangé ce baiser fou, jamais laissé exploser leur colère, révélant trop de choses qu'il n'avait pas envie d'examiner, et trop de passion aussi.

Ce soir, elle était professionnelle, et sa joliesse — qu'il ne parvenait plus à ignorer — attirait tous les regards. Elle portait une robe fourreau bleue simple et bien coupée qui traduisait avec brio sa sobre élégance. Dans les situations de ce genre, Drusilla était son atout secret. Elle véhiculait le sentiment qu'il partageait une merveilleuse occasion avec des amis potentiels, et non qu'il cherchait à obtenir de gros investissements. Elle le faisait paraître plus agréable et charmant qu'il ne l'était, conclut-il, étonné de ne s'en être jamais avisé avec autant de clarté. Elle lui apportait cette touche d'humanité dont tant de rivaux hostiles le prétendaient dépourvu.

Ce soir, elle embellissait la soirée des dix investisseurs triés sur le volet, les faisant parler d'eux, leur donnant le sentiment d'être intéressants, importants, estimés. Elle leur prêtait attention, riait à propos, anticipait leurs questions avec une intelligence et un naturel qui paraissaient authentiques, sincères. Elle les captivait. Et, grâce à elle, il pouvait conserver sa concentration implacable, sans froisser ni inquiéter quiconque.

Maintenant assise à l'autre bout de la table généreusement garnie, sa tablette à la main, elle veillait aux besoins de chacun avec aisance et pragmatisme. Elle était, en toute honnêteté, son véritable bras-droit. C'était une fine mouche, intelligente, digne de confiance. Il aurait dû l'encourager à aller de l'avant, trois ans plus tôt, quand elle avait quêté une promotion. Elle aurait dû aujourd'hui diriger une ou plusieurs entreprises du Vila Group. Elle était compétente à ce point. Raison pour laquelle, bien sûr, il avait été si réticent à la laisser partir.

Enfin, *l'une* des raisons, se corrigea-t-il, s'agaçant lui-même. Il fit mine de s'intéresser à la conversation, même si personne ne comptait sur sa courtoisie, moins encore sur sa prévenance. C'était le travail de Drusilla.

Elle est magnifique, se surprit-il à penser, ignorant son léger coup au cœur alors qu'il songeait à son proche départ. Bientôt, il devrait envisager un autre type d'approche quand il voudrait séduire des investisseurs sans disposer du soutien habile, presque invisible, de Drusilla.

Bientôt, il devrait aussi affronter ce sentiment obstiné qu'il n'avait pas envie de reconnaître : son propre refus de ce départ, et le soupçon croissant qu'il avait beaucoup moins de rapports avec le travail qu'il ne voulait l'admettre.

— Faites-moi confiance, monsieur Peck, l'entendit-il dire à son voisin, héritier en déclin mais bouffi d'importance d'un magnat de l'acier américain. Ce sera un repas à marquer d'une pierre blanche. Trois étoiles au Michelin. J'ai réservé une table pour vous demain soir à 21 heures.

Elle se redressa. Leurs regards se croisèrent. Ce fut comme si tout le reste disparaissait dans un brouillard, cessait même d'exister. Il n'y avait plus que Drusilla, et l'impact fulgurant de la communication qui s'établissait entre eux. Il lut la vérité sur son ravissant visage qu'il ne déchiffrait soudain qu'avec trop d'acuité. Il en fut affecté comme si elle venait de lui porter un coup de poignard.

Drusilla le *détestait*. Il n'avait pas fait grand cas de sa déclaration de haine, quand elle la lui avait jetée à la figure. Tant d'autres gens lui avaient déjà dit la même chose au fil des ans ! Il n'y prêtait même plus garde. Mais il commençait à croire qu'elle avait été sincère. Pis encore : qu'elle le considérait comme un monstre.

Ce n'était pas fait pour le surprendre. Ce qui était nouveau, en revanche, c'était qu'il avait conscience de s'être conduit comme tel.

Beaucoup plus tard, ce soir-là, les investisseurs étant partis, Rafael s'aperçut qu'il ne parvenait pas à dormir. Il rôda dans le vaste salon de la suite sans prêter attention à l'opulence raffinée du décor, et finit par sortir sur le balcon filant qui offrait des panoramas superbes sur la ville de Milan et le célèbre *Duomo*. La flèche illuminée de la *Madonnina* trouait la nuit humide et fraîche. Par temps clair, on pouvait distinguer au loin les sommets enneigés des Alpes, et il eut presque l'impression de sentir leur présence altière et vigilante. Mais il ne vit rien, sinon Drusilla. Comme si elle venait le hanter avant même d'être partie.

Un monstre, pensa-t-il de nouveau, obsédé par ce

mot. *Elle te considère comme un monstre*. Il ne savait pas pourquoi cela avait tant d'importance, pourquoi cela perturbait son repos. Mais voici qu'il était là, fixant la cité en sommeil au cœur d'une nuit d'insomnie.

Les événements des jours écoulés passaient et repassaient dans son esprit, et il ne se reconnaissait pas lui-même. Où était donc sa légendaire maîtrise de soi qui intimidait les titans d'industrie ? Où était son sang-froid qui l'avait toujours guidé comme par magie, et le faisait passer pour une sorte de machine implacable auprès de ses rivaux ? Pourquoi se souciait-il du départ d'une assistante au point d'avoir mué en… en un être tonnant et rugissant qui l'avait enlevée et emmenée à l'autre bout de l'Europe ?

La prédiction de son grand-père semblait s'accomplir, pensa-t-il, se remémorant malgré lui ce souvenir enfoui auquel restaient attachées toutes les souffrances de sa jeunesse. Indifférent au panorama indistinct, indifférent au froid nocturne, il se retrouva transporté dans le temps et l'espace. Ramené au lieu qu'il aimait le moins : son coin de terre natal, qu'il avait quitté dix-huit ans après sa naissance.

Le village entier avait prédit qu'il tournerait mal. Il était fils du péché et de la honte, avaient-ils ricané, en sa présence et quand il avait le dos tourné. Il n'y avait qu'à voir sa mère ! Une putain abandonnée, condamnée à passer le reste de ses jours dans un couvent pour faire pénitence. Personne n'aurait été surpris de le voir suivre une route aussi infâmante.

Chacun s'était attendu que Rafael Vila ne soit que ce qu'il était déjà : une tare.

En réalité, les habitants du petit village et son grand-père, tous d'accord, pensaient que c'était son destin. Que les enfants comme lui, nés dans le déshonneur et rejetés par leurs parents, ne pouvaient finir autrement.

Et pourtant, malgré tout cela, il avait fait tant d'efforts ! Il serra les lèvres, se remémorant ces années vides, infructueuses. Il avait tant désiré trouver sa place, dès qu'il avait compris, tout petit encore, qu'il n'en avait aucune. Il avait obéi à son grand-père, en tout. Il avait excellé en classe. Il avait travaillé sans relâche dans la cordonnerie familiale, sans jamais se plaindre, tandis que les garçons de son âge jouaient au foot et vagabondaient en liberté. Il ne s'était jamais battu avec ceux qui lui lançaient des invectives et des insultes — du moins, il ne s'était jamais fait prendre. Il s'était efforcé de son mieux de prouver, dans tout ce qu'il faisait, qu'il ne méritait pas le dédain et le mépris qui avaient été son lot dès la naissance. Il avait tenté de prouver qu'il n'était pas à blâmer. Qu'il faisait partie du village, de sa famille, quelles que fussent les circonstances de sa venue au monde.

Il avait cru les faire changer d'avis. L'ancienne frustration le remua, comme si elle conservait le pouvoir de lui faire mal. *Ce n'est évidemment pas le cas*, se dit-il. Pour avoir mal, il aurait fallu qu'il ait du cœur. Et il avait choisi de n'en plus avoir. Depuis près de vingt ans.

— J'ai fait mon devoir, lui avait déclaré son grand-père le matin de son dix-huitième anniversaire, lui lâchant ces mots au saut du lit, dans sa hâte à se débarrasser de son fardeau. Mais tu es un homme, maintenant, et tu dois porter seul le poids de la honte de ta mère.

Rafael n'avait pas oublié l'expression sévère du vieil homme, dont les traits étaient si semblables aux siens. Pour la toute première fois, il semblait presque heureux.

— Mais, grand-père…, avait-il commencé, pensant pouvoir plaider sa cause.

— Tu n'es pas mon petit-fils, avait coupé le vieil homme, implacable et hautain. J'ai accompli ce que je devais. Désormais, je m'en lave les mains. Ne m'appelle plus jamais « grand-père ».

Rafael ne lui avait en effet plus jamais donné ce nom. Ni après avoir gagné son premier million. Ni après avoir racheté chaque terrain, chaque maison, chaque boutique de ce village perdu à l'âge de vingt-sept ans. Pas même quand il s'était trouvé devant le lit du vieillard mourant, à l'hôpital, et l'avait vu exhaler son dernier soupir.

Il n'y avait pas eu de réconciliation, pas de regrets, pas de revirement in extremis lorsque, trois ans auparavant, la mort était venue prendre l'homme qui l'avait élevé — si toutefois on pouvait lui donner ce titre. Rafael avait alors trente-trois ans, il était plus riche que Crésus, et un trou perdu d'Andalousie comptait pour rien dans la somme de ses possessions.

Quand il avait parcouru les rues du village à l'arrière d'une Lexus avec chauffeur, il n'avait pas considéré qu'il jetait l'opprobre sur les lieux, et il était sûr que les villageois n'auraient pas contesté cet avis. Auraient-ils osé voir en lui une souillure, alors que leurs vies et leurs gagne-pain dépendaient de lui ?

Il n'avait pas eu non plus l'impression d'être issu de cette terre, ni même de l'Espagne. Il se rappelait à peine qu'il avait vécu là. Et n'éprouvait rien pour les êtres mesquins qui, l'ayant méprisé, se voyaient aujourd'hui contraints de l'appeler leur « seigneur et maître ».

Son grand-père n'avait eu qu'une brève période de lucidité, au cours de la maladie qui avait fini par l'emporter.

— Pas toi ! s'était-il écrié, dévisageant Rafael avec horreur. *¡Ay, dios mio !*

— Si, moi, avait-il confirmé froidement.

Le vieil homme, frêle, perclus de rhumatismes, avait fait le signe de la croix.

— Le diable est en toi ! avait-il lâché.

Rafael lui avait répondu d'une voix sèche, presque désinvolte. Que pouvait lui faire, désormais, cet être à l'agonie ? Il ne comprenait presque plus en quoi il avait eu le pouvoir de lui faire du mal, et comment il y avait réussi.

— J'étais ton fardeau. Me voici devenu ta malédiction, on dirait.

Le vieillard, comme s'il approuvait, n'avait plus prononcé d'autre mot. Il s'était signé de nouveau, puis n'avait pas tardé à quitter ce monde.

Et Rafael n'avait rien ressenti.

Il ne s'était pas autorisé à ressentir grand-chose depuis qu'il avait quitté ce village. Ce jour-là, il avait regardé en arrière. Il avait pris le deuil de ce qu'il croyait avoir perdu. Il avait *éprouvé* des choses. Il s'était senti trahi, rejeté. Réactions d'un jeune homme faible que tout cela ! Lorsqu'il s'était ressaisi, avait accepté qu'il se trouvait seul au monde et l'avait toujours été, il avait annihilé la part de lui-même qui se rattachait à ces émotions stériles. Il avait laissé son cœur derrière lui, et n'en avait jamais eu aucun regret. Il n'avait même pas pris garde à sa propre insensibilité.

Alors, il n'avait rien éprouvé lorsqu'il était revenu dans le hall où Drusilla l'attendait, dans une attitude neutre ainsi qu'il convenait à son rôle. Il n'avait rien éprouvé pendant le long retour jusqu'à son hôtel de Cadix, via les villages maures des montagnes puis la Costa de la Luz — voyage dans le passé. Il n'avait rien éprouvé pendant la longue nuit qui avait suivi, même si un léger abus de *manzanilla* lui avait délié la langue, puis l'avait, plus tard, poussé à embrasser Drusilla dans une ruelle de la vieille ville, à la soulever contre lui pour qu'elle noue ses longues jambes autour de ses reins, et à se noyer dans l'intensité de leur baiser au goût de miel.

Ses lèvres pleines l'avaient enchanté. Et son corps élancé aux courbes sensuelles, aux mouvements souples. En y repensant, il était excité, comme s'il se retrouvait propulsé des années en arrière. Et son traître cœur, qu'il croyait avoir dompté, battait la chamade. Et il se posait des questions inopportunes. Il *désirait*. Si profondément, si intensément, que ce désir s'apparentait à un état de manque.

Il lâcha un juron étouffé. Quelle que fût cette folie qui s'emparait de lui et débordait son contrôle, elle devait cesser ! Oui, il fallait qu'elle disparaisse, *¡ Madre de Dios !*

*
* *

Drusilla frissonna sous la fraîcheur de l'air, resserrant son châle autour d'elle. Elle regrettait d'avoir passé pour la nuit le pyjama de soie que le valet de chambre attaché à la suite présidentielle lui avait apprêté. Il n'était guère chaud ! Des heures durant, elle s'était efforcée de dormir dans son opulente chambre de style Empire aux couleurs crème, incarnat et or.

Pourquoi avoir cédé à Rafael ? n'avait-elle cessé de se demander. Elle avait consenti à faire le préavis, et n'avait toujours pas compris sa décision.

La nuit était humide, constata-t-elle. Le ciel couvert conférait plus de profondeur à la nuit, et les lumières de la ville scintillaient doucement alentour. C'était beau. Comme tout ce que touchait Rafael. Comme Rafael lui-même. Et tout aussi glacial.

Elle était restée parce que c'était la solution la plus facile, se répéta-t-elle ainsi qu'elle le faisait depuis deux jours. Qu'étaient deux semaines ? Elles passeraient vite. Ensuite, tout serait réglé. Terminé.

Malheureusement, elle savait que ce n'était pas aussi simple. Jusqu'à un certain point, elle se sentait soulagée. Cette « prolongation » lui faisait l'effet d'un sursis. D'une occasion de rachat pour Rafael.

Sa foi en lui, si mal placée, la désespérait. Tout comme elle désespérait d'elle-même. Comment pouvait-elle se croire assez forte pour le quitter bientôt alors qu'elle y avait échoué lamentablement deux jours plus tôt ? En quoi quinze jours pouvaient-ils faire une différence ?

— Attention. Si vous plongez de cette hauteur, vous trouverez la *piazza della Repubblica* beaucoup plus dure que l'Adriatique, dit la voix de Rafael, dans l'ombre.

Drusilla tressaillit, porta les mains à son cœur comme si cela pouvait en calmer les battements emballés, puis fit volte-face. Il était là, sombre et songeur, trop sexy pour ne pas être perturbant. Son luxueux peignoir marine à demi ouvert laissait entrevoir ses cuisses puissantes et son boxer noir. Ainsi vêtu, il évoquait à la fois un top-modèle de lingerie masculine et un prince en tunique royale. Elle eut la bouche sèche. Elle l'avait vu évoluer en costume haut de gamme, ou en tenue plus décontractée — des vêtements raffinés qui soulignaient toujours son allure athlétique, sa grâce virile. Mais cela… c'était différent…

Là, elle avait l'impression de voir l'incarnation de son fantasme secret. Soudain, elle avait une conscience aiguë d'être à peine vêtue. La soie fine du pyjama, effleurant sa peau, lui donnait presque la sensation d'être nue. Une vague de chaleur se répandit sur sa chair, à l'instar d'une caresse brûlante.

Elle avait beau être en colère contre lui, se sentir ridicule, et trahie, elle fut tout à coup forcée de s'avouer qu'elle n'avait jamais apprivoisé la séduction dévastatrice de Rafael, ni réussi à se prémunir contre elle. Et cela, déjà bien avant la nuit à Cadix.

— J'ignorais que vous étiez là, dit-elle avec un frémissement révélateur.

Sa voix laissait poindre toutes les choses qu'elle refusait de s'avouer et ne voulait surtout pas qu'il sache : qu'il la faisait fondre ; qu'elle avait envie qu'il la touche, qu'il la caresse… On eût dit que les ténèbres, et l'heure tardive, libéraient ses désirs et l'empêchaient de se mentir à elle-même.

Rafael pencha la tête sur le côté, observant son visage. Au dîner, il s'était montré plus distant et plus froid que d'habitude, et Drusilla s'était inquiétée pour lui — non sans se reprocher aussitôt sa stupidité. Comment pouvait-elle se faire du souci pour un homme qui l'avait enlevée, menacée, contrainte ? Ce n'était vraiment pas sain !

— Nous revoici seuls dans le noir, dit-il avec une intonation étrange.

Dans l'ombre à peine atténuée par la lumière qui provenait de la suite, son visage paraissait plus farouche que de coutume. Son regard brun et ambré conservait son intensité pénétrante.

Elle ne comprenait pas ce qu'il avait voulu dire. Ses

paroles éveillaient cependant un écho en elle, et, dans un instant doux-amer et douloureux, elle désespéra de pouvoir se délivrer un jour de cet homme.

— Je ne voulais pas vous déranger, monsieur Vila, s'excusa-t-elle.

Sa voix rauque l'avait trahie, elle en était sûre. Des larmes de colère, de lassitude, lui vinrent aux yeux, qu'elle refoula en se détournant, excédée et humiliée.

Il la toucha, d'une main ferme et chaude posée sur son bras. Soudain figée, elle n'osa pas croiser son regard. Elle avait trop peur qu'il lise sur son visage sa confusion, son attirance, son chagrin… Nerveusement, elle passa les doigts sur ses cheveux, qu'elle avait réunis en queue-de-cheval sur sa nuque et ramenés par devant, sur l'épaule. Rafael déplaça tout simplement ses doigts pour emprisonner leur masse soyeuse, tira un peu dessus, l'amena ainsi à redresser la tête. Alors, il la relâcha.

Il y avait quelque chose de suave, presque poignant, dans son geste, qui lui coupa le souffle. Peut-être n'était-ce qu'un rêve éveillé. Peut-être n'était-ce qu'un de ces songes qui, la nuit, la réveillaient dans sa petite chambre, paniquée, haletante, affolée par sa frustration, sa solitude, ses émotions trop fortes…

— Dites-moi, commença-t-il de sa voix basse et envoûtante qu'elle ne pouvait entendre sans que sa détermination se fissure, pourquoi voulez-vous me quitter, en fait ?

Il ne lui avait pas lancé ça à la figure. Il avait juste posé une question. D'une certaine façon, cela changeait les choses. Drusilla supposa que peut-être, au cœur de cette nuit italienne, Rafael était plus proche de l'homme qu'elle avait cru découvrir, et qu'elle pouvait lui dire une partie de la vérité. Mais l'illusion se dissipa.

— Pourquoi tenez-vous tant à ce que je reste ? lui répondit-elle. Vous faites si peu cas de moi. Vous me jugez juste bonne à être votre assistante à vie, et rien d'autre.

— Certaines seraient prêtes à toutes les extrémités pour bénéficier du même privilège.

— Je suppose que c'était une punition ?

Elle le fouilla du regard, et ne découvrit chez lui que ce qu'elle y voyait d'habitude : sa dureté implacable, sa sauvage beauté.

— Pourquoi vous punirais-je ?

— A cause de Cadix, pardi !

— Nous avons sûrement autre chose à discuter, inutile d'invoquer les fantômes, dit-il — sans paraître convaincu. Sa voix avait repris l'étrange intonation d'un instant plus tôt.

— Il n'y a que ce fantôme-là, reprit-elle en continuant à l'observer. C'était juste un baiser, nous en sommes convenus. Pourtant, vous m'en avez punie.

— Ne soyez pas ridicule.

— Vous me l'avez fait expier. Alors que c'est *vous* qui l'aviez initié.

Il était allé bien au-delà ! Il les avait embrasés l'un et l'autre. Il avait passé son bras autour d'elle et elle avait eu la certitude de découvrir en lui autre chose qu'un patron exigeant à l'excès. Elle avait humé l'odeur de son eau de toilette raffinée mêlant les senteurs de cuir et d'épices, avait senti la chaleur qui émanait de lui, et ce mélange grisant l'avait ensorcelée. Rafael l'avait émue ; elle avait repensé à cette scène bouleversante au chevet de son grand-père, à ce qu'il avait dû traverser. Cette nuit-là, il lui avait parlé, réellement, comme s'ils étaient de *vraies personnes* et ne se limitaient pas aux rôles socioprofessionnels qui étaient les leurs.

Cela avait été magique.

Et soudain, Rafael l'avait soulevée, adossée au mur le plus proche. Elle avait eu l'impression d'une déflagration intérieure, comme si elle attendait cet instant depuis toujours. Il avait murmuré des mots incompréhensibles, puis ses lèvres avaient pris les siennes avec cette exigence qui était sa marque. Tout ce feu et cette passion l'avaient secouée à l'instar d'une turbulence, elle avait perdu la tête. Elle s'était retrouvée nouée à lui, pressée contre ce corps masculin si beau, tandis que la bouche de Rafael œuvrait sur la sienne, ardente et avide…

Aujourd'hui encore, il lui arrivait d'en avoir des insomnies.

— Il n'y a pas eu de punition, soutint-il de sa voix grave et basse, la ramenant au présent.

Son regard perspicace la scruta dans le noir, comme s'il lisait dans ses souvenirs. Comme s'il savait ce qu'elle avait ressenti alors. Comme s'il éprouvait la même fièvre, la même nostalgie. Comme s'il regrettait lui aussi qu'ils aient été interrompus trois ans auparavant.

Un groupe de touristes rieurs s'était approché dans la ruelle. Doucement, il l'avait reposée à terre. Ils s'étaient dévisagés, le souffle court, un peu étourdis. Puis ils avaient repris leur route vers l'hôtel et s'étaient séparés dans le hall, sans un mot, pour gagner leurs chambres respectives.

Et plus jamais il n'avait été question de cela.

— Je ne voulais pas que vous partiez, c'est tout, lâcha-t-il d'une voix bourrue. Je n'avais pas d'intentions cachées. Je n'aime pas partager, et vous faites partie intégrante de mes activités. Vous en êtes sûrement consciente.

Elle secoua la tête, incapable d'appréhender ses propos. D'appréhender leur sens réel, si difficile à encaisser, étant donné ce qu'elle aurait désiré qu'il pense. Il parlait du travail, pensa-t-elle, même quand il la regardait avec ces yeux de braise. Pour Rafael, il n'y avait que le travail. Cela faisait tellement mal. Pourquoi l'aurait-elle supporté ?

— De quoi avez-vous si peur ? lui lança-t-elle avant d'en perdre l'audace. Pourquoi êtes-vous incapable d'admettre vos actes ?

Il lui jeta un regard noir, et elle crut qu'il allait rétorquer. Un instant, il parut tiraillé, presque tourmenté, et elle se surprit à mordiller sa lèvre inférieure pour ne pas laisser échapper des propos regrettables.

Cette fois, lorsqu'il la toucha, ce fut d'un revers de main sur sa joue, léger et d'une déchirante douceur.

— Vous avez froid, dit-il de cette voix bourrue qu'elle ne connaissait pas, qui lui donnait la sensation de défaillir.

Elle était glacée, en effet. Elle tremblait un peu, sans pouvoir s'en empêcher.

— Allez dormir, lui ordonna-t-il.

Et quand il la laissa là, frémissante et proche des larmes, l'esprit en tumulte comme tant d'années auparavant à Cadix, elle eut presque l'impression d'avoir rêvé.

5.

Rafael était d'humeur exécrable. Il avala son café, aussi noir que son état d'esprit, et décocha un regard vers Drusilla qui arrivait à la table du petit déjeuner, dans la pièce principale de la vaste suite.

Il avait passé le reste de la nuit à pourchasser en vain les fantômes de son passé. A présent, dans la lumière matinale, Drusilla avait son maintien professionnel habituel. Il s'en irrita. Envolée la femme qu'il n'avait pu s'empêcher de toucher sur la terrasse enténébrée ! Comme si elle n'avait été qu'un rêve aussi obsédant que fugitif…

Pourtant, il la voulait. Encore et toujours.

— Nous allons à Bora Bora, lui annonça-t-il sans préambule. Demandez au majordome de vous préparer la garde-robe adéquate.

Avec une sorte d'humour noir, il se dit qu'il aurait été pris de panique si ce sentiment lui avait été familier, s'il avait déjà éprouvé quelque chose d'aussi déroutant. Il se contenta de la regarder venir en se disant que son désir lancinant n'était en réalité qu'un exutoire à son ressentiment, à son manque de sommeil. N'importe quelle explication valait mieux que de le reconnaître pour tel.

Elle marqua un arrêt avant de s'asseoir avec grâce sur le siège opposé au sien, devant la petite table proche des fenêtres où il avait pris son petit déjeuner. Il vit passer sur son visage une série d'émotions qu'il ne sut pas identifier. Puis elle recouvra sa neutralité coutumière. Cela aussi le contraria.

— Quelque chose requiert votre attention là-bas ? s'enquit-elle.

Elle s'exprimait avec calme. On eût dit qu'elle n'avait manifesté ni incertitude ni fragilité, la veille ; qu'elle ne l'avait pas traité en artisan de son désespoir. Et qu'il ne l'avait pas touchée ainsi qu'un objet fragile. Précieux.

« De quoi avez-vous si peur ? » Sa voix se répercuta dans sa mémoire, et il eut l'impression que quelque chose se rompait en lui.

— Le Vila Group y possède une station de villégiature, répondit-il sans civilité. Je dois m'en occuper comme du reste.

Ses yeux gris perspicaces se posèrent un instant sur les siens, puis se reportèrent sur la tablette posée près d'elle. Elle sourit quand on lui apporta une grande théière en argent, et refusa d'un geste toute nourriture.

Son silence lui fit l'effet d'une rebuffade.

— Nous partons ce soir, précisa-t-il d'une voix plus courtoise mais tendue.

Il ne savait pas pourquoi il se modérait au lieu de réagir selon son instinct — ce qui aurait impliqué de la soulever dans ses bras et d'en finir une bonne fois pour toutes avec cette tension sensuelle.

— Si vous y tenez, considérez ça comme un cadeau pour vos années de service, ajouta-t-il.

Il vit flamboyer ses prunelles. Mais elle recouvra vite ce masque impassible qu'il aimait de moins en moins. Avait-elle autant de mal à conserver un maintien professionnel qu'il en avait à s'empêcher de la toucher ? Il en doutait, à vrai dire.

— Ce « cadeau » s'intègre-t-il à mes deux semaines de préavis ? s'informa-t-elle d'un ton léger — mais sans concession. Car c'est tout le temps qui vous reste, monsieur Vila. Quelle que soit la façon dont vous en disposerez.

— Vous désiriez y aller, non ? lui rappela-t-il.

Il était furieux de voir qu'elle n'acceptait pas la branche d'olivier qu'il lui tendait. Car c'en était une ! Même s'il lui déplaisait souverainement de l'admettre, et s'il était furieux d'avoir fait le premier pas. En fait, l'expression qu'elle avait eue la veille l'avait piqué. Cela s'était fiché en lui et le taquinait encore, tel un dard.

— Je souhaite me rendre à Bora Bora, en effet. Mais je n'ai jamais prétendu que je voulais m'y rendre avec vous.

Il n'y avait aucune raison, pensa Rafael, de ressentir cette déclaration comme une gifle. Car, de toute évidence, Drusilla se contentait d'être franche. Il savait d'ailleurs ce qu'elle pensait de lui : ne s'était-elle pas donné toutes les peines du monde pour le lui faire savoir ? Même si son expression de la veille avait semblé signifier le contraire. Alors, pourquoi était-il surpris ? Si toutefois le curieux sentiment qu'il éprouvait était de la surprise…

— La vie est affaire de compromis, observa-t-il presque avec colère — ce qui était absurde.

— Vraiment ? Comment le sauriez-vous ?

Rafael lampa les dernières gorgées de son express. Il était fatigué, en manque de sommeil, et cela lui embrouillait les idées, l'empêchait de saisir ses propres motivations, ses propres réactions.

— J'ai peine à suivre le fil de vos accusations, dit-il d'une voix sèche. Vous me teniez pour un psychopathe, et pourtant, cette nuit, vous m'avez déclaré que j'avais peur. Aujourd'hui, me voici étranger à tout compromis. Auparavant, j'étais un débauché. Je crois comprendre où vous voulez en venir, mademoiselle Bennett. Je suis un monstre. Le pire de tous.

Monstre… Ce n'est qu'un mot, ça ne signifie rien, pensa-t-il alors que le terme se répercutait dans son esprit, lui rappelait le village chaulé dans les montagnes andalouses, et la joie mauvaise de son grand-père le jour de son dix-huitième anniversaire.

— Vous êtes convaincu qu'il vous suffit de vouloir quelque chose pour avoir le droit d'agir à votre guise, lui lança-t-elle. Et que vos agissements sont sans conséquence. Il ne vous viendrait pas à l'idée de vous en soucier.

Il eut envie de la toucher, si intense était son désir de sentir sa peau contre la sienne, de s'emparer de sa bouche, de la posséder. De se perdre en elle, enfin.

Mais il se maîtrisa, une fois de plus. Fût-ce avec peine. Il s'empara du *Financial Times* et lâcha fraîchement :

— Certes pas. A quoi servirait-il, sinon, que je vous paie ?

Le voyage fut incroyablement long.

« Je ne voulais pas que vous partiez », avait-il dit. Drusilla ne pouvait s'empêcher de rejouer la scène dans sa tête, encore et encore…

Elle fit livrer des vêtements appropriés — venus des meilleurs ateliers de Milan, pour Rafael ; et pour elle-même, choisis en hâte à La Rinascente, boutique haut de gamme située *piazza del Duomo*. Elle envoya une quantité de courriels, passa des coups de fil, effectua ses tâches par la force de l'habitude. Mais la nuit écoulée ne lui sortait pas de l'esprit. La fraîcheur de l'air, la nuit d'encre, et la main de Rafael si douce contre sa joue ; la tourmente dans son regard, qui l'avait elle aussi gagnée… Cela perdurait. Pourquoi quelques mots à voix basse et un effleurement l'affectaient-ils à ce point ? Pourquoi avait-elle la sensation d'un changement radical, alors que tout semblait pareil ?

Ils montèrent à bord d'un jet de Rafael en fin de soirée, et Drusilla gagna sa chambre habituelle. Elle s'allongea, et s'interdit de s'abandonner à son agitation intérieure. Elle devait tenir deux semaines. Elle ne pouvait pas craquer maintenant. Elle ne s'en remettrait pas.

Quand elle s'éveilla plusieurs heures plus tard, elle se mit au travail comme si elle se trouvait au siège londonien du Vila Group et non dans un avion en route vers l'autre bout de la planète. Installée dans l'espace professionnel, elle géra les appels, les dossiers, veilla à rappeler à Rafael tous les éléments nécessaires… Entre deux coups de fil, ils discutaient des stratégies, selon les problèmes et les personnes en cause.

— Il me fatigue, soupira à un moment donné Rafael, parlant d'un membre indiscipliné du conseil d'administration. Je vais me débarrasser de lui.

— C'est une solution, dit-elle en plaçant devant lui un épais dossier. Mais vous pourriez aussi le contrer comme vous l'avez fait l'an dernier pour le projet en Argentine. En l'isolant. Avec qui mènerait-il ses petits jeux, à ce moment-là ?

— Oui, qui, en effet ?

Il lui décocha un chaud regard approbateur qui n'aurait pas dû lui faire tant de plaisir. Elle s'assura de garder son café au chaud, lui prépara un en-cas au moment voulu, lui suggéra de s'allonger quelques instants ou de faire un peu d'exercice dans la petite salle de sport aménagée à l'arrière de l'appareil quand elle vit qu'il était à cran. Elle veilla à ce que rien ne le perturbe, comme toujours.

Mais ce n'était plus pareil.

Quelque chose s'était modifié, la veille, et imprégnait leurs moindres échanges. L'atmosphère semblait saturée de particules électriques. Si elle effleurait par hasard sa main, ils se figeaient tous deux. Quand elle levait les yeux de sa tablette, elle le surprenait à la contempler d'un air songeur, et son regard mordoré avait un éclat insolite qu'elle ne comprenait pas. Mais il altérait sa respiration, exacerbait ses sensations, faisait naître une tension au creux de son ventre… Des interrogations confuses la traversaient. Elle en venait de nouveau à désirer ce qu'elle ne pouvait avoir.

Après dix-sept heures de voyage, dont neuf heures de travail, ils firent une pause. Elle se désaltéra d'un verre d'eau fraîche en se gardant de demander à Rafael pourquoi il la considérait avec cette déroutante lueur dans le regard. Comme s'il la voyait pour la première fois. Comme si cette étrange et irréelle conversation sur e balcon, à Milan, avait modifié entre eux quelque chose de fondamental. C'était cela, elle en était sûre, qui lui donnait la sensation de s'effilocher, de perdre sa substance, d'être incapable de penser à autre chose qu'à Rafael.

— Pourquoi Bora Bora ? lui demanda-t-il.

— Pourquoi pas ? lâcha-t-elle d'un ton léger. S'il y a une chose que j'ai apprise avec vous, c'est d'exiger le meilleur.

— En effet, dit-il, esquissant un sourire à la fois sardonique et amusé. Je suis ravi de constater que vous prenez le farniente au sérieux, comme tout le reste.

— M'asseoir sous un palmier et contempler l'océan… c'est peut-être tout ce que j'attends de la vie.

— En étant servie au doigt et à l'œil ? ajouta-t-il d'un ton difficile à interpréter.

Elle pensa aux cendres de Dominic, enfermées dans la boîte métallique qui leur tenait lieu d'urne funéraire, posée sur son étagère, à Londres. Et elle pensa à la promesse qu'elle lui avait faite. Qu'elle le laisserait se fondre dans le vent, dans les flots. Elle se devait d'honorer l'homme qu'il aurait pu être s'il avait fait des choix différents, ou avait été plus fort contre ses propres démons. Et elle avait besoin elle aussi de ce dénouement, cette cérémonie. Cet ultime adieu.

— Quelque chose comme ça, répondit-elle.

— Que de débauche ! laissa-t-il tomber, à la fois railleur et incrédule.

Son sarcasme fit mouche alors qu'elle aurait dû y rester imperméable.

— Je vous laisse ces façons d'agir, monsieur Vila, rétorqua-t-elle.

Malheureuse réplique ! La tension gangrena l'atmosphère. L'air parut raréfié, les sons engloutis. Dans un instant d'angoisse, Drusilla eut l'impression que l'avion était en chute libre. Mais Rafael n'avait pas bougé, ce n'était qu'une illusion. Le cœur battant, elle le fixa, incapable de détacher son regard de sa belle bouche au pli dur, de ses yeux à l'étrange éclat.

Savait-il ? se demanda-t-elle, empourprée. Savait-il ce qui la tourmentait et l'empêchait de dormir ? La délicieuse fusion, dans son esprit, de ce qui s'était déroulé à Cadix et sur le yacht, et la suite qu'elle anticipait…

— Est-ce un défi, mademoiselle Bennett ? demanda-t-il de sa voix suave, avec un sourire sans douceur qui lui fit pourtant l'effet d'une caresse. Eh bien, je ferai mon possible pour être à la hauteur de vos fantasmes.

Drusilla, éreintée, subissait le contrecoup du décalage horaire et de sa trop vive imagination lorsqu'ils abordèrent enfin Bora Bora. Du moins supposa-t-elle qu'ils arrivaient, car on ne voyait pas grand-chose dans le noir.

L'hélicoptère qu'ils avaient pris après leur atterrissage à Tahiti se posa sur un petit terrain éclairé par des torches d'extérieur. La nuit était chaude et d'une moiteur voluptueuse. Les effluves de l'océan et des plantes vertes odorantes, le lourd parfum des fleurs, en suspension dans les ténèbres, lui venaient aux narines. Quand elle leva la tête pour suivre le vol de l'hélicoptère, déjà sur la voie du retour, elle eut le souffle coupé par la brillance des étoiles qui tapissaient le ciel. Le bruit des rotors se fondit dans le lointain, laissant place au silence.

— Venez, dit Rafael d'une voix impatiente, en s'éloignant à grands pas.

Des porteurs surgirent de l'ombre pour se charger des bagages, et Drusilla emprunta la passerelle de bois éclairée aux torches tiki, bordée par des massifs foisonnants. Même si elle ne distinguait presque rien, elle sentait palpiter autour d'elle la vie sauvage. Rafael l'avait distancée, et elle se hâta de le rejoindre, calquant comme toujours sa foulée sur la sienne. *Tel un chien tenu en laisse*, lui murmura une voix perfide qu'elle s'empressa de faire taire.

Il s'arrêta devant une grande villa de style polynésien, avec une haute toiture, de vastes baies d'un mur à l'autre, des volets coulissants qui n'opposaient aucun obstacle au panorama.

A l'autre bout de la passerelle, la mer était là : une étendue obscure qui clapotait doucement en bordure du rivage, avec au loin quelques lumières ténues. L'aube à l'approche bleutait la nuit de jais, et Drusilla commença à entrevoir au large une montagne haute.

— Nous voici à la villa, dit Rafael.

Alors qu'elle venait vers lui, il baissa les yeux, et son visage implacable parut adouci, d'une certaine façon, par la nuit tropicale. Ou alors, elle se faisait des idées… La lumière des torches d'extérieur les enveloppait d'un halo doré, comme une bulle. Un peu comme s'ils étaient seuls au monde, à la dérive dans la luxuriance tropicale.

— Je ne comprends pas que vous puissiez quitter un endroit comme celui-là, dit-elle.

Elle s'essaya à sourire, même si elle n'arrivait sans doute pas à dissimuler qu'elle était nerveuse et désarçonnée, et continua :

— Mais il faut peut-être une imagination singulière pour conquérir le monde à partir d'un trou isolé tel que celui-ci.

Soudain, Rafael fut près d'elle, beaucoup trop, bien qu'elle ne l'eût pas vu bouger. Il la dominait de toute sa haute taille, et sa silhouette, comme dilatée, semblait borner son univers, ne lui laissant pas d'autre choix que de se perdre dans son regard ambré. Son pouls s'était affolé, elle avait la bouche sèche. Et elle sentait, au creux de ses jambes, une pulsation douloureuse.

— Ne me parlez pas comme à un investisseur, lui jeta-t-il presque avec colère. N'espérez pas m'amadouer avec un brin de conversation mondaine.

C'était en effet ce qu'elle venait de faire, et elle détesta qu'il l'ait perçu avec tant de clarté. Qu'il ait lu en elle. Elle avait toujours cru souhaiter cela. Mais en réalité, cela la terrifiait ! C'était son rôle à elle de lire en lui. Pas l'inverse !

— Toutes mes excuses, dit-elle, acerbe. Je ne soulignerai plus votre manque d'imagination.

Il se contenta de lever un bras et de promener son pouce sur ses lèvres, et ce n'était pas un geste doux, un geste tendre. C'était indéniablement sexuel. Si elle n'avait pas su à quoi s'en tenir, si cela avait été du domaine possible, et non impensable, elle aurait dit qu'il estampillait son bien ! Qu'il apposait son empreinte, comme il aurait marqué du bétail ou imprimé son logo sur un produit. Il laissait sa marque.

Elle aurait dû repousser sa main sans ménagement. Au lieu de cela, elle brûlait d'un feu lent, profond, qui la consumait depuis longtemps, et la consumerait toujours.

— Mon imagination se déploie à la vitesse de l'éclair, soyez-en sûre, dit-il de sa voix douce et pourtant impérieuse.

Son contact était comme une flamme qui courait et se propageait sur son corps, dans ses veines, même après qu'il avait retiré sa main. Elle restait là, le cœur emballé, la bouche sèche, et il la dévisageait. Il resta ainsi un long moment, le regard ardent, aigu, les traits figés.

Et cela aussi la troublait comme une caresse.

Puis il se tourna pour accueillir l'homme souriant qui était sorti de la villa et venait vers eux.

« Je ne voulais pas que vous partiez », avait-il dit à Milan, sur le balcon. Elle désirait que ces paroles aient réellement un sens. Oui, de toute son âme. Et elle sentait encore son toucher, comme s'il avait tatoué son nom sur sa chair.

— Vous semblez épuisée, reprit Rafael, hochant la tête avec un sourire qui semblait le railler lui-même. Frédéric va vous conduire à vos appartements.

Là-dessus, il s'éloigna, happé par la nuit.

Elle resta seule, à se demander ce qu'il lui arrivait, ce qu'il *leur* arrivait. Luttant contre des émotions incompréhensibles, elle suivit Frédéric dans la villa. Il y avait de grands plafonds voutés, et le même bois foncé, de teinte chaude, qu'à l'extérieur. Les pièces spacieuses étaient largement ouvertes sur le paysage paradisiaque, ornées de tableaux de couleurs vives, meublées de canapés accueillants, rouge et crème. Il y avait des objets d'artisanat local sur les étagères encastrées, des fleurs magnifiques sur les tables sculptées. Frédéric la mena à un niveau inférieur, puis ils ressortirent pour emprunter une courte allée et atteindre un bungalow avec sa jetée privée. Ici aussi, l'architecture était très aérée.

Drusilla avait l'impression que la respiration allait lui manquer. Elle avait envie de fondre en larmes. De pleurer jusqu'à épuisement, jusqu'à ne plus sentir ces doigts sur sa bouche qui, dans le noir, marquaient sa chair.

Frédéric, souriant, lui montra le plancher de verre dissimulé sous un tapis, dans l'espace salon.

— De jour, assura-t-il, vous verrez beaucoup de poissons. Et même des tortues.

— Merci, murmura-t-elle, réussissant à lui sourire.

— Et maintenant, dormez, lui dit-il avec bonté. Ensuite, vous serez mieux.

Elle avait tant envie de le croire !

Tout était trop accablant, songea-t-elle une fois seule. Rien ne semblait supportable, tout était douloureux. Elle se rapprocha de la baie, au-delà du grand lit à baldaquin drapé d'une moustiquaire, et regarda les eaux, la lumière orangée qui se dessinait derrière les montagnes lointaines. L'aube s'apprêtait à poindre. Et pour sa part, arrivée au paradis en compagnie du diable, elle se consumait de désir pour lui comme si, déjà, elle était perdue. Peut-être était-elle bel et bien déchue, perdue. Et peut-être était-ce pour ça que cela lui faisait si mal, depuis le début.

Oh ! Dominic ! pensa-t-elle en s'allongeant sur le lit sans même se donner la peine de se dévêtir. *J'aimerais tant que tu puisses voir cet endroit. C'est encore mieux que tu ne le rêvais.*

Sa dernière pensée avant de succomber au sommeil fut pour Rafael. Il allait la détruire. Elle l'avait toujours su, et c'était pour cela qu'elle devait le quitter. Alors, pourquoi ce sourire qui lui venait aux lèvres avant de sombrer dans l'oubli ?

6.

Drusilla se réveilla dans le soleil. Il entrait à flots par les fenêtres ouvertes avec la brise odorante, la baignant de lumière, chassant les ombres de la nuit. Elle s'étira, et se sentit bien. Tout à fait remise. Rafael, l'effleurement sur ses lèvres, les propos sur la débauche, le feu qui semblait ne jaillir qu'entre eux… tout cela appartenait aux ténèbres et s'était dissipé, elle en était sûre.

Elle se leva et se prépara, passant un pantalon ample en lin et un débardeur à fines bretelles. Puis elle ramassa ses cheveux en queue-de-cheval, et s'examina dans le miroir, jugeant sa tenue à la fois adaptée au climat et professionnelle. Après avoir enfilé des sandales, elle sortit. L'après-midi semblait déjà entamé…

Cillant sous le soleil, elle examina son environnement. Une autre jetée partait de son bungalow. Diverses embarcations étaient amarrées là, ou hissées sur le rivage. L'eau environnait les lieux de toutes parts, d'un bleu plus foncé à l'extrémité de l'île et d'un turquoise étonnant au pied de la maison. Sans doute était-ce le célèbre lagon de Bora Bora.

Elle gagna la villa, et fut de nouveau frappée par sa beauté, à peine entrevue la veille. Le bois sombre, les hautes toitures efficaces contre la chaleur, tout cet ensemble intégré à la nature tropicale, cerné par la jungle et l'océan, était à la fois sauvage et accueillant. Et, tandis qu'elle contemplait le décor, elle eut l'impression d'un apaisement.

Après avoir avalé du thé et des toasts sur l'une des nombreuses terrasses au bord de l'eau, elle ne tint plus en place. Rafael n'attendait jamais qu'elle se mette au travail sans tarder, après un long voyage, alors elle ne se sentit pas tenue de le rejoindre tout de suite. Elle s'engagea sur la promenade de bois, et la suivit : elle longeait la jetée, gagnait paresseusement l'autre extrémité de l'île, puis revenait en arrière en formant une boucle. Les palmiers bruissaient au-dessus de sa tête, des fleurs colorées avaient éclos à profusion le long de la mince passerelle. On entendait les cris des oiseaux, le murmure des vagues. Elle comprenait que Dominic ait souhaité reposer ici pour son dernier sommeil. Sous la caresse de la brise et du soleil, elle-même se sentait sereine.

Comme la résidence reparaissait dans son champ de vision, elle vit qu'elle comportait beaucoup de parties à explorer. Après avoir quitté la passerelle pour avoir un aperçu de plus près, elle réalisa que ce qu'elle avait pris pour une aile séparée était la suite de Rafael.

Les vastes baies ouvertes invitaient à entrer. Cédant à un désir qu'elle comprenait mal, elle pénétra dans la première pièce, le cœur battant. C'était un espace aéré avec des notes masculines bien tranchées — couleurs hardies et lignes nettes. Un vaste lit dominait les lieux. *Rafael a dormi là cette nuit*, lui chuchota une voix. Peut-être même plus récemment, car les draps étaient défaits, le couvre-lit blanc rabattu, les oreillers creusés. Un frisson la parcourut comme si elle avait la fièvre. Elle allongea le bras et, du bout des doigts, redessina les creux et bosses de l'oreiller. Elle imagina Rafael allongé là, nu, sa peau brune se détachant sur la blancheur du lin. Elle imagina son corps magnifique offert aux regards…

Il était temps, pensa-t-elle, de se ressaisir et d'aller retrouver son *patron* ; de se concentrer sur le travail, au lieu de se focaliser sur son trouble insensé !

Tandis qu'elle revenait vers le vestibule, elle jeta un coup d'œil sur chaque pièce, admirant au passage les objets d'art, les sculptures, les ornements. Il y avait une bibliothèque chargée de livres avec un coin salon, un *lanai* — sorte de porche ouvert sur le côté, typique de la région, avec une causeuse et deux fauteuils, idéal pour lire à l'ombre. Un salon privé comprenait un écran mural de télévision, une spectaculaire cheminée et un bar. Puis venait l'espace bureau, avec tout un équipement informatique, un mobilier moderne et stylé. Rafael était là.

Elle s'immobilisa un instant sur le seuil. Il regardait son écran d'ordinateur en fronçant les sourcils, son téléphone mobile calé contre son oreille. Ses cheveux étaient en désordre, comme s'il n'avait cessé d'y passer nerveusement les doigts. Il ne s'était pas rasé. Cela le rendait encore plus ténébreux et sexy que d'habitude. Ainsi, il semblait imprévisible. Susceptible de réactions explosives.

— Vous vous méprenez, disait-il en français d'une voix glaçante. Il m'est égal d'installer ou non une usine à Singapour. En revanche, cela paraît revêtir une grande importance à vos yeux. Puis-je vous conseiller de revoir votre tactique ?

Dans la lumière du soleil qui venait de la baie, il évoquait l'un de ces anciens dieux à l'insondable beauté et au redoutable pouvoir. S'il avait prétendu qu'il avait la faculté de commander aux éléments, elle l'aurait cru. La tempête sensuelle qui l'agitait redoubla de plus belle.

Il leva la tête et croisa son regard. Avec un coup au cœur, elle sut qu'elle s'était leurrée sur sa sérénité reconquise. On eût dit que Rafael la pénétrait, la provoquait, lui insufflait un désir brûlant et douloureux. Il la regardait comme si elle était nue, clouée sous lui. Et, malgré elle, elle souhaita l'être. Même si elle haïssait sa propre faiblesse.

Il se redressa sans la quitter des yeux, mettant fin à la communication avec brusquerie. Expédiant son mobile sur le bureau, il la scruta en plissant les paupières, avec une acuité dérangeante. Sa peau hâlée semblait plus brune encore par contraste avec la chemise blanche flottante qu'il portait. Il était impossible de ne pas admirer son torse sculpté à la perfection, ses bras minces et musclés.

Les paumes moites, elle sentit se répandre au cœur de son ventre une tension familière…

Résolue à ignorer ce qui se passait en elle, cherchant à se raccrocher au travail, elle s'enquit :

— Henri vous pose encore des problèmes ?

— Il est dans le déni en ce qui concerne la hiérarchie. Il s'est persuadé que je ne suis pas le nouvel actionnaire majoritaire…, répondit-il, l'air de penser en réalité à tout autre chose. Alors, comment trouvez-vous Bora Bora ?

Elle s'aperçut qu'elle ne parvenait pas à soutenir son regard. Elle ne comprenait pas pourquoi. Elle se sentait… agitée. On eut dit qu'il l'avait *réellement* marquée avec cette étrange petite caresse dans le noir, et elle ne parvenait pas à reconquérir son équilibre. Ses lèvres étaient parcourues d'un picotement, comme si elles se remémoraient le moment, souhaitaient qu'il se renouvelle.

— Je ne vous comprends pas.

— Pourquoi devrait-il y avoir quelque chose à comprendre ? Je suis un homme simple. Ce qui me plaît me plaît. Je veux ce que je veux.

Elle ignora l'inflexion basse et suggestive de sa voix, les images qu'elle faisait naître, le feu qu'elle répandait sur sa peau. Elle savait qu'elle aurait dû le rejoindre à son bureau, mais elle ne pouvait pas se résoudre à venir si près de lui après deux nuits trop intenses.

Elle eut un geste vers la piscine paysagée entourée de bois sombre, et au-delà vers la mer infinie. Rafael tournait le dos au panorama, plus intéressé par l'ordinateur, les documents étalés devant lui, la télévision affichant, comme toujours, les nouvelles financières.

— Il y a des années que vous n'êtes venu ici. Pas depuis que je travaille pour vous, en tout cas.

Pourquoi avait-elle la voix enrouée, comme si elle était… blessée ? Elle se sentit soudain au bord des larmes, et eut peur de craquer. Elle qui était censée exceller aux conversations légères, détendues !

— Cela fait huit ans, je crois, précisa-t-il, continuant à

la regarder comme s'il attendait quelque chose. Lorsque j'ai acheté cet endroit à je ne sais quel prince saoudien.

— Vous venez ici pour la première fois en huit ans, et vous voilà devant ce bureau, à faire des manipulations financières comme dans une partie d'échecs interminable. A quoi bon collectionner les belles choses, si c'est pour ne pas en profiter ?

Il lui jeta un regard, puis un autre. Et soudain, l'expression qu'elle y avait vue la veille reparut. Elle sentit un léger frisson la parcourir. Rafael se leva de son fauteuil et avança vers elle, tel un prédateur.

Elle dut lutter avec elle-même pour ne pas faire volte-face et prendre la fuite. Il s'arrêta à deux pas, la bouche pincée, marquée d'une expression presque cruelle, d'une sensualité brutale. Ce fut comme s'il la touchait encore. Elle leva la main vers le montant de la porte pour se soutenir, ses jambes se dérobaient sous elle.

— Votre sollicitude me touche, lâcha-t-il de sa voix doucereuse. Quelle pitié que vous me quittiez ! Nous pourrions faire ensemble cette partie d'échecs.

— Charmante idée. Dommage, je suis nulle aux échecs.

— J'ai peine à le croire. Vous avez toujours plusieurs coups d'avance.

Elle eut une étrange impression de déjà-vu, et réalisa de quoi il retournait : il s'adressait à elle en tant que *personne*. Non comme à une employée, mais comme à un être humain. La dernière fois que cela s'était produit, il l'avait taquinée ainsi. Ils avaient souri, raconté des histoires, eu un véritable échange en picorant des mets et en buvant du vin. C'était lors de leur long dîner à Cadix, avant leur fatal retour vers l'hôtel. Et Drusilla se sentit fondre, comme si son traître cœur ne savait pas que de tels instants ne menaient nulle part.

— Nous ne sommes pas ici pour jouer à de petits jeux, dit-elle en espérant qu'il ne percevait pas son incertitude, son déchirement intérieur entre la nécessité de se préserver et son désir. Je suis ici en tant qu'assistante de direction. La seule autre option était d'être votre animal de compagnie, si je ne m'abuse. Un chien en laisse et asservi. C'est bien cela ?

Le regard de Rafael parut se liquéfier, si ardent qu'elle pouvait à peine en soutenir l'éclat. Pourtant, elle ne détourna pas les yeux. Elle était concentrée sur sa présence, sur sa virilité et son pouvoir, toute cette puissance en lui qui lui donnait la fièvre.

— Si vous voulez devenir mon animal de compagnie, alors, vous devez être à mes pieds, gronda-t-il, la toisant d'un air dictatorial. Vous devez capituler.

— Une offre appréciable, mais je la décline, murmura-t-elle, le cœur battant la chamade.

Au lieu de s'écarter, cependant, elle demeura là, paralysée, alors que Rafael franchissait la distance qui les séparait et, posant un bras sur le chambranle de la porte, inclinait la tête pour la dévisager.

Une fois encore, elle pensa à quelque dieu antique, splendide et imprévisible, farouche et sans pitié. Il était là, avec ces yeux noirs et ce corps qui incitait au péché, exsudant ce pouvoir implacable qui était sa marque particulière. Pis, il la regardait comme si *enfin* il la connaissait aussi bien qu'elle le connaissait, lisait en elle aussi aisément qu'elle savait le déchiffrer. Une idée terrifiante.

— Dites-moi, s'enquit-il de sa voix grave, les prunelles pareilles à de la lave incandescente, que cherchez-vous à fuir ?

Pendant un instant, ce fut comme si Drusilla avait reçu un coup. Puis il vit reparaître le masque protecteur qu'il en était venu à haïr, et elle parvint même à lui sourire.

Il aurait pu s'en irriter, mais il en avait fini avec cet état d'esprit. Il avait décidé qu'il aurait Drusilla, quels que fussent les petits jeux auxquels elle recourrait.

— La seule chose à laquelle je me sois dérobée, c'est

à la besogne qui nous attend. Nous ferions mieux de nous y mettre.

— Laissez tomber le travail.

C'était une phrase inédite, entre ses lèvres. Il ne s'attarda pas sur les implications de sa propre réaction. Il était concentré sur la femme déroutante qui lui faisait face. Et qu'il désirait à la folie, en dépit de toutes les raisons qui l'en dissuadaient.

— Nous sommes à Bora Bora. Le travail peut attendre.

— Pardon ?

— A quoi bon être le patron si je ne peux pas décréter une période de vacances ? fit-il, cherchant en vain à employer un ton léger. C'est vous, non, qui me suggériez de profiter du paradis ?

— Et au diable les conséquences ?

Elle semblait furieuse. Et il n'y comprenait rien. Il ne comprenait pas ce qu'il lui arrivait, ne comprenait certes pas pourquoi, quoi qu'il dise ou fasse, elle semblait si malheureuse, si en colère, ou les deux à la fois. Il ne saisissait pas pourquoi elle sautait d'un bateau pour le fuir, puis le regardait au bord des larmes sur une terrasse italienne, et parlait de « punition » — lui donnant avec trois ans de retard le sentiment d'avoir été mesquin.

Il n'était pas à l'aise avec les incertitudes.

Mais la passion, il connaissait. Le sexe et le désir aussi. Il avait construit sa vie à partir de ses propres envies. Le trouble sexuel, il savait l'identifier. Et elle avait beau proclamer sa haine pour lui, lui jeter des escarpins à la tête, il était sûr qu'elle éprouvait pour lui un désir égal au sien. Il le voyait. Il l'avait toujours vu, s'il voulait être honnête. Il en avait assez de combattre la seule chose qui lui semblait avoir du sens dans tout ce magma.

— Seuls les lâches se soucient des conséquences, dit-il.

Elle allait le quitter, de toute façon. Pourquoi se frustrerait-il ? Il n'était pas de ces hommes qui se refusent ce qu'ils veulent.

Elle cilla face à son arrogance. Mais il préférait ça. Il

ne voulait ni de ses larmes ni de sa colère, et surtout pas de ce masque qu'elle arborait pour maintenir les autres dans une distance glaciale. Ce qu'il voulait, c'était le feu et la passion.

— Viens, ordonna-t-il. Embrasse-moi.

Drusilla porta une main à sa gorge.

— Qu'avez-vous dit ? demanda-t-elle dans un filet de voix.

— Tu m'as très bien entendu.

— Je ne vous embrasserai pas.

Malgré sa rébellion, son air scandalisé, il la percevait avec clarté cette fièvre qui la brûlait, égale à la sienne. Il sut qu'il l'avait déjà conquise. Ce n'était qu'une question de temps.

— Tu y viendras, Drusilla, crois-moi.

Drusilla ne comprenait pas sa retraite. Son cœur battait si vite qu'elle était au bord du malaise. Elle demeurait là, à regarder Rafael, et l'incertitude et le désir se livraient en elle un combat ardent. Au lieu de proférer les mots qui auraient pu la protéger, elle protesta :

— Ne m'appelez pas comme ça !

— Par ton prénom ?

Son regard viril brillait comme de l'or liquide. En dépit de la situation, de sa tension et de sa peur — peur de céder, peur de ne pas céder —, elle se surprit à expliquer :

— Ma mère était la seule à m'appeler Drusilla. Et il y a au moins dix ans que je ne l'ai vue.

— Ce sera Dru, alors.

La manière dont il avait prononcé cette syllabe lui fit l'effet d'une coulée de miel au creux de la gorge. Elle s'embrasa, et eut l'impression qu'un verrou venait de sauter. Mais elle était trop avisée pour céder à ses impulsions en ce qui concernait Rafael. Comme elle le dévisageait sans pouvoir parler, luttant pour trouver son souffle, elle vit s'assombrir de désir son regard viril.

— Viens, dit-il.

Encore un ordre. Pourquoi cela ne la rendait-il pas furieuse ?

Il eut un demi-sourire sardonique — et follement sexy. Haussant les sourcils d'un air de défi, il lâcha :

— Exécution !

L'injonction la transperça, et, dans un accès de lucidité, elle sut qu'il n'y avait pas deux façons d'envisager la fin de l'histoire. Elle connaissait Rafael, n'est-ce pas ? Son intérêt pour les femmes qui partageaient son lit était d'une brièveté légendaire. Si elle désirait réellement le quitter, se libérer de l'emprise qu'il semblait avoir acquise sur elle, alors, elle tenait le moyen d'y parvenir.

Une voie à sens unique s'ouvrait devant elle, sans espoir de retour. Et peu importait le prix à payer.

— Eh bien ? demanda-t-il avec une douceur attirante.

Longtemps, elle planta son regard dans le sien, consciente de s'apprêter à franchir une ligne de démarcation, de n'avoir aucune idée des conséquences de son futur séjour en enfer.

Mais en cet instant, les dommages éventuels n'avaient guère d'importance. Rafael la regardait avec un aplomb viril purement charnel, et elle sut qu'elle n'avait pas l'étoffe nécessaire pour dire non. Elle avait trop longtemps fantasmé cela, aspiré à cela de toute son âme.

Qu'est-ce que ça peut faire que tu aies Rafael de cette façon, du moment que tu l'as ? lui demanda une voix intérieure avide qu'elle n'eut pas le courage de désavouer. Quelque part au-dessus du Pacifique, elle avait perdu la faculté de résister. D'ailleurs, rien ne l'obligeait à aller à la perdition. Elle saurait se préserver, se promit-elle. Ce n'était pas une reddition, mais de la stratégie.

Elle effaça la distance qui les séparait, sous son regard viril qui brûlait d'une ardeur encore plus intense. Ses mains glissèrent sur son torse puissant, ferme et chaud. Elle le désirait, n'est-ce pas ? Elle l'avait toujours désiré.

Et ainsi, elle pouvait tout avoir — avoir Rafael comme elle en rêvait depuis Cadix, puis sa liberté à peine une semaine plus tard. Ceci était donc une victoire.

Oui, une victoire, se confirma-t-elle en le fouillant du regard. Mais ce qu'elle ressentait, c'était un feu intérieur dévorant tout sur son passage, la consumant, réduisant en cendres toutes ces choses auxquelles elle se raccrochait.

— Aurais-tu décidé de faire comme si nous étions dans un film au ralenti ? lui dit-il avec espièglerie. Selon moi, c'est beaucoup plus agréable sur pellicule que dans la vraie vie.

— Oh ! Bon sang, fit-elle, tais-toi donc.

Puis, se dressant sur la pointe des pieds, elle se colla à lui et pressa sa bouche contre la sienne.

7.

Elle avait la saveur dont il conservait le souvenir. C'était même meilleur encore. Si bon, si torride. Rafael enlaça Drusilla, aspirant à sentir contre lui la rondeur de ses seins, la douceur de son ventre contre son membre viril. Il l'embrassa, encore et encore, goûtant la vitalité, la passion du baiser.

Et elle vint à sa rencontre. Ses bras se nouèrent autour de son cou, sa bouche se fondit avec la sienne avec un élan égal, une même exigence. Elle avait quelque chose de grisant, et il pouvait se laisser aller à étancher sa soif comme il en avait envie. Il finit par mêler ses doigts à sa chevelure brune, jubilant de sentir le contact de ses boucles folles, leur odeur. C'était comme manier de la soie, humer des senteurs de vanille. Il les délivra de la bande élastique qui les emprisonnait, et elles se répandirent, opulentes, sur ses épaules. Il épousa plus étroitement ses lèvres avec les siennes, la serra de plus près, prit ce qu'il voulait. *Enfin.*

Ses mains glissèrent sur les courbes sensuelles de ses hanches puis plus bas encore, et ils gémirent de concert alors qu'il la faisait chavirer contre son membre dur. Il puisait en elle et était loin d'être rassasié. Mais il se refrénait. Sinon, il l'aurait prise, là, tout de suite, et il n'avait pas l'intention d'être expéditif.

Pas avec cette femme. Puisqu'il avait attendu une éternité, semblait-il, pour cet échange. Pour l'avoir, elle.

Il goûta aux menues taches de rousseur que le soleil avait déjà saupoudrées sur son nez, redessina la courbe de sa pommette, de sa joue satinée, de sa mâchoire pleine de caractère. C'était magique.

Elle émit un petit bruit de gorge, un ronronnement qui faillit avoir raison de lui. *Elle est à moi,* pensa-t-il dans un élan de possession jubilatoire. *Toute à moi.*

Il prit sa main dans la sienne, s'émerveillant de sa délicatesse. Puis il l'emmena dans les passages baignés de soleil, et il devait bien admettre qu'il éprouvait une sensation de triomphe alors qu'elle le suivait ainsi, les yeux noyés de désir, telle la femme docile, obéissante, qu'elle avait si longtemps fait semblant d'être — elle qui l'était si peu. La reddition d'une femme forte, pensa-t-il avec une satisfaction toute virile, était tellement plus excitante que celle d'une femme qui manquait de caractère…

Une fois dans sa chambre, il l'attira encore à lui, enchanté de la sentir entre ses bras. De nouveau, il prit sa bouche, tout en la menant vers le lit. Quand elle heurta le matelas, elle leva vers lui ses yeux gris empreints de désir, la respiration saccadée, le visage empourpré.

Il ne dit rien. Il ne chercha pas à enrayer son sentiment de possession, qui pourtant ne lui ressemblait guère. Tout ce qui concernait Drusilla n'avait eu aucun sens pour lui depuis ce matin, à Londres, où elle avait remis en question ce qu'il considérait comme acquis. Alors, pourquoi ceci en aurait-il eu davantage ?

Il la débarrassa de son débardeur, et sourit en voyant ses seins ronds gainés d'un soutien-gorge bleu roi.

— La perfection, murmura-t-il, inclinant la tête vers le renflement d'un sein et aspirant la pointe dans sa bouche à travers le fin tissu satiné.

Elle laissa échapper un léger cri, et, comme elle avait les yeux clos, il en profita pour dégrafer le soutien-gorge, renouveler sa caresse à même la peau. Elle haleta, signe que ses sens à elle aussi se déchaînaient.

Alors, il se perdit dans l'échange, il se perdit en elle. Il la déshabilla vite, pressé de se dénuder aussi, de pouvoir recommencer à la toucher. Il lui sembla qu'une éternité s'était écoulée lorsqu'il fut nu et elle, dévêtue et échouée sur les draps, comme il l'avait fantasmé longtemps sans en avoir vraiment conscience. Ce qui le remuait lui semblait ancien, complexe, comme s'il l'avait enfoui pour le dissimuler à lui-même. Mais il en avait fini de fuir. Il s'étendit près d'elle, redressé sur un coude, et vit avec une satisfaction farouche sa peau rosie par la volupté, ses seins aux pointes raidies. De sa main libre, il entama un voyage sensuel sur le territoire de son corps.

— Rafael…, murmura-t-elle, les yeux mi-clos, alors qu'il pressait les doigts contre le cœur intime de sa chair.

Elle était douce, humide, chaude, et il la voulait tellement qu'il n'était pas loin d'en trembler. Elle l'attira à elle, et amena sa poitrine contre son torse.

— Reddition, murmura-t-il, avant de s'insinuer en elle.

Puis il entra dans le feu. Ce feu magnifique qui enveloppait tout. Il grondait en lui, calcinait tout ce qu'il avait cru et pensé, et ne laissait que Drusilla. Sous lui, elle était ronde et souple, elle s'enroulait autour de lui, remuait les hanches…

Il maintint ses reins à deux mains pour ralentir ses mouvements, puis installa son propre rythme. Lent. Retenu. Propre à les mettre à la torture. Il allait et venait en modérant à l'infini la cadence, et Drusilla, la tête rejetée en arrière, hoquetait de plaisir. Il s'enfonçait en elle, encore et encore, et il aurait voulu que ça dure toujours, il aurait voulu rester en suspension dans cette volupté si parfaite où ils se confondaient tous deux, fusionnaient littéralement.

Elle releva la tête, et ils se regardèrent. Ses yeux gris étaient consumés par la même passion, ses gémissements s'accentuaient. Et il n'avait plus envie que de se consumer dans leur brasier, d'y disparaître tout à fait.

C'est Drusilla, pensa-t-il, avide de la regarder encore, de la caresser, de la sentir avec toutes les fibres de son être. Il comprit alors qu'il n'avait aucune intention de la laisser partir. *Jamais*. Et peu importait ce que cela signifiait.

Elle ferma les yeux, se cambra dans la lumière du

couchant qui nimbait son corps voluptueux de lueurs orangées, dorées. Telle une déesse païenne qui lui appartenait.

Des tremblements la secouèrent, et elle frémit entre ses bras, sauvage et indomptée. Quand elle cria son nom, encore et encore, il bascula avec elle, sombra lui aussi, enfin.

Drusilla, le corps mêlé à celui de Rafael dans le vaste lit, regardait le soleil en train de décroître, de descendre et de se fondre dans la mer.

Ses pensées ne parvenaient pas à prendre une forme cohérente. Il n'y avait que la vibration de son corps, comme parcouru de courant à haute tension. Elle sentait le corps ferme de Rafael, la chaleur de sa peau, le soulèvement régulier de son torse. Elle n'avait pas envie de penser. Elle préférait contempler le ciel.

Rafael remua près d'elle quand le soleil disparut derrière la ligne d'horizon, comme si le crépuscule le ramenait à la vie. Il se tourna vers elle, et une fois de plus son regard ténébreux lui parut indéchiffrable dans la pénombre.

Il glissa une main sous son visage et l'amena vers lui. Un instant, il la regarda, et elle eut l'impression qu'une pause silencieuse s'instaurait en elle, comme si elle attendait quelque chose perchée au bord d'un précipice.

Le compte à rebours est commencé, murmura une voix prosaïque, impitoyable. *Rafael n'est déjà plus là.*

Comme s'il avait entendu, il l'embrassa. D'un baiser profond, addictif. Et le feu se remit à gronder, inextinguible. Qu'elle avait donc été folle de croire qu'elle maîtriserait les choses ! Elle quitterait Rafael comme prévu, réalisa-t-elle. Mais ensuite, elle serait en deuil de lui, et ne s'en remettrait peut-être pas. Elle avait choisi cette situation qui ne lui réservait que des regrets. Pourtant, elle était incapable de mettre un terme à ce qu'elle avait elle-même initié.

Inutile de précipiter l'heure du souci, pensa-t-elle avec

un certain désespoir. Le moment fatal viendrait, quoi qu'elle fasse. Elle aurait mal. Sans doute l'avait-elle toujours su.

Rafael se souleva et se glissa entre ses jambes, alors elle délaissa le futur qui semblait si loin de cet instant, et donc sans importance.

— Drusilla, dit-il, comme s'il savourait ce prénom.

— Rafael.

Elle se sentait vulnérable. Que voyait-il quand il la regardait ainsi ? Elle ne le savait pas. Elle ne savait pas comment l'empêcher de deviner ses espoirs et ses peurs, de tout deviner, maintenant qu'elle s'était abandonnée entre ses bras.

D'un coup de reins, il s'enfonça en elle, brûlant et ferme. Et elle cessa de s'inquiéter de ce qu'il voyait. Elle se concentra plutôt sur la perfection de leur union.

Il remuait lentement, sur un rythme hypnotique, comme s'il désirait que le feu, entre eux, s'embrase de lui-même, et elle épousa sa houle paresseuse, élevant ses hanches vers les siennes, savourant leur fusion, l'aisance de leur étreinte dévastatrice.

Puis le rythme mua, s'accéléra, et dans la sauvagerie de leur échange, alors qu'elle basculait une nouvelle fois dans l'infini du vertige sensuel, elle sut que rien ne serait plus jamais pareil. Surtout pas elle-même.

L'idée que se faisait Rafael d'un séjour au paradis, découvrit sans grande surprise Drusilla, consistait à réduire ses seize heures de travail quotidien à « seulement » six ou huit. A la fin d'un jour « de vacances » comme celui-là, alors que ses doigts volaient sur le clavier tandis qu'il dictait, elle murmura :

— Jouir à ta guise d'une journée de travail normal… quel pénible sacrifice !

Il lui décocha un regard aussi brûlant qu'amusé. Eu égard aux « vacances » qu'il avait décrétées — et, sans doute, à tout ce qui avait changé entre eux —, il portait une chemise blanche déboutonnée, exhibant sa peau bistrée et son superbe physique. Il avait même croisé ses jambes sur le bureau, et aurait pu passer pour l'incarnation du farniente s'il n'avait été occupé à dresser la liste des ordres destinés à sa ribambelle de vice-présidents.

— Toute proposition de distraction de ta part sera toujours la bienvenue, dit-il au bout d'un instant.

Elle allait lui opposer un refus, mais s'en empêcha. Qu'avait-elle à perdre ? Les affaires de Rafael recouvreraient leur rythme infernal quand cette étrange parenthèse serait terminée, et qu'elle serait partie. Mais elle n'aurait pas deux fois la chance de l'avoir à elle, comme en ce moment. Elle eut le sentiment, une fois de plus, qu'elle engrangeait tous leurs instants de passion brûlante pour les jours où elle serait seule. Où elle n'aurait plus que ses souvenirs.

— Puisque vous insistez, monsieur Vila, dit-elle en soutenant son regard de braise.

Elle quitta sa chaise, qu'elle avait tirée près de son bureau, et se laissa glisser à terre, près de lui, enregistrant avec un sourire la tension sensuelle de ses traits empreints de désir. Lentement, en soutenant son regard, elle se faufila entre ses jambes.

— Est-ce une nouvelle façon de prendre la dictée, mademoiselle Bennett ? s'enquit-il en reposant ses pieds sur le sol et en l'emprisonnant entre ses cuisses.

Elle faufila une main dans son pantalon, libéra son membre déjà dur et le prit dans sa bouche…

Ils adoptèrent une sorte de routine au fil des jours. Rafael demeurait son patron, en dépit du changement radical de leurs relations. Drusilla ne songeait pas à remettre cela en cause. Ce qui aurait pu devenir intenable si elle n'avait pas donné sa démission devenait un jeu, puisque seul son cœur, et non sa carrière, était dans la balance.

Alors, elle n'était pas mécontente de continuer comme auparavant — quelques petites modifications mises à part.

— Ne fais pas ça, lui dit-il un matin alors qu'elle sortait de la vaste douche.

Planté sur le seuil de la chambre adjacente, il promenait sur elle un regard brûlant tandis qu'elle s'enveloppait d'une serviette. Il avait passé un pantalon en lin blanc, mais restait torse nu. Et, une fois de plus, elle était troublée par cet étalage de sa perfection virile.

Ils s'étaient réveillés à l'aube et étaient allés se baigner dans le lagon. Dans l'eau, il l'avait prise, et elle frémissait encore de cet échange plein de passion. Ce n'était pas sain, tout de même, de désirer quelqu'un à ce point-là, pensait-elle. Elle avait imaginé qu'elle coucherait avec Rafael une seule fois, un peu comme on s'accorde une dose de drogue, et qu'elle en aurait ensuite fini avec son désir, et cette folle toquade.

Au lieu de ça, tu as aggravé les choses, lui murmura la satanée voix intérieure — comme si elle avait besoin qu'on lui dessille les yeux !

— De quoi parles-tu ? s'enquit-elle.

— Cette torsade.

Il désigna sa nuque, et une curieuse expression passa sur son visage, qu'elle aurait prise pour de la vulnérabilité, si elle avait eu affaire à un autre homme que lui.

— J'aime quand ils sont lâchés sur tes épaules, continua-t-il d'un ton bourru. J'aime plonger les doigts dedans.

Là-dessus, il fit volte-face et s'éclipsa, lui laissant le soin d'interpréter à sa guise ce qu'il venait de dire.

Elle enfila la maxirobe jaune et bleu, si gaie, qui était devenue sa tenue de prédilection, et dénoua ses cheveux, les aéra avec ses doigts. Elle se regarda dans la grande glace qui occupait le mur proche, et ne se reconnut pas. L'exposition au soleil avait fait ressortir ses taches de rousseur et donné de l'éclat à sa peau. Ses yeux brillaient, sa bouche semblait douce et détendue. Et ses cheveux bruns, encore humides, cascadaient sur ses épaules, lui conférant une allure sensuelle, voluptueuse. Elle était aux antipodes de la femme qu'elle s'était flattée d'incarner pendant cinq ans au sein du Vila Group !

Et inutile de se mentir, c'était Rafael qui avait opéré cette métamorphose.

Ce n'est qu'un laps de temps très court, se remémora-t-elle en allant le rejoindre dans le bureau. *Quand je serai de retour à la maison, ce sera comme si rien n'était arrivé.*

Elle voulut se convaincre que le sentiment qui l'empoignait était de la joie. Qu'elle était heureuse de s'autoriser cette expérience, de vivre ces instants. Les regrets attendraient. Elle avait pour cela toute la vie devant elle.

Il semblait pourtant que Rafael sentait qu'elle lui taisait quelque chose. Ou alors, le caractère passager de leur relation le troublait lui aussi. Parfois, il la soulevait contre le premier mur venu et s'enfonçait en elle, comme s'il voyait se dresser devant lui le même avenir douloureux. Ou bien, il la réveillait en pleine nuit pour la savourer de nouveau, l'envoyer dans l'abîme du plaisir. Comme pour se prouver qu'il en avait le pouvoir. Ou s'assurer que c'était réel.

Un après-midi, après leur journée de travail, il vint l'observer tandis qu'elle lisait un roman policier dans la véranda proche de la bibliothèque. Elle finit par relever les yeux et lui demander en souriant :

— Tu as besoin de quelque chose ?

— Je me demande comment tu fais, lâcha-t-il d'une voix basse, grave, qui la mit mal à l'aise.

— Quoi ? Lire ?

— Ces paroles, ces sourires. Jusque dans mon lit. Tu as des tas d'endroits où te cacher, n'est-ce pas ? Et tu ne t'en prives pas.

Elle sentit son cœur s'affoler, et ses tempes battirent, comme si des sirènes d'alarme retentissaient alentour. Elle savait que c'était une illusion. Il n'y avait que le murmure des vagues sur le sable, le chant des oiseaux dans les arbres, le souffle musical du vent dans les carillons éoliens suspendus sur la terrasse.

— Je ne comprends pas ce que tu veux dire.

— Eh bien, je te crois presque.

Il ne semblait pas en colère, ni fâché — deux états d'humeur qu'elle aurait préférés de loin. Il paraissait presque… résigné. Il la scrutait d'un air sombre et songeur, et elle commença à être gagnée par la panique. A redouter ce qu'il pourrait percevoir.

— Je ne me cache pas, dit-elle en se mettant debout et en ouvrant les bras. Je suis là.

Il sourit, et elle en fut une fois de plus chavirée, même si son sourire exprimait autant de regret que de désir. Elle n'avait pas envie de savoir pourquoi.

— Vraiment, Drusilla ? lança-t-il en se rapprochant d'elle.

Au lieu de répondre, elle l'embrassa avec une ferveur désespérée, torride, donnant tout ce qu'elle avait à donner.

Il ne dit plus rien. Il la disposa sur le canapé et la prit. Un instant de passion qu'elle considéra comme une victoire. Un souvenir de plus à engranger.

8.

Un soir, ils dînaient dans l'un des patios, éclairés aux bougies, dont les flammes vacillaient sous le ciel criblé d'étoiles. Renversée sur son transat, Drusilla contempla les astres scintillants, consciente de l'écoulement du temps même dans un instant où il semblait suspendu, comme celui-ci. *N'oublie pas qu'il file*, se dit-elle. *Ne t'imagine pas que ceci pourrait durer.*

En face d'elle, Rafael achevait une conversation téléphonique avec un directeur financier à New York. Elle l'observa en gravant ses traits dans sa mémoire.

Victoire, psalmodiait une voix dans sa tête. *Au bout du compte, je rentrerai chez moi victorieuse, et je ferai exactement ce que j'avais prévu de faire il y a deux semaines.*

Mais elle n'était pas sûre de se croire elle-même…

Après le tartare de thon qu'ils venaient de savourer, les domestiques apportèrent d'autres plats : perroquet de mer farci au crabe, *mahi-mahi* au lait de coco parfumé au curry, crevettes et Saint-Jacques poêlées, assortiment de sushis. La table explosait de couleurs, et c'était presque trop joli pour être mangé.

— Parle-moi de toi, dit soudain Rafael alors qu'ils savouraient les mets en silence depuis un moment. Dis-moi quelque chose que j'ignore. Rien qui figure sur ton CV, que je connais et qui est éblouissant, sinon, je ne t'aurais pas engagée.

Posant sa fourchette, elle le considéra avec calme malgré les signaux d'alarme qui retentissaient dans son esprit. Il n'y avait aucune raison pour qu'il veuille « savoir » quelque chose » à son sujet. Il fallait qu'elle distraie son attention sur autre chose. Il avait déjà assez d'armes contre elle. Pourquoi aurait-elle augmenté son arsenal ?

— Que désires-tu savoir ? demanda-t-elle en renonçant à son verre de vin — mieux valait conserver les idées claires. Le moment serait-il venu de discuter de nos liaisons respectives ? Ma liste est plus courte que la tienne, c'est sûr.

Son regard ambré pétilla, comme s'il appréciait sa tentative pour détourner la conversation. Mais il ne mordit pas à l'appât. Il se contenta de sourire en piquant sa fourchette dans une crevette.

— Tu as assisté à la sordide fin de ma famille. Et la tienne ? Tu n'en parles jamais.

Elle s'éclaircit la voix, consciente de chercher à gagner du temps. A une époque, elle aurait été heureuse d'encourager l'intérêt qu'il manifestait pour elle. Plus maintenant. Aujourd'hui, elle était consciente du mal qu'elle aurait à le quitter. Que serait-ce, alors, s'il savait réellement tout d'elle ?

— Aurais-tu encouragé les discussions personnelles sans que j'en aie conscience, par le passé ? lança-t-elle d'un ton léger.

Il salua cette pique d'un hochement de tête, mais continua à la regarder d'un air d'attente. Maudit soit-il ! Nerveuse, déstabilisée, sur la défensive, elle lâcha :

— Nous vivions dans un village du Shropshire, aux environs de Shrewsbury, jusqu'à la mort de mon père. Nous avions alors à peine cinq ans, Dominic et moi.

Elle le vit froncer les sourcils, et confirma :

— Mon frère jumeau, oui. Ensuite, nous avons déménagé souvent. C'était un soulagement d'entrer à l'Université et de se poser pendant quelques années.

— Pourquoi bougiez-vous autant ? voulut-il savoir — et pour un peu, elle aurait cru qu'il était fasciné, qu'il désirait savoir.

Peut-être était-ce pour cela qu'elle parlait ? Parce qu'elle désirait malgré tout qu'il ait envie de la connaître et en oubliait son instinct de préservation ?

— Ma mère avait de nombreux partenaires, dit-elle. Certains devenaient aussi nos beaux-pères.

C'était plus qu'elle n'en avait jamais dit à quiconque. Elle était sidérée de voir jaillir en une phrase lapidaire toutes ces années sombres, dures, pétries de larmes et de peur.

Elle n'avait pas l'intention d'en dire davantage. Mais, quand elle osa relever les yeux vers lui, elle s'aperçut qu'il la regardait comme à son habitude : d'un air songeur, intense, et obstiné. Comme si elle était une énigme qu'il voulait percer. Et résoudrait au bout du compte.

— Ma mère aussi s'est remariée, pourrait-on dire, annonça-t-il alors de ce ton pince-sans-rire qui révélait chez lui un sens de l'humour noir.

Elle n'aurait pas cru qu'il possédait ce trait, ou plutôt, elle ne l'avait entrevu qu'à Cadix. Elle en avait la nostalgie.

— Mais comme elle est désormais l'épouse du Christ, il serait malséant de s'en plaindre.

Drusilla ne put s'empêcher de sourire, et il lui répondit par un regard chaleureux. Elle sut alors qu'elle lui confierait des choses qu'elle n'avait révélées à personne. Parce qu'elle désirait qu'il la connaisse, si fugace que fût leur lien. Tant pis si cela lui conférait plus d'emprise sur elle. Elle voulait pouvoir imaginer qu'il se souviendrait d'elle quand il aurait une nouvelle assistante et que d'autres blondes défileraient dans sa vie — et que ce souvenir aurait de l'importance. Cela impliquait qu'elle se livre.

Elle le fit avec une simplicité qui la surprit. C'était facile, en le regardant, d'oublier ce qu'elle avait traversé, de parler et d'en tirer une sensation de protection, comme si cela revenait à partager son fardeau.

— Ils étaient toujours violents. Envers maman, puis de façon croissante envers Dominic. Moi, j'étais plutôt douée pour passer inaperçue.

— Je te crois. C'est toujours le cas.

— Et puis j'ai grandi, continua-t-elle, trop captivée par

l'attention qu'il lui prêtait pour réagir à ses étranges propos. Et ils se sont mis à me remarquer davantage.

Elle déglutit et secoua la tête, comme pour chasser les souvenirs. Le regard de Rafael se durcit.

— Il y en avait un qui s'appelait Harold, c'était le pire. Il essayait toujours de me coincer quand j'étais seule, et il avait vite fait de mettre ses mains là où il ne fallait pas. Quand je l'ai dit à maman, elle m'a giflée, et elle m'a traitée de menteuse et de putain.

Elle haussa les épaules comme si ce souvenir avait cessé de faire mal, alors qu'elle n'avait jamais pu en parler ainsi, à haute voix.

— Alors, dès que j'ai pu, je suis partie. Je ne l'ai pas revue depuis l'âge de dix-neuf ans.

Dominic était le seul avec lequel elle avait partagé ce sombre passé, et ils avaient toujours eu recours à leur propre code, abordant les conséquences des faits plutôt que les faits eux-mêmes. Elle n'avait jamais rien raconté à ses amis d'Université, ni aux quelques copains qu'elle avait eus à l'époque où elle avait encore une vie sociale. Cela lui semblait si intime, et si honteux. D'ailleurs, elle n'avait eu que des amis enclins à la rigolade, et c'était sans doute pour ça qu'elle les avait choisis : ils n'étaient pas portés à dévoiler leur âme, ce qui mettait la sienne à l'abri.

Elle détourna son regard, et reprit du vin. Elle préférait l'effet de l'alcool à ce que Rafael lui faisait ressentir en se montrant attentif ; en lui donnant le sentiment d'être protégée alors que c'était illusoire. Elle était mieux placée que quiconque pour le savoir.

— Et ton frère ? demanda-t-il après un moment. Ton jumeau ? Tu n'en es pas proche non plus ?

Ce fut comme s'il l'avait frappée. Elle réagit d'instinct, dans un élan de fureur. Mais, en toute honnêteté, la culpabilité familière qu'elle éprouvait toujours quand il était question de Dominic n'y était pas pour rien.

— Pas au sens où tu l'entends, non ! siffla-t-elle, se moquant d'être injuste. Puisqu'il est mort.

Rafael continua à l'observer, immobile, sans paraître affecté par sa réaction. Puis, après un temps, il lâcha d'une voix calme :

— Je suis désolé.

— Non, c'est moi qui suis désolée. Je n'aurais pas dû te dire ça sur ce ton. Comment aurais-tu pu savoir ? C'est juste que c'est assez récent, et je ne sais pas encore très bien me comporter en ce qui le concerne.

— « Récent » ? fit Rafael, rembruni, l'air pour une fois presque dérouté. Comment ça, « récent » ? Tu n'as jamais pris de congé.

— Un congé ? dit-elle avec un rire étrange. Ce n'est pas comme si tu étais du genre à en accorder. Il ne me serait même jamais venu à l'idée de t'en demander un. Regarde comment tu as réagi à ma démission.

Sa mâchoire se crispa, révélant sa colère. Son regard s'était obscurci, comme sous l'effet d'une souffrance. C'était le regard, sombre et tourmenté, qu'il avait eu à Milan. Elle eut envie d'allonger le bras pour le toucher, pour l'apaiser. Une fois de plus, elle regretta les mots qu'elle venait de lâcher. Mais cela avait été plus fort qu'elle. Et elle ne pouvait pas les reprendre.

— Certes, reprit-il d'une voix rauque et méconnaissable. Je suis un monstre, je t'aurais empêchée d'aller à l'enterrement de ton frère, rien que par mesquinerie.

Le cœur serré, elle souligna :

— Ce n'est pas ce que j'ai voulu dire.

— Après tout, continua-t-il avec le même ton sombre et amer, que sais-je de la vie de famille ? Tu es la seule à connaître le peu de cas que mon grand-père faisait de moi. Tu es aussi la seule à avoir maintenu une relation avec moi un certain temps.

Il eut un sourire qui faisait peine à voir, avant d'achever :

— Tu es bien placée pour savoir que je n'ai aucune qualification sur les questions familiales.

Elle en fut malade. Bouleversée. Envahie de peur.

— Ne sois pas stupide, dit-elle presque avec humeur.

J'ai dit que je doutais d'obtenir de toi un congé. Tu es très exigeant, comme patron. Tu tiens à ce qu'on soit disponible vingt-quatre heures sur vingt-quatre. Il me semblait évident que tu serais *horrifié* de savoir que j'avais aussi une vie personnelle.

— Tu n'as aucune idée de ce que j'aurais fait !

— J'en ai une idée très précise, au contraire ! C'est pour ça que tu me paies. Et que tu m'as offert de tripler mon salaire et même de me donner une île, si j'ai bonne mémoire.

Un instant, il la considéra. Et, malgré tout ce qu'elle venait de prétendre, elle ne savait absolument pas comment il réagirait.

Soudain, de la façon la plus inattendue, prouvant qu'elle le connaissait bien mal au bout du compte, il renversa la tête en arrière et s'esclaffa.

Elle ne l'aurait jamais cru capable de rire ! C'était un rire contagieux, gai, qui éclairait son visage dur et farouche, qui l'illuminait et le changeait du tout au tout…

Et brusquement, la vérité la heurta de plein fouet, lui coupant le souffle, lui donnant le vertige. Ses œillères tombèrent d'un seul coup, en une brutale révélation.

Elle *avait de l'amour* pour lui. Depuis longtemps, de toute évidence. Une fois de plus, elle s'était raconté des histoires. Elle avait appelé ça de « l'attirance », de « l'attachement ». Elle avait minimisé ce qu'elle éprouvait, ne se souciant que du mal qu'elle aurait à se remettre de cette parenthèse tropicale. Sans oser s'avouer la vérité, elle s'était enlisée dans la vie de Rafael. Elle n'avait pas cherché à savoir pourquoi elle n'avait pas obtenu une promotion qu'elle était sûre pourtant de mériter. Pis, elle avait gardé ses distances avec Dominic, au moment de sa mort et même avant. Il avait été plus facile d'envoyer de l'argent que de s'impliquer dans le gâchis qu'il avait créé. Oui, elle avait fait tout cela, même si c'était douloureux de l'admettre, pour satisfaire et aimer un homme qui ne lui rendrait jamais son amour. Qui ignorait le sens de ce mot.

Ah ! parce que toi tu le connais, peut-être ? lui murmura la petite voix intérieure brutale et implacable.

Elle eut un vertige comme si le monde s'était mis à tournoyer autour d'elle en une ronde infernale. Une honte cuisante l'inonda. Elle avait voulu que sa mère, égoïste et blessée par la vie, l'aime comme une vraie mère. Elle avait voulu que ses beaux-pères lui accordent une affection paternelle. Elle avait voulu que Dominic l'aime plus que ses addictions. Quant à Rafael… Il n'était pas capable d'aimer, n'est-ce pas ? Alors, elle s'était rabattue sur le désir. Elle avait cherché à ce qu'il la veuille, et avait cru qu'il lui accorderait quelque valeur pour ça, à défaut d'autre chose.

Que cherchait-elle ce jour où elle avait brandi sa lettre de démission après avoir découvert le courriel ? Une part d'elle-même s'était-elle imaginé qu'il se jetterait à ses pieds pour lui faire une déclaration ?

Il ne s'était rien passé de tel, bien sûr. Elle n'avait jamais eu droit à une déclaration. D'ailleurs, Rafael n'aurait pas su s'y prendre, même s'il avait éprouvé les mêmes choses qu'elle. En fait, elle n'avait vécu que pour ériger une sorte de monument au sentiment qu'elle lui portait. Un amour pathétique, sans espoir de retour. Dieu, qu'elle était stupide !

Et voici qu'il la regardait à présent, les traits encore illuminés par ce rire inattendu qui lui conférait une beauté plus humaine, le rendait presque accessible. Elle en avait le cœur serré.

— Est-ce que ça va ? demanda-t-il, percevant peut-être la terrible vérité qu'elle ne devait surtout pas lui laisser connaître.

— Oui, parvint-elle à dire.

Il fronça les sourcils, frappé, sans doute, par le tremblement révélateur de sa voix. Elle se hâta de se couvrir par un mensonge :

— C'est juste que je me suis mordu la langue.

*
* *

Le temps était la seule chose qui échappât, semblait-il, au contrôle de Rafael.

C'était l'après-midi du dernier jour de travail de Drusilla — un fait qu'ils n'avaient mentionné ni l'un ni l'autre, même s'il restait en suspens entre eux —, et Rafael n'arrivait pas à se concentrer sur l'appel en conférence auquel elle participait pour le représenter. Assis près d'elle, jambes étendues, devant la petite table du bureau, il se surprenait à n'avoir d'yeux que pour elle tandis qu'elle parlait dans le micro.

— Je veillerai à porter cela à l'attention de M. Vila, disait-elle. Mais, en attendant, je crois que nous devrions réexaminer ces chiffres avant de tirer des conclusions prématurées.

C'était peut-être parce qu'il pouvait voir la vraie Drusilla, alors que les autres l'imaginaient sans doute dans son tailleur et ses escarpins, son chignon guindé. Mais il voyait, lui, sa crinière rebelle, sa peau pâle à peine rosée, les taches de rousseur répandues sur son nez et ses épaules, ses pieds nus. Enveloppée d'un paréo turquoise sur son Bikini rose vif, elle n'avait rien de professionnel — ce dont personne ne se serait douté en entendant sa voix calme, posée.

Elle était superbe. Elle était à lui. Et elle allait le quitter.

Il ignorait ce qu'il ferait à ce sujet. Il savait seulement qu'il n'accepterait pas ça. Il ne pouvait pas le permettre !

Mais il savait aussi qu'il était à court d'options.

Elle s'accouda, à l'écoute, les divers cadres se coupant la parole sans se douter qu'il les entendait tergiverser et se chamailler. Il s'était aperçu qu'il était productif de recourir à Drusilla de cette manière, de leur laisser croire qu'ils dialoguaient avec quelqu'un de plus abordable que lui. Cela permettait de faire ressortir quantité de vérités.

Il aurait aimé pouvoir en dire autant de Drusilla elle-même.

— M. Vila préfère qu'on lui présente des solutions éventuelles, quand on a un problème à lui soumettre, Barney, dit-elle. Je peux lui faire part de vos inquiétudes, bien sûr, mais je parie que sa réponse sera celle-là. En revanche, il sera nettement moins poli que moi.

Il y eut des rires, et elle leva les yeux pour lui sourire, le regard brillant. *Un vrai sourire*, pensa-t-il avec satisfaction. Pas un de ces sourires professionnels polis qu'elle lui adressait parfois pour le calmer, et qu'il avait pris en horreur. Pourtant, il était sûr qu'elle continuait à dissimuler. Il ne savait pas ce qu'elle cachait, ni pourquoi. Mais c'était là, bien présent dans son regard.

De façon paradoxale, il ne l'en désirait que davantage.

Ainsi qu'il le lui avait dit, il n'avait eu de proche relation qu'avec elle. Cette vérité crue le hantait. Elle était le seul être vivant auquel il eût fait confiance. Il l'avait laissée accéder à tous les pans de sa vie. A lui-même. Aucun employé n'avait été mêlé de si près à sa vie personnelle. Et aucune de ses maîtresses n'avait été impliquée de si près dans son travail. Seule Drusilla établissait un pont entre les deux mondes.

Or, il ne lui restait que très peu de temps à passer avec elle.

Cédant à un sentiment d'urgence qu'il comprenait à peine, comme si cela pouvait alléger le poids qui lui pesait sur le cœur, il prit sa main puis la porta à ses lèvres. Elle incurva sa paume pour mieux s'ajuster à sa mâchoire, comme si elle aussi le retenait. Et quelque chose en lui changea. Un mur dont il n'avait pas perçu l'existence s'écroula. Il sut alors ce qu'il devait faire.

Il existait un moyen de la garder. Une stratégie à laquelle il n'avait pas eu recours. Cela la maintiendrait près de lui. Avec lui. Et qu'importe si ce n'était pas un retour précis à la réalité antérieure ! Ce n'était pas une mauvaise chose. Il aimerait peut-être même qu'elle soit sa famille. Elle était ce qui s'approchait le plus d'une famille, en ce qui le concernait.

Il fallait seulement qu'il l'amène à dire « oui ».

*
* *

— L'hélicoptère sera là dans deux heures, dit Drusilla le lendemain matin, avec un calme étudié. L'avion sera prêt à décoller dès que nous serons à Tahiti.

Rafael se tenait à l'extrémité de la jetée, dos tourné. Il semblait lointain et intimidant, et pourtant elle avait envie de se lover contre lui, d'appuyer sa tête sur son épaule. Elle avait envie de se laisser envelopper par son odeur masculine, par la chaleur de son corps. Pieds nus sur la promenade de bois lisse chauffée par le soleil, elle se persuada qu'elle se sentait bien. Qu'elle était soulagée d'approcher du moment final, de n'avoir à affronter que le voyage de retour.

Ils s'étaient réveillés à l'aube, lovés l'un contre l'autre dans l'immense lit de Rafael. Il l'avait attirée par-dessus lui avant qu'elle ait vraiment repris ses esprits, s'enfonçant en elle avec tant d'aisance qu'elle s'était presque demandé si c'était un événement réel ou un rêve. *Ou un adieu*, avait suggéré une voix âpre qu'elle n'avait pas voulu écouter.

Lentement, ils s'étaient explorés l'un l'autre, avec des baisers prolongés et des caresses infinies, attisant un brasier de combustion douce et lente, un feu dansant et enjôleur qui leur avait arraché des soupirs de plaisir quand il avait atteint l'extase.

A présent encore, Drusilla en sentait l'ardeur. Elle avait eu presque peur de rejoindre Rafael après avoir confirmé les dispositions du voyage — comme si elle redoutait qu'il devine son ardeur secrète, celle qu'il pouvait allumer d'un regard, d'une caresse. Ce feu-là mourrait-il jamais ? Elle en doutait.

— Le paradis n'est pas éternel, je suppose, dit-elle en voyant qu'il ne se retournait pas vers elle.

Tout lui était bon, en réalité, pour tenter de faire la conversation, pour dissimuler sa nervosité. Pour cacher que ça faisait mal.

— Arrête, fit-il farouchement.

Impuissante, désarmée, elle continua :

— C'est si merveilleux, ici. Mais ce n'est pas *réel*, n'est-ce pas ?

Il pivota brusquement sur lui-même, alors.

— Alors que ton bavardage absurde est réel ? Tu dois tout de même savoir, maintenant, que ce genre de comédie ne prend pas, avec moi.

Elle aurait pu être piquée par ce commentaire. Elle l'était, en fait. Mais elle ne pouvait pas se permettre de tomber dans le piège de la dispute — une de ces disputes qui menaient fatalement aux baisers, aux étreintes, aux déferlements de passion. Elle ne lui permettrait pas de saboter son départ. Et surtout, elle s'interdirait de le faire elle-même.

— Tu es trop occupé pour continuer à fuir le monde extérieur, observa-t-elle, énonçant une vérité toute simple.

— Comme tu me le faisais remarquer il n'y a pas si longtemps, l'intérêt d'engager les meilleurs collaborateurs permet de leur déléguer les responsabilités.

— Je l'ai dit, en effet. Ecoute, Rafael…

Elle s'interrompit, se mordillant la lèvre, et elle vit s'obscurcir son regard brun et or en un mélange de chagrin et de passion qui lui serra le cœur. Ah ! non ! Elle n'allait surtout pas se mettre à pleurer maintenant !

— Ne rends pas les choses plus difficiles qu'elles ne sont, murmura-t-elle.

Il continua à la dévisager, impressionnant et farouche, et elle pensa qu'elle ne supporterait pas de le quitter. Elle en mourrait. La part d'elle-même qui n'avait ni orgueil, ni respect, ni limites, menaçait de l'anéantir si elle tentait de s'en aller. La part d'elle qui ne voulait que Rafael, et à n'importe quel prix. Même si ça devait faire très mal.

— Il n'est pas forcé que ce soit difficile, fit-il observer alors.

Il allongea le bras et effleura la bande de peau exposée à l'air libre entre la ceinture de son pantalon en lin et son débardeur. Elle ne put retenir un soupir, le corps et les sens en accord avec la caresse, comme s'il pouvait commander ses réactions au moindre contact, comme s'ils étaient en osmose.

— Je pense que tu devrais m'épouser, dit-il.

Le monde cessa soudain de tourner. Mais elle ne s'écroula pas, elle ne s'évanouit pas. Elle continua à le dévisager, puis lâcha :

— Qu'est-ce que tu as dit ?

— Ne joue pas à ça, s'insurgea-t-il, lui relevant le visage et fixant sur elle un regard scrutateur.

S'il devinait qu'elle l'aimait, elle n'y survivrait pas ! Elle se libéra d'un geste.

— Tu n'es pas sérieux, ce n'est pas possible, murmura-t-elle d'une voix inégale, tremblante.

— Je n'ai jamais été plus sérieux de ma vie.

Drusilla sentit son cœur se serrer de douleur. C'était tout ce qu'elle avait désiré — cela allait même au-delà de ses rêves. Mais pas ainsi. Deux semaines plus tôt, il l'avait entraînée sur son avion en la trompant, en prétendant qu'ils se rendaient à Zurich. En quoi cette demande en mariage était-elle différente de ses manœuvres habituelles ? En rien.

— Non, souffla-t-elle, d'une voix à peine audible. Je ne peux pas.

— Pourquoi ?

Il avait prononcé cela du ton qu'il employait en affaires, pour conclure des contrats. Pour convaincre ceux qui osaient lui dire non de modifier leur réponse — ce qu'ils faisaient en général.

Elle se sentit effondrée. Tiraillée entre ce qu'il fallait faire et le désir d'avoir Rafael. Pourquoi n'aurait-elle pas saisi sa chance, tout simplement ? Peut-être en viendrait-il à l'aimer ? Peut-être l'aimait-il déjà, pour autant qu'il en fût capable. Et cette possibilité ne suffisait-elle pas ?

Mais une voix nouvelle s'élevait en elle, maintenant. Elle était fragile et ténue. Mais c'était sa voix propre.

— Je mérite mieux, s'entendit-elle énoncer.

L'effet sur Rafael fut immédiat et spectaculaire : toute la puissance et la sauvagerie qui étaient en lui parurent se réfugier dans son regard de braise, alors que le reste de son corps se figeait dans une immobilité alarmante.

— Mieux ? répéta-t-il.

Elle éleva les mains comme pour le toucher, l'étreindre, mais n'osa pas. Elle avait la gorge serrée, à l'étouffer. Elle peinait à respirer. Et elle ne pouvait rien faire pour changer la donne. Rafael compliquait tout.

— J'ai une promesse à tenir. A l'égard de mon frère, murmura-t-elle. Rien n'est plus important que ça.

— Epouse-moi. C'est la seule solution.

Cette fois, c'était une supplique plus qu'un ordre, en dépit de la rudesse de son intonation.

Comme elle continuait à le dévisager, le regard humide et de plus en plus brouillé, il lâcha dans un souffle :

— Je ne peux pas te perdre.

— Tu apprendras, parvint-elle à dire.

— Drusilla…

— Il m'est impossible de me fixer, Rafael.

Elle avait expulsé ces mots malgré son tumulte intérieur, ses larmes qui menaçaient de jaillir.

— Drusilla.

Même la manière dont il prononçait son prénom faisait mal. On eût dit qu'elle l'avait mortellement blessé. Il prit son visage entre ses mains, et elle réalisa alors qu'elle était en pleurs, malgré tous ses efforts.

Mais il n'avait pas d'amour pour elle. Il ne cherchait même pas à faire semblant pour l'épouser et la garder. Il n'éprouvait pas d'amour. Alors, elle n'avait qu'une alternative : le quitter et se détruire elle-même ; ou devenir sa femme et mourir à petit feu, d'une année sans amour à l'autre, jusqu'à ce qu'elle finisse réellement par le haïr, ainsi qu'elle l'avait souhaité quinze jours auparavant.

D'une voix douce, ténébreuse, qui l'atteignit droit au cœur tel un poignard, il dit :

— Je ne suis pas le monstre que tu crois.

— Tes deux semaines sont terminées, Rafael.

Jamais elle n'avait accompli un plus grand sacrifice.

C'était la chose la plus difficile de toutes. Elle recula, regarda les bras de Rafael maintenant ballants, et sut qu'elle ne serait plus jamais la même.

— Tu dois me laisser partir.

9.

Si c'était ça, tenir à quelqu'un, alors il avait eu raison de s'en garder pendant la majeure partie de sa vie d'adulte, pensa Rafael quelques semaines après son retour de Bora Bora.

Drusilla l'avait laissé sur le tarmac sans même un regard en arrière. *Quand je déciderai de vous démolir, cela n'aura rien de passif!* avait-elle dit. Il se demanda si c'était à cela qu'elle avait songé. Cette… lancinante sensation de manque qui colorait le réel de gris.

Cela lui faisait horreur.

Il foudroya du regard l'un de ses vice-présidents, assis de l'autre côté de son bureau londonien, et résista à l'envie de lui tordre le cou.

— Je ne comprends pas à quoi rime cette conversation, dit-il froidement. Si je vous ai engagé, c'est pour que vous sachiez prendre des décisions vous-même, à ce niveau.

Il se montrait plus indulgent qu'il n'avait envie de l'être. Mais il avait conscience d'affronter un de ces problèmes que Drusilla aurait résolus avec un sourire et quelques mots de soutien, et sur ce terrain il n'était bon à rien. Il commençait à s'y résigner, fût-ce à contrecœur.

Elle avait tenu parole après leur atterrissage en Angleterre : elle avait disparu. Il n'avait sans doute pas vraiment cru qu'elle le ferait. Aujourd'hui encore, il avait du mal à s'en convaincre.

— Bon, puisque nous avons fait le tour…, ajouta-t-il à l'adresse de l'homme qui lui faisait face.

Il se carra dans son fauteuil, et le regarda disparaître à la vitesse de l'éclair. Là-dessus, ponctuelle comme une montre suisse, sa nouvelle assistante apparut sur le seuil pour faire le point sur l'organisation de sa journée.

Claire était une assistante modèle, pensa-t-il. L'agence la lui avait envoyée le jour de son retour de Polynésie française, et depuis elle s'était superbement bien acquittée de son travail. Elle apprenait vite. Elle désirait lui complaire, mais ne tremblait pas comme une feuille quand il s'adressait à elle, comme la plupart de ses cadres. Elle était même agréable à regarder avec sa blondeur et son physique scandinave, et cela mettait à l'aise ses divers investisseurs et clients. Depuis un mois, il ne lui avait pas trouvé de défaut.

Sauf qu'elle n'était pas Drusilla. Elle ne savait pas s'il aimait le café allongé ou corsé, était incapable de manipuler sans y paraître les membres du conseil d'administration. Dans les négociations délicates, il ne lui demandait pas son avis. Claire n'était qu'une impeccable assistante de direction.

Cela le forçait à admettre que Drusilla avait été beaucoup plus que cela. Elle s'était apparentée à une partenaire. Et voici qu'elle était partie, comme si le Vila Group n'avait jamais existé pour elle. Comme s'ils n'avaient jamais été ensemble.

A quoi s'était-il donc attendu ? Il ne cessait de se poser la question, et ne trouvait pas de réponse. Drusilla le haïssait. Elle le lui avait dit. S'était-il imaginé que leurs ébats sensuels modifieraient ce fait ? Ou que cela le changerait, lui ? Le rendrait différent de ce qu'il avait toujours été — un monstre qui n'était même pas conscient de détruire la seule chose à laquelle il eût jamais tenu ?

— Monsieur Vila ? Je vous mets en communication avec M. Young ?

— Oui, grommela-t-il, réalisant que Claire avait dû lui poser la question à plus d'une reprise.

Il n'était plus lui-même depuis quelque temps, il s'en rendait compte.

Il traita l'appel avec son manque de tact et de clémence habituel, puis, ayant raccroché, il contempla le panorama sur la City. Il y avait plusieurs minutes qu'il fixait d'un air rembruni le rideau de pluie typiquement londonien, quand il s'avisa qu'il avait tendance à ruminer, ces temps-ci. Tel un adolescent maussade.

C'était à se dégoûter de soi-même ! Avait-il broyé du noir quand son grand-père l'avait chassé ? Non. Le choc initial passé, il avait quitté le village et s'était bâti une existence. Il n'avait pas ressassé. Il ne s'était pas traîné comme une âme en peine. Il s'était donné un objectif et avait travaillé dur. Avec le temps, il en était même venu à penser que la trahison de son grand-père était la meilleure chose qui lui fût advenue. Où en serait-il arrivé, sans cela ?

Oh ! Il le savait. Il serait devenu cordonnier lui aussi, dans cette jolie bourgade chaulée, et il aurait mené une vie simple, tout en subissant le poids des commérages persistants, quoi qu'il pût faire ou dire. Il aurait expié les péchés de sa mère à n'en plus finir, pensa-t-il avec un bref ricanement de dérision.

Je suis mieux comme ça, voulut-il croire. Mais il regardait par les fenêtres et, au lieu de voir la pluie, il voyait Drusilla.

Un soir, à Bora Bora, ils avaient étalé une couverture sur le sable, « vêtus » seulement de la lumière argentée dont les enveloppait la pleine lune. Drusilla avait niché sa tête contre son épaule, le souffle encore court après les instants de passion qu'ils venaient de partager — éparpillant leurs vêtements sur la plage dans leur hâte.

— Je dois avouer, avait-il plaisanté, que je n'ai jamais eu un animal de compagnie qui te ressemble.

— Vraiment ? avait-elle répliqué sur le même ton. Est-ce que je m'assieds mieux que les autres quand on me dit : « au pied » ?

— Je pensais seulement au plaisir que j'ai quand tu capitules, avait-il murmuré.

Le regardant d'un air grave, alors, même s'il restait du rire dans sa voix, elle avait observé :

— Prends garde à ce que tu souhaites, cela pourrait se réaliser.

— Je ne vois pas de quoi tu parles. Il n'y a rien de mal à capituler. Surtout avec moi.

— Tu en parles à ton aise. Tu n'as jamais pratiqué ce plaisir.

Il avait souri, mais le moment avait cependant paru moins léger. Ou peut-être était-il simplement plus honnête.

— C'est de cela que tu as peur ? s'était-il enquis.

Elle avait lâché un son indistinct, presque un rire. Puis avait détourné le regard.

— Mon frère était un drogué. Je ne sais pas pourquoi j'ai le sentiment de le trahir en te disant cela. C'est la vérité.

Il avait gardé le silence. Il lui avait caressé le dos en la tenant contre lui, et l'avait écoutée. Elle lui avait parlé des tentatives de désintoxication de Dominic, de ses inévitables rechutes. Elle lui avait raconté ses années antérieures, quand elle avait d'autres emplois qu'elle laissait tomber pour courir au chevet de son frère, et n'avoir droit qu'à du chagrin et des mensonges. Et parfois, qu'à se faire « jeter ». Elle lui avait parlé des bonnes périodes grevées de mauvais moments. De son ancienne proximité avec son jumeau, du temps où chacun d'eux n'avait que l'autre au monde.

— Mais ce n'était pas tout à fait vrai, il y avait ses addictions, avait-elle rectifié. Il capitulait toujours, même s'il proclamait ne pas vouloir leur céder. Et un jour, il n'a pas pu refaire surface.

Il s'était tourné vers elle, la renversant pour la regarder, scruter son visage. Mais il l'avait trouvée indéchiffrable, comme toujours. Elle continuait à dissimuler, et ses yeux gris avaient été plus sombres que de coutume.

Elle avait levé la main pour redessiner ses traits virils, comme s'il était précieux à ses yeux. Puis elle avait lâché — et il avait vu passer une souffrance fugitive dans son regard :

— Je me demande comment c'est, de ne pas pouvoir

résister à ce qui menace de vous détruire. D'être attiré malgré soi.

— Tu ne penses tout de même pas…, avait-il commencé.

Mais elle ne l'avait pas laissé finir. Elle l'avait fait taire d'un baiser torride, puis s'était frottée à lui sensuellement, l'avait séduit sans mal. Il avait tout oublié de cette conversation, jusqu'à cet instant.

Avait-elle cherché à le mettre en garde ? Avait-elle su qu'il l'aurait dans la peau, à l'instar d'un poison, et qu'il deviendrait un étranger pour lui-même ? Il se rembrunit, le regard fixé sur la pluie qui fouettait la vitre. Pour la première fois en vingt ans, il se demanda si cela valait la peine, cet empire qu'il avait bâti et mis au centre de son existence. Puis il se demanda s'il l'aurait troqué contre Drusilla. S'il n'aurait pas préféré la garder, elle, s'il en avait eu l'occasion.

Elle ne lui avait guère laissé le choix, à vrai dire…

Derrière lui, un appel bourdonna dans l'Interphone. Il l'ignora. Il ne savait pas très bien s'il était furieux, ou s'il n'était plus que l'ombre de lui-même. Dans l'un comme l'autre cas, il n'aimait pas ça.

Il devait faire appel à toute sa volonté pour ne pas lancer ses enquêteurs sur les traces de Drusilla, ne pas leur demander un rapport détaillé sur ses faits et gestes, tel l'obsédé jaloux qu'elle l'avait un jour accusé d'être. Cela faisait des semaines qu'il combattait ce besoin presque irrésistible. Elle lui avait dit qu'il devait apprendre à se passer d'elle. Il n'avait pas envie d'essayer. En réalité, il avait tout simplement horreur d'être le perdant.

Il l'avait laissée partir, même si cela n'était pas loin de l'anéantir. Elle était la seule chose à laquelle il eût renoncé. La seule qu'il eût laissée filer entre ses mains. Et cela lui faisait l'effet du plus terrible des échecs.

Il ne se pardonnait pas. Il ne pardonnait pas non plus à Drusilla de lui avoir fait ça. De l'avoir transformé en un être faible et détruit.

Et, pire que tout, de lui avoir appris à tenir à quelqu'un.

*
* *

Une fois de retour dans sa petite chambre de Clapham, Drusilla n'avait pas eu le temps de se réfugier sous la couette, bien que ce fût son seul désir. Son vol de retour à Bora Bora avait eu lieu quarante-huit heures plus tard. La veille de prendre l'avion, elle avait rencontré les avocats de Rafael, signé tous les papiers qu'ils avaient voulu. Peu importait leur contenu du moment qu'elle recouvrait sa liberté.

C'était la dernière étape qu'il lui restait à franchir. Plus important encore, cela signifiait que Rafael la laissait partir.

Une part d'elle-même avait imaginé qu'il s'insurgerait, exigerait encore deux semaines, trouverait le moyen de l'obliger à ce mariage qu'il avait proposé. Qu'il tenterait quelque chose. Mais il l'avait laissée s'éloigner sous la pluie, à l'aéroport. Il avait juste eu un regard qu'elle ne lui avait jamais vu, et qui l'avait bouleversée. Autour d'eux, le réel anglais, pluvieux et déprimant, lui avait semblé si conforme à la vraie vie qu'elle s'était demandé si tout ce qu'elle venait de vivre n'avait été qu'un songe fiévreux.

Les avocats, eux, n'avaient rien eu de fantasmatique. Au Costa Coffee proche de la gare de Clapham Junction, ils lui avaient tendu papier sur papier, et elle avait effacé cinq ans de sa vie, avec la bénédiction de Rafael Vila.

Rafael Vila, qui ne renonçait jamais et ne connaissait pas le sens du mot « non » lui avait enfin rendu sa liberté. Ainsi qu'elle le lui avait demandé.

Puis elle était rentrée chez elle, avait scellé et enveloppé avec soin la boîte qui contenait les cendres de Dominic, et l'avait mise dans son bagage.

Le voyage jusqu'à Bora Bora avait été rude. Quand elle avait enfin gagné son hôtel dans la partie sud de l'île principale, loin de l'île privée de Rafael, elle avait été frappée par les différences. Elle s'était dit qu'elle était venue dans un but précis, et que ça ne compterait pas. Depuis quand était-elle devenue snob au point de trouver *déprimante* sa petite chambre face à un bout de jardin ? C'était quand même Bora Bora.

Elle s'en était voulu, et elle en avait voulu à Rafael de l'avoir gâtée. Elle s'était habituée au luxe dont il s'entourait, apparemment. Et elle n'en était pas fière.

Il lui avait fallu une semaine pour rassembler son courage — et aussi, si elle voulait être honnête, pour se remettre un peu des quinze jours intenses qu'elle avait passés avec Rafael. Mais enfin, elle s'était sentie prête. Un soir, au couchant, elle avait pris un kayak, emportant l'urne avec elle. Puis, alors que des roses et des oranges sublimes incendiaient le ciel, elle avait répandu les cendres de Dominic dans le beau lagon paisible.

Et elle avait parlé au premier homme qu'elle avait aimé — qu'elle aimerait toujours.

— Je regrette de ne pas avoir réussi à te sauver, avait-elle chuchoté à la mer et au ciel. Je regrette de ne pas avoir fait plus d'efforts.

Elle s'était remémoré le rire gai de son frère, son regard gris amusé — plus vivant et pétillant que le sien, mais parfois aussi tellement plus terne. Elle s'était remémoré sa silhouette trop mince, ses cheveux noirs, ses mains d'artiste, et les deux colibris tatoués sur son épaule, dont il lui avait dit une fois avec un grand sourire qu'ils les représentaient tous les deux : libres et en vol, pour toujours.

Elle avait pensé à leur mère, si terrifiée par la solitude qu'elle lui avait préféré n'importe quel homme, si brutal fût-il. Elle avait pensé à toutes ces années où elle et Dominic avaient été unis contre le monde. Et elle avait pleuré la famille qu'elle avait perdue, pleuré parce que les enfants qu'elle aurait peut-être ne connaîtraient jamais leur oncle, pleuré parce qu'elle devrait vivre le reste de ses jours sans rien avoir de Dominic — si ce n'est ce qu'elle portait en elle.

— Tu as emporté une partie de moi avec toi, Dominic, avait-elle dit dans la nuit tombante. Et je ne t'oublierai jamais. Je te le jure.

Les cendres une fois dispersées, elle était rentrée à l'hôtel, s'était mise au lit, et l'effondrement était venu. Pendant des jours, elle avait sangloté. Il avait enfin éclaté, le terrible orage accumulé en elle, qu'elle portait depuis des années. Tout était remonté à la surface : le chagrin et la colère, les mensonges qu'elle s'était racontés sur ses motivations; son amour pour Dominic et aussi, à sa grande honte, la haine qu'elle avait eue parfois pour lui ; les excuses et les promesses qu'il avait faites, tous les grands projets qu'il n'avait jamais réalisés, les jolis mensonges qu'elle avait tant voulu croire. Elle avait pleuré sur tout ce qu'elle avait perdu, sur sa solitude, sur son désarroi — maintenant qu'il ne lui restait rien pour survivre, ni but ni sacrifice à accomplir qui puisse donner un socle à sa vie.

Mais un beau jour, elle se leva, ouvrit toutes les fenêtres, et huma à pleins poumons l'air marin saturé de l'odeur des fleurs. Elle prit son petit déjeuner sur la jolie plage de l'hôtel, et se sentit revivre. Comme si elle avait apporté à Dominic le repos.

Autant dire qu'il était temps qu'elle affronte ses véritables sentiments pour Rafael.

— Suis-je si effrayant ? lui avait-il demandé, voici bien des années, à Cadix, dans le restaurant animé.

— Je crois que vous vous glorifiez d'être aussi effrayant que possible, avait-elle répondu en souriant. Vous avez une réputation à soutenir, après tout.

— Je suis sûr qu'au fond je ne suis que de l'argile, prête à être modelée par les événements.

— Du métal que l'on pourrait faire plier dans certaines circonstances, c'est possible, avait-elle répliqué en riant. Mais de l'argile ? Jamais.

— Je m'incline devant votre savoir supérieur, avait-il dit en maniant son verre de xérès, en la fixant avec une intensité étrange.

Elle s'était enfiévrée, et s'était sentie hors de contrôle, téméraire. En même temps, cela lui avait paru juste et bien, une sensation qu'elle n'avait peut-être jamais éprouvée à ce point. Rafael s'était penché vers elle pour murmurer à son oreille :

— Que ferais-je sans vous ?

Elle connaissait aujourd'hui la réponse, pensa-t-elle à présent en contemplant le ciel et le lagon merveilleux — qui, sans Rafael, ne lui semblaient pas dotés du même éclat. Il le faisait en ce moment même, sans doute : il continuait d'être Rafael Vila, effrayant par calcul, avide de prendre ce qu'il voulait, et prompt à étendre son empire par simple caprice.

Alors qu'elle était ravagée par son absence. Décomposée.

Assise sur son siège étroit dans l'avion d'Air Vila qui allait de Los Angeles à Londres, elle regarda la photo de Rafael dans le magazine publicitaire de la compagnie, et crut que son cœur allait éclater.

Je ne peux pas, pensa-t-elle en écrasant une larme. Elle ne pouvait pas avoir une vraie vie en sachant qu'il était là, quelque part, et qu'elle n'aurait jamais de lui que quelques aperçus douloureux, à la télévision ou dans des magazines. Que plus jamais il ne serait près d'elle.

Il y avait si longtemps qu'elle l'aimait. Elle était toujours amoureuse de lui, quoi qu'elle fasse, et sans lui elle se sentait amoindrie, diminuée. Comme si elle dépendait de lui autant qu'il avait dépendu d'elle.

De retour dans sa chambre londonienne, elle essaya de se convaincre que la vie lui appartenait. Mais elle lui semblait vide et sans but. Rafael la hantait, même dans cette étroite chambre qu'il ne connaissait pas. En pensée, elle revoyait son visage aux yeux d'ambre, ses traits durs, presque cruels, sa belle bouche. Elle *sentait* sa présence. Elle imaginait ses mains sur sa peau, son sourire, le son de sa voix. Et le feu familier se ranimait en elle, ardent et vivace.

Du moment qu'il la voulait… devait-elle attacher tant d'importance à la façon dont il la voulait ? se demanda-t-elle, arpentant le petit espace avec agitation. Elle aurait aimé qu'il ait géré les choses autrement, à Bora Bora. Elle aurait aimé qu'il lui ait menti, qu'il lui ait dit qu'il avait besoin d'elle — et pas seulement d'une assistante. Elle ne lui aurait pas prêté foi, mais elle se serait essayée à y croire. Et peut-être que cela aurait suffi.

Mais elle ne pouvait pas l'épouser alors qu'il était dans l'impossibilité de lui dire qu'il l'aimait. Cela, c'était la frontière infranchissable.

Elle secoua la tête, pensant à ce qu'elle avait toujours cru : qu'elle ne serait pas comme sa mère. Et voilà qu'elle aurait voulu revenir à un homme qui ne l'aimerait jamais comme elle méritait de l'être.

Mais le problème était qu'elle ne désirait pas seulement être aimée. Elle voulait l'être *par Rafael*. Et elle ne voyait pas comment continuer sans lui, c'était absurde. Peut-être valait-il mieux avoir Rafael en partie, au lieu de ne rien avoir du tout. Parce qu'elle ne pourrait jamais s'accommoder d'un autre homme.

Pourquoi n'auraient-ils pu continuer comme avant ? réfléchit-elle. Elle ne se rappelait même plus les raisons de sa fureur contre lui, ni même pourquoi elle avait tant désiré le quitter. Ces semaines sans lui étaient atroces. Il lui manquait.

Il n'était pas impossible qu'il l'ait demandée en mariage dans une ultime tentative pour garder quelque chose qu'il ne voulait pas perdre — un peu comme on peut tenir à une voiture de course rare et d'une édition limitée. Elle comprenait cela. Oh ! C'était douloureux, bien sûr. Mais être sans Rafael, c'était pire.

En réalité, elle était plus attachée à Rafael qu'à son respect pour elle-même. Et tant pis si cela faisait d'elle une pauvre insensée, comme sa mère. Une femme triste destinée à une vie triste, qui n'aurait pour tout repas que des miettes. Et passerait sans doute le reste de son existence à encaisser le choix qui s'imposait aujourd'hui à elle.

Car elle savait ce qu'il lui restait à accomplir.

*
* *

Par un mercredi après-midi semblable à bien d'autres, Drusilla refit irruption dans le bureau de Rafael — et dans sa vie.

Elle avait une allure décontractée et chic dans son pantalon noir, ses bottes à talons et son pull lie-de-vin sophistiqué qui se nouait comme une écharpe, avec une élégance désinvolte. Sa magnifique chevelure brune était nouée sur la nuque. Elle avait pris le soleil, et cela lui allait à ravir. Elle était resplendissante, son regard était clair.

Elle est à moi, pensa-t-il dans un élan féroce. Il voulait prendre sa bouche. Il voulait être en elle. Il la désirait avec sauvagerie. Mais il se contenta de la regarder en fourrant ses mains dans ses poches, et sa colère mal domptée refit surface.

— Tu n'aimes pas qu'on passe te voir sans rendez-vous, je sais, lui dit-elle de sa voix calme, et je m'en excuse.

Elle lui adressa le fichu sourire qu'il détestait tant, et ajouta :

— Ta nouvelle assistante a l'air charmante.

— Elle est parfaite en tout point, grommela-t-il. C'est une perle. La meilleure assistante que j'aie jamais eue.

— Je suis ravie de l'apprendre. Quoique, si je me fie à ma mémoire, tu es assez prodigue de ce genre de compliments. Ce qui les rend passablement vides de sens, à mon avis.

Il ne répliqua pas. Il en était incapable.

— Je suis retournée à Bora Bora, comme prévu.

Il était censé répondre, il le savait. Elle le regardait comme si elle l'encourageait à parler, tout simplement, ainsi qu'il l'aurait fait auparavant. Mais il n'y parvenait pas. Elle l'avait laissé ravagé, et il n'y comprenait rien. Elle était partie. Il l'avait laissée partir. Aucune de ces deux choses n'avait de sens à ses yeux.

Et puis, surtout, il la voulait. Point final. Même s'il savait que ce désir le détruisait.

Avec toute la colère, le sentiment de trahison, la nostalgie, qui l'habitaient, il demanda :

— Pourquoi es-tu venue ici ?

D'une voix qui ne tremblait pas, mais dont il percevait toute l'émotion sous-jacente, elle répondit :

— Pour un entretien d'embauche.

— Un entretien ? fit-il d'un ton glacial. Dans quel but ?

— Reprendre mon ancien poste, bien sûr.

C'était précisément ce dont il avait rêvé. Il ne put s'empêcher de sourire. Et la réaction de Drusilla était un indicateur inutile : il savait que ce sourire n'était pas agréable à voir. Mais Drusilla — sa Drusilla — ne s'effondra pas. Ce n'était pas son genre. Nette, polie, elle déclara avec son ancienne, et illusoire, docilité :

— Je voudrais récupérer mon ancien travail. Quitte à supplier, s'il le faut.

10.

On eût dit que Rafael voulait la mettre en pièces, pensa Drusilla, qui luttait pour dompter les battements de son cœur emballé. Désir ou angoisse ? Elle ne savait pas. Peut-être les deux.

Au bout d'un long moment, il répondit avec sécheresse — mais son regard brillait.

— Si tu te sens l'envie de supplier, ne te gêne pas. Tu peux commencer par te mettre à genoux.

Elle se rappela avec une précision aiguë ce fameux jour à Bora Bora où elle s'était faufilée entre ses jambes, et l'avait regardé en souriant, inondée de désir. Elle rougit, et sut qu'il se remémorait aussi la même chose qu'elle.

— Doux souvenir, lâcha-t-il, délibérément provocateur.

Mais elle ne réagit pas comme autrefois, elle en semblait incapable. C'était comme si elle avait volontairement estompé le souvenir qu'elle gardait de lui afin de se protéger. Il était devant elle, téméraire et effronté, avec ces yeux mordorés, cette chevelure de jais, ces muscles puissants et déliés, cette grâce toute masculine… Dans son costume de coupe parfaite, il avait quelque chose d'une épure. Et d'un prédateur. Rien de domestiqué en Rafael. Certes pas.

Et elle connaissait maintenant toute la magie dont ce corps superbe était capable. Cela lui nouait la gorge.

Il contourna le bureau et s'appuya contre l'avant du plateau, se plaçant ainsi à moins d'un mètre d'elle. Elle s'intima de ne pas réagir, de garder un visage inexpressif, même si un désir fou, désespéré, était en elle.

— Dis-moi, commença-t-il de sa voix douce si létale, qu'est-ce qui a pu te pousser à venir réclamer un travail que tu étais si pressée de quitter ? Et que sera-ce, la prochaine fois que tu décideras de me haïr ? Que me jetteras-tu à la figure ?

— Ma décision était peut-être précipitée, observa-t-elle. Il se peut que mon deuil ait affecté mon jugement.

Il la dévisagea, longuement, d'un air glacial. Puis il laissa tomber d'un ton polaire et définitif :

— La place est prise. Tu avais raison, il était simple comme bonjour de te remplacer. Il a suffi d'un coup de fil.

Même si elle n'en menait pas large, elle rétorqua :

— Je vois. Tu as décidé de te montrer infect. Sec et brutal. Est-ce ma nouvelle punition ?

— De quoi devrais-je te punir ? Apparemment, c'était juste une envie qui te démangeait, observa-t-il avec un sourire carnassier. Pour quelle raison devrais-je te châtier ? Tu ne m'as rien fait que je sache…

Drusilla resta figée, consciente que tout était sa faute. Elle aurait dû trouver le moyen de survivre malgré tout. N'avait-elle pas su qu'en devenant proche de Rafael, elle s'exposait à cette conclusion ? Sans doute avait-elle eu tort de montrer tant de désinvolture…

— Rien en effet, répondit-elle.

Elle était déjà si anesthésiée, si anéantie par les peines de cœur et le chagrin, que sa tourmente intérieure n'était qu'une perturbation sans force, à peine une averse sous un ciel gris. Elle eut une inclinaison de tête à l'adresse de Rafael, puis pivota sur elle-même et se dirigea vers la porte. Elle avait commis une erreur en venant ici. Elle devait aller de l'avant, même si c'était douloureux. Avec le temps, elle se remettrait. Bien sûr qu'elle y arriverait. Des tas de gens, dans le monde, avaient eu le cœur brisé et en avaient guéri. Elle y réussirait elle aussi.

— Un poste reste tout de même vacant, annonça-t-il alors sur un ton satisfait.

Elle en eut la chair de poule, et s'immobilisa malgré elle,

même si elle se faisait horreur. *Tu n'es qu'une droguée*, la fustigea une voix intérieure. *Tu ne vaux pas mieux que ton frère. Et tu fonctionnes comme ta mère. Quelles que soient les punitions qu'il abattrait sur toi, tu les accepterais.*

— De quelle affectation parles-tu ? demanda-t-elle d'une voix lointaine, presque désincarnée. Devenir ton punching-ball ?

— Devenir ma femme.

Elle eut le sentiment de recevoir une gifle, comme sur l'île. Mais cette fois, elle était en état de faiblesse. Il avait fallu qu'elle soit passablement brisée pour venir jusqu'ici. Et voici qu'elle prenait un nouveau coup. Elle crut un moment qu'elle allait succomber aux larmes, mais, farouche, elle les refoula puis se retourna vers Rafael.

Ils se dévisagèrent. Il haussait les sourcils en une expression de défi hautaine et impérieuse. Tension, souffrance, chagrin, nostalgie et désir… tout ce qu'il représentait pour elle, quoi qu'elle fasse pour s'en délivrer, sembla planer dans l'atmosphère. Rafael avait l'air du dieu de la foudre, son regard flamboyait. Et elle avait beau essayer de ranimer sa fierté, ou son instinct de préservation, elle n'arrivait pas à rire de cette demande en mariage perverse. Elle réussissait tout juste à refouler ses pleurs.

Il n'avait pas dit qu'il avait besoin d'elle, qu'il la désirait, qu'elle lui manquait. Il n'avait pas dit que ceci était difficile pour lui. Il avait son apparence de toujours. D'homme inabordable. Sans pitié. Le plus dangereux qu'elle eût jamais rencontré.

— Ta femme, murmura-t-elle, la gorge nouée. Qu'est-ce à dire ? Que nécessiterait un tel rôle ?

Elle le vit tendu, comme près de bondir. Derrière lui, la pluie se mit à marteler les vitres avec violence, le ciel devint couleur d'encre. Et Rafael se dressait devant ce décor, plus assimilable aux éléments déchaînés que l'orage même.

— Je trouverai bien quelque chose.

A son intonation en cet instant, elle imagina qu'il la

pénétrait, elle imagina leur fusion parfaite. La sauvagerie électrisante qui l'amenait à s'oublier totalement, à se perdre.

— Et lorsque cela disparaîtra ? Tu n'es pas précisément connu pour ta constance, non ?

Brusquement, il fondit sur elle, et elle se força à demeurer immobile, à ne pas prendre la fuite ou, au contraire, se précipiter à sa rencontre.

— Depuis le jour où tu es entrée ici pour m'annoncer ta démission, je n'ai pratiquement pensé qu'à toi, dit-il en venant si près d'elle qu'elle fut forcée de lever les yeux pour le regarder. Je n'ai jamais voulu que tu t'en ailles. Alors, ce n'est pas ma constance qui est en cause, n'est-ce pas ?

— Je ne peux pas t'épouser, lâcha-t-elle, catégorique et désespérée.

— Te réserverais-tu pour quelqu'un de plus riche et de plus puissant, Drusilla ? De meilleur au lit ?

— Pour l'amour.

Elle était horrifiée d'avoir laissé échapper cela, mais elle ne pouvait pas revenir en arrière, même s'il la regardait comme si elle venait encore de lui expédier un escarpin à la tête — en faisant mouche, cette fois.

— Il est absurde de se marier sans amour, persista-t-elle.

— Bien sûr, souffla-t-il d'un air qu'elle ne lui avait jamais vu.

S'il ne s'était pas agi de lui, elle aurait pensé qu'elle venait de lui arracher le cœur. Mais c'était Rafael !

— Tu as déjà fait connaître ton opinion sur moi. Qui, en effet, voudrait épouser le monstre que je suis ?

Elle n'avait jamais entendu des paroles aussi amères, et elle accusa le coup. Mais il continua à se rapprocher d'elle. Levant une main, il lui effleura les cheveux, ramenant la masse réunie en catogan sur le devant d'une épaule. Son toucher léger contrastait avec le feu de son regard, farouche et inflexible. Elle se rappela alors qu'il avait eu le même geste à Milan, sur la terrasse. Lorsqu'il avait éveillé en elle une nostalgie poignante. Lorsqu'elle avait cru que ce qu'il y avait entre eux n'était pas seulement un feu de Bengale.

Elle se souvint d'avoir plongé sous les vagues et songé un instant à se laisser sombrer parce que cela lui semblait préférable au fait d'affronter cet homme qui jetait une grande ombre sur sa vie. Cet homme dont elle ne pouvait pas se passer. Et qui l'avait accusée de se cacher, encore et toujours. Or, voici qu'elle lui dissimulait la vérité la plus importante. Qu'avait-elle à protéger, pourtant ? Elle n'avait personne. Elle était radicalement seule. Elle n'avait rien à perdre.

— Je ne te considère pas comme un monstre, Rafael, dit-elle avec la sensation d'effectuer un grand saut dans le vide. Je t'aime.

Il se figea dans une immobilité effrayante, le regard pareil à de la lave en fusion.

— Et tu aimes les collections, continua-t-elle, la voix enrouée. Tu fais une fixation pendant un temps, puis tu oublies l'objet de cette fixation pour en poursuivre un autre. Je ne te le reproche même pas. J'ai vu comment était ton grand-père. Mais comment pourrais-je t'épouser alors que tu ne me rends pas mon amour ? Alors que tu en es incapable ?

— Drusilla…, commença-t-il.

Mais il avait la voix d'un étranger, et la regardait comme si elle venait de se transformer en fantôme, en être évanescent. Elle sut alors qu'il était temps pour elle de s'en aller. Qu'elle n'aurait jamais dû venir, et s'était trahie une fois de plus.

— Tu n'es pas obligé de répondre, dit-elle avec douceur et sincérité. J'aurais dû me tenir à l'écart. Pardon.

Puis elle fit volte-face et s'en fut.

Rafael retrouva la trace de Drusilla dans une maison reconvertie en appartements du quartier de Clapham — un lieu à des années-lumière de son triplex au faîte d'un ancien entrepôt victorien au bord de la Tamise. C'était donc là ce qu'elle préférait à la vie avec lui, pensa-t-il en grimpant l'étroit escalier jusqu'au deuxième étage : ce trou sans lumière et l'existence terne qui allait avec. Il était si furieux contre elle !

Il tapa à coups redoublés contre sa porte au mépris de la plus élémentaire politesse.

— Je sais que tu es là, gronda-t-il. Je t'ai vue entrer dans l'immeuble il n'y a pas cinq minutes.

Il entendit le cliquetis de la serrure, la porte s'ouvrit, et il la vit devant lui, si jolie qu'il en eut un coup au cœur. Elle avait les joues roses d'émotion, ses yeux gris brillaient. Et il en eut assez d'être coulant, ou du moins, d'essayer de l'être. Il l'avait laissée partir, n'est-ce pas ? Qu'aurait-il fallu qu'il fasse, encore ? C'était elle qui était revenue le trouver, et lui avait nettement fait comprendre qu'il avait été stupide de lui rendre sa liberté. Qu'il aurait dû ne tenir aucun compte de ses propos.

— Tu n'es pas le bienvenu, lui dit-elle de cette voix glaciale qui ne faisait qu'attiser son désir viril. Va-t'en.

— Impossible.

Là-dessus, il fit un pas, et elle recula — terrifiée sans doute à l'idée qu'il pourrait la toucher, et prouver qu'elle mentait. Une fois à l'intérieur, il claqua la porte derrière lui d'un coup de talon.

Ils se retrouvaient seuls, en tête à tête. Il bloquait l'unique sortie. Il vit à son expression qu'elle en avait conscience, et ne put réprimer un sourire.

Elle habitait un lieu ridiculement petit — une chambre de location, en effet. Il y avait çà et là quelques touches colorées — oreillers rouges, tête de lit de bois — pour suggérer de l'espace là où il n'y en avait aucun. Et la pièce était d'une netteté immaculée.

Sur sa droite, il y avait une armoire, et un lit double qui débordait devant la petite cuisine intégrée. Son ordinateur portable était placé sur une table basse, près d'une tasse de thé. Il eut le cœur serré, face à ce décor. Il l'imaginait là, dans sa tenue de nuit, surfant sur le Net tout en avalant son thé matinal…

Sur sa gauche, il y avait un coin salon minuscule, composé d'un fauteuil blanc confortable et d'une petite étagère pour accueillir la télévision.

C'était ici qu'elle dormait, rêvait, imaginait son existence sans lui. Qu'elle la vivait. Tout en proclamant qu'elle éprouvait de l'amour pour lui.

Il lui ferait payer ça, pensa-t-il. Et cher !

— Je suis chez moi, ici, pesta-t-elle. Ces lieux ne t'appartiennent pas, tu n'as pas le droit d'y faire irruption et de te comporter comme en pays conquis. C'est moi qui décide. Et je veux que tu t'en ailles.

— Je ne partirai pas, dit-il avec un regard noir. Et je ne prendrai pas la poudre d'escampette si l'émotion est trop forte, comme une certaine personne que je connais.

Il pénétra plus avant dans la pièce, pas vraiment amusé de la voir tenter de se dérober alors qu'elle ne pouvait se réfugier nulle part. Il prit une des rares photographies sous cadre posées sur l'étroite étagère. Y figuraient une Drusilla plus jeune et un garçon pâle et maigre qui lui ressemblait terriblement, avec la même chevelure brune, les mêmes yeux gris insondables. Elle fixait l'objectif, espiègle et rieuse, tandis que son frère s'esclaffait, un bras passé autour de son épaule. Ils paraissaient heureux, vraiment heureux, pensa-t-il, envahi d'une sensation poignante.

— Je n'ai pas détalé, protestait-elle à présent, s'avançant pour lui arracher le cadre des mains et le remettre en place. Il n'y avait aucune raison de poursuivre la conversation. Et je n'en vois toujours pas. Ça fait trop mal.

— Tu ne fais que fuir. Tu as sauté du yacht, tu as voulu que je te laisse partir, tu as déserté mon bureau…, énuméra-t-il. Sans parler des innombrables fois où tu as déguerpi sans même quitter les lieux.

— Cela ne s'appelle pas déguerpir, siffla-t-elle. Ça s'appelle survivre. Et pour ça, je ferai tout ce qu'il faut, Rafael. Même enjamber la fenêtre et descendre par la goutt…

— Je te jure, la coupa-t-il, que si tu essaies seulement, je t'enfermerai dans une forteresse, à double tour.

— Impressionnante menace, ironisa-t-elle. Dommage que tu ne possèdes aucune forteresse.

— J'en achèterai une.

Ils se foudroyèrent du regard, et en lui ce fut le tumulte. Qu'y avait-il chez cette femme, à la fin ? Comment pouvait-elle lui faire cet effet-là ? Il n'avait qu'une envie : la renverser sur le lit, et peu importait ce qu'elle penserait. Il savait ce qu'elle ressentirait, et cela l'obnubilait presque. Il la voulait à en avoir mal.

— Que cherches-tu ? demanda-t-elle comme si elle souffrait réellement.

— Toi, lui dit-il d'un air grave. Je te veux, Drusilla. Cela n'a pas changé, et je ne crois pas que ça changera.

Elle se redressa, plus pâle et plus tendue. Et il eut envie de poser les mains sur elle, d'être celui qui chassait sa souffrance et non celui qui la provoquait. Mais il n'avait jamais su comment s'y prendre, pour ces choses-là. Il ne le savait toujours pas, et Drusilla, pour sa part, n'arrêtait pas de s'esquiver.

Cependant, elle l'aimait. C'était comme une lumière là où il n'y avait jamais eu que du noir.

— Je pensais ce que je t'ai dit au bureau, murmura-t-elle. Je n'aurais pas dû revenir. Si tu pars maintenant, tu ne me reverras plus.

— Je te crois. Mais je ne suis pas disposé à te voir jouer les martyres. Pas pour moi.

Ce fut comme s'il venait de la frapper.

— Je ne suis pas une martyre.

— Vraiment ? Moi, il me semble presque voir les flammes qui t'entourent pendant que tu t'immoles par le feu.

— Je ne comprends pas de quoi tu parles ! s'écria-t-elle, ne sachant plus où elle en était.

Il avança, la faisant reculer contre la fenêtre glaciale. En trois pas, elle se retrouva acculée. Il était devant elle, immense, tentant, dangereux.

— Quelle histoire t'es-tu racontée ? As-tu pleuré en pensant à moi, l'homme qui ne saurait t'aimer ? Aurais-tu oublié que je te connais mieux que personne ?

— Tu te moques de moi ? s'écria-t-elle avec étonnement, partagée entre la colère et la souffrance. Es-tu vraiment aussi infect ?

— Comme c'est commode de te trouver quelqu'un que tu peux aimer si courageusement, de loin.

Ses paroles furent comme autant de banderilles qu'il aurait fichées en elle. Elle laissa échapper un cri étranglé, affreux, et sentit que ses jambes se dérobaient sous elle. Elle s'appuya tant bien que mal contre la fenêtre tandis que Rafael, impitoyable, la regardait.

Puis il continua sans désemparer, comme s'il ignorait le caractère dévastateur de ses mots et de son attitude :

— Tu construis ta vie à partir d'objets distants, gravitant autour d'eux sans jamais les approcher. C'est de ça que tu te repais.

— Tu… tu ne sais même pas ce que tu racontes.

— Tiens donc ! Dis-moi, Drusilla, est-ce que tu m'aimes ? Ou bien t'es-tu convaincue d'éprouver ce sentiment parce qu'il n'y a aucune chance selon toi que je te rende un jour la pareille ? Aucun risque de devoir un jour te mettre toi-même en danger ? Tu prétends souffrir à cause de ton grand amour tout en restant, comme toujours, radicalement isolée. Fermée hermétiquement. Enfermée dans ton rôle de parfaite victime.

Il marqua un arrêt, puis ajouta plus bas :

— Exactement comme tu l'as fait avec ton frère.

Elle leva un bras pour le repousser. Incapable de dominer son tremblement, elle s'effondra à demi contre le mur. Implacable, Rafael s'accroupit devant elle, son pardessus s'étalant comme une cape, son pantalon tendu sur les muscles puissants de ses cuisses. Un dieu de colère, superbe et sans pitié.

— L'amour ? Tu n'as aucune idée de ce que c'est, lui assena-t-il.

Pendant longtemps, très longtemps, elle le dévisagea d'un air interdit, trop secouée pour pleurer. Elle avait l'impression qu'il venait de l'écarteler, d'exposer au grand jour les tréfonds de son moi ténébreux. Et c'était si intolérable qu'elle douta d'avoir réellement mal — soupçonnant que ce n'était qu'un choc avant-coureur de la véritable souffrance.

— Parce que toi, tu le sais ? dit-elle avec révolte.

Il prit sa main et, au lieu de se libérer, elle exulta de sentir sa peau contre la sienne, après si longtemps. Cela lui insufflait de la chaleur dans les veines, comme si Rafael faisait partie d'elle-même quoi qu'elle pût prétendre.

D'une voix basse, intense, pressante et mélodieuse qui l'enveloppait comme une caresse, il reprit :

— Laisse-moi te dire ce que je sais. Je te veux. Je te veux d'une façon que je ne comprends pas. Je peux vivre sans toi, mais je ne le veux pas. Cela paraît absurde.

— Rafael…

— Silence ! lui ordonna-t-il en la relâchant. J'ai fait de mon mieux. Je t'ai laissée partir. C'est *toi* qui es revenue. Tu aimes seulement ce que tu ne peux pas avoir. Et moi, je n'ai jamais été qu'un monstre. Je n'ai jamais voulu être autre chose que ce que je suis. Jusqu'à maintenant.

Quelque chose sembla surgir entre eux, fragile et différent. Drusilla sentit rouler des larmes sur ses joues, qu'elle ne chercha pas à essuyer. Elle eut l'impression qu'un envol avait lieu, à l'instar de ces colibris planants que Dominic avait fait graver sur son épaule — un envol timide, porteur d'espoir. Et le grand vide qui était en elle commença à se rétrécir, enfin.

D'une voix étouffée, mais ferme, elle demanda :

— Si je ne suis pas une victime, et si tu n'es pas un monstre, alors, que sommes-nous ?

Il prit ses mains entre les siennes, son regard fusionna

avec le sien, et le feu qui couvait toujours entre eux s'enflamma, clair et brillant. Il les soudait l'un à l'autre, les amalgamait, les fondait en un seul être.

— Justement, dit-il. Je veux le découvrir. Avec toi.

— Je crois que nous en sommes capables, dit-elle en se penchant pour lui donner un baiser.

Il la trouva allongée sur un transat, sur le pont privé du yacht, vêtue d'un Bikini qui révélait ses formes ravissantes. Elle sourit à son approche, et il eut tôt fait de la rejoindre et de la soulever dans ses bras, couvrant sa bouche avec la sienne. Il y avait près de vingt-quatre heures qu'il ne l'avait vue, et il avait l'impression que ça faisait une éternité.

Puis il la reposa à terre en douceur, savourant le contact de son corps voluptueux glissant contre le sien.

— Qu'est-ce qu'il y a ? demanda-t-elle en posant sur lui un regard perspicace.

Il sortit de sa poche une boîte blanche, longue et mince, et la lui tendit. Après un instant, elle la prit et l'ouvrit. Elle laissa échapper un soupir étranglé. Il se crispa, se demandant s'il n'avait pas commis un impair.

Drusilla éleva le pendentif devant elle et le contempla, les yeux brillants de larmes.

— Des colibris…, murmura-t-elle.

Deux oiseaux étaient nichés l'un contre l'autre au bout de la chaîne en argent. Leurs couleurs chatoyantes indiquaient qu'il ne pouvait s'agir que de cristal de Murano. Ils étincelaient au soleil, et semblaient près de prendre vie, d'une seconde à l'autre. Quand elle releva la tête vers lui, ses yeux étaient humides, mais elle souriait.

— Tu n'oublieras pas Dominic, dit Rafael d'une voix bourrue. Et moi non plus.

Elle se jeta à son cou et l'embrassa. D'un long baiser délicieux et doux.

Huit mois s'étaient écoulés depuis leur explication dans

la petite chambre de Clapham. Huit mois avec Drusilla. Elle l'avait mis au défi, elle l'avait changé, et il se demandait comment il avait pu vivre sans elle pendant si longtemps. Cette femme avait fait de lui l'homme qu'il n'aurait jamais cru pouvoir être. Il était enfin un être de chair et de sang, pleinement vivant. Et tant qu'elle l'aimerait, jamais il ne serait un monstre.

— Quand vas-tu m'épouser ? lui demanda-t-il lorsqu'ils s'abandonnèrent l'un contre l'autre, à bout de souffle.

— Quand tu le mériteras.

Elle s'écarta en s'essuyant les yeux, et le considéra comme s'il venait de suggérer l'impossible. Il se mit à rire.

— Je dois te verser un pot-de-vin, c'est ça ? Lequel ? Puisque tu ne veux pas d'une maison, ni d'une propriété, ni même d'un atoll ou d'une île.

Il désigna d'un geste du bras, sur l'étendue de la mer Egée, l'île verdoyante qui s'étirait au large du yacht, privée et inhabitée. Dont il était le propriétaire. Drusilla avait décrété qu'il devait visiter toutes ses propriétés ou les vendre. Aussi en avaient-ils entrepris le tour. De plus en plus, il déléguait ses pouvoirs à ses vice-présidents si compétents. Cette île grecque, une des Cyclades, proche de Mýkonos, était la dernière de la liste. Elle lui plaisait. Et il était ravi de l'explorer avec Drusilla.

— Je ne veux pas de tes propriétés, c'est vrai, lui dit-elle. Mais…

— Oui ?

— Une de tes compagnies, peut-être. Rien qu'une petite.

Il la regarda attacher le pendentif autour de son cou, ses yeux gris étincelants.

— Curieusement, je ne suis pas surpris que cette vie oisive t'ennuie, fit-il. Comment cela se fait-il ?

Elle se contenta de sourire.

— Tu as une agence de publicité à New York qui pour le moment manque cruellement d'un manager, non ?

— Que connais-tu à la gestion d'une agence de pub ?

répliqua-t-il avec bienveillance — il savait bien qu'elle était capable de réussir dans tout ce qu'elle entreprendrait.

— Je t'ai géré pendant cinq ans, rétorqua-t-elle. Alors, diriger une agence pleine de gens créatifs, ce doit être facile comme bonjour, en comparaison. Un genre de vacances, en fait.

— Je t'aime, lui dit-il.

Parce que c'était vrai. Et parce que rien ne lui faisait plus plaisir que l'idée de collaborer avec elle, de bâtir tout cela *à deux*. Pour que ce soit *leur* empire, pas seulement celui de Rafael Vila. Pour que ça compte.

— Tu peux diriger tout ce que tu veux, *mi amor*. Mais j'insiste pour que tu te maries avec moi. Tu comprends, continua-t-il en lui prenant les mains, il y a une clause dans mes contrats qui passe souvent inaperçue : toutes les succursales du Vila Group doivent être dirigées par quelqu'un qui porte mon nom. Là-dessus, j'ai les mains liées, comme tu le constates.

Drusilla éclata de rire, et se pendit à son cou.

— Tu sais que je suis pleine d'abnégation, le taquina-t-elle. C'est une bonne chose, j'imagine, que je t'aime assez pour consentir à ce sacrifice, qui est énorme.

— Il l'est, murmura-t-il d'une voix enrouée.

Mais il souriait, et scella leur accord d'un baiser. Ce serait merveilleux, il en était sûr. Ce serait meilleur chaque jour de leur vie. Là-dessus, il n'avait aucun doute. Il était Rafael Vila, après tout. Un homme à qui l'on ne disait pas non. Et qui ignorait l'échec.

CATHERINE GEORGE

Le secret de Sarah

Cet ouvrage a été publié en langue anglaise
sous le titre :
SARAH'S SECRET

Traduction française de
CHARLOTTE MEIRA

Ce roman a déjà été publié en novembre 2003

83-85, boulevard Vincent-Auriol, 75646 PARIS CEDEX 13.
Service Lectrices — Tél. : 01 45 82 47 47

www.harlequin.fr

1.

Oppressée par la lourdeur de l'atmosphère, Sarah leva les yeux avec appréhension vers le ciel menaçant. De toute évidence, l'orage n'allait pas tarder à éclater. Quant à trouver un taxi un vendredi à l'heure de la sortie des bureaux, cela relevait de la gageure ; inutile donc d'y songer. La seule solution consistait à rentrer chez elle à pied, ce qu'elle entreprit de faire en pressant le pas. Par bonheur, elle n'habitait pas bien loin ; plus que quelques minutes, et elle serait à l'abri, en sécurité.

Le ciel se déchira soudain, déversant d'un coup des trombes d'eau sur la ville. Au même instant, avec un claquement sec qui la fit sursauter, un éclair zébra le ciel, aussitôt suivi d'un retentissant roulement de tonnerre. Poussant un cri d'effroi, Sarah rentra la tête dans les épaules et se mit à courir à en perdre haleine pour rejoindre Campden Road, où se trouvait sa maison. Complètement paniquée, trempée jusqu'aux os, elle s'engagea sur la chaussée sans prêter la moindre attention à la circulation.

Une voiture freina avec un crissement de roues aigu. Sarah se sentit légèrement percutée, chancela et se retrouva à quatre pattes sur le pavé. A la fois choquée et furieuse, elle s'ébroua et commença à se relever péniblement, repoussant les mains qui se tendaient pour l'aider.

— Vous allez bien ? Mais qu'est-ce qui vous a pris ? demanda une voix grave alors qu'un nouvel éclair crépitait dans le ciel.

— Non, je ne vais pas bien ! s'écria-t-elle, avec à peine

un regard au visage inquiet et ruisselant du conducteur qui venait de la renverser. Vous ne pouviez pas faire attention, espèce de chauffard !

— Je faisais attention ! Vous pouvez vous estimer heureuse. Si je n'avais pas eu d'aussi bons réflexes, cela aurait pu être pire. Vous vous êtes précipitée sous mes roues tête baissée !

— C'est faux, j'essayais seulement de traverser la rue !

— Sans regarder !

— Ça, c'est le comble ! Qui est la victime, dans l'histoire ?

Un coup de tonnerre, très proche cette fois-ci, gronda de nouveau. Sarah sursauta et dut se retenir pour ne pas crier. L'étranger la prit alors par le bras.

— Vous êtes sous le choc et risquez d'attraper froid. Montez dans ma voiture, je vais vous emmener à l'hôpital.

— Vu votre manière de conduire, sûrement pas ! rétorqua-t-elle d'un ton acerbe.

Elle se dégagea d'un mouvement si brusque qu'elle aurait perdu l'équilibre si l'homme ne l'avait pas retenue par les épaules. Une fois stabilisée, elle se pencha pour rassembler ses affaires éparpillées sur le sol. L'inconnu se baissa pour l'aider et leurs têtes se touchèrent un court instant. Instinctivement elle recula et récupéra promptement le trousseau de clés qu'il avait ramassé. Au contact du métal, elle grimaça de douleur.

— Mais vous êtes blessée ! s'écria l'homme en lui soulevant la main pour inspecter une de ses paumes.

Sarah le repoussa de nouveau, pressée de mettre un terme à cette situation. S'apercevant soudain que son chemisier trempé était devenu transparent, et certaine que ce détail n'avait pas échappé à son interlocuteur, elle sentit ses joues s'enflammer.

— Ce n'est qu'une égratignure, je survivrai, lança-t-elle, l'air revêche. Et on peut dire que ce n'est pas grâce à vous !

— Si vous ne voulez pas aller à l'hôpital, laissez-moi au moins vous raccompagner chez vous.

— C'est inutile ! J'habite en face.

— Dans ce cas, je préfère m'assurer que vous rentrez entière.

Ignorant ses protestations, il ramassa l'attaché-case de Sarah, lui offrit son bras et l'aida à traverser la rue.

— J'espère qu'il y a quelqu'un pour prendre soin de vous, déclara-t-il lorsqu'ils furent arrivés devant la porte.

— Oui. Vous pouvez me laisser, maintenant, répondit-elle en introduisant la clé dans la serrure de la maison cossue de style victorien devant laquelle ils s'étaient arrêtés.

Puis, après avoir murmuré de vagues remerciements sans même le regarder, elle claqua la porte au nez de l'inconnu. Laissant tomber son sac et son attaché-case dans l'entrée, elle poussa un soupir de soulagement. Le tonnerre pouvait gronder autant qu'il voulait, à présent : elle était saine et sauve.

— Seigneur ! Mais tu es trempée ! s'exclama sa grand-mère qui descendait l'escalier.

Ses exclamations redoublèrent lorsqu'elle aperçut les genoux écorchés de Sarah.

— Que s'est-il passé ? Tu es tombée ?

Sarah la rassura sur son état avant de se rendre dans la salle de bains pour ôter ses vêtements dégoulinants. Après avoir désinfecté ses blessures, elle descendit dans la cuisine, revêtue d'un peignoir en éponge. Agréable surprise : un thé l'attendait sur la table. Tout en s'essuyant les cheveux avec une serviette, elle raconta sa mésaventure à sa grand-mère.

— Tu devrais porter plainte à la police, décréta sévèrement Margaret Parker. Tu aurais pu être gravement blessée. Encore un jeune écervelé conduisant à toute vitesse ?

— Non, un adulte. Un grossier personnage qui a eu le culot de prétendre que j'étais en tort !

— Etait-ce le cas ?

— Bien sûr que non ! se récria Sarah avant de hausser les épaules. Euh… en fait, si. Comme d'habitude, j'étais au bord de la panique et je n'ai pas vraiment bien regardé avant de traverser.

— Il faudrait que tu apprennes à dominer ta peur irrationnelle des orages, tu sais.

— Cette peur n'est pas si irrationnelle que ça ! fit-elle remarquer d'un ton sec. De toute façon, dès que cet homme a constaté que je n'avais rien de cassé, il m'a accablée de reproches.

— Attitude typiquement masculine, commenta sa grand-mère. Quel âge avait-il ?

— Aucune idée. Avec toute cette pluie, j'avais trop hâte de rentrer pour perdre du temps à l'observer, expliqua-t-elle en jetant un coup d'œil par la fenêtre. Heureusement que je n'ai pas à conduire sous cette pluie battante pour aller chercher Davy !

— Tu dois aller au théâtre, ce soir, lui rappela Margaret.

— Bon sang ! c'est vrai, maugréa Sarah. Et puis, non, je n'ai pas le courage de sortir ce soir. Brian ne sera pas content, mais tant pis. Si je l'appelle tout de suite, j'ai une chance de le joindre avant qu'il ne quitte le bureau.

— Allons, tu te sentiras sûrement mieux d'ici à ce soir ! la sermonna Margaret. Ce n'est pas très gentil pour le pauvre Brian.

— Je suis sûre qu'il comprendra. Pour le moment, je meurs d'envie de prendre un bain. Ça me fera du bien.

Pendant que la baignoire se remplissait, elle appela Brian Collins. La réaction de ce dernier fut sans surprise.

— Te rends-tu compte du mal que j'ai eu à trouver ces places ? demanda-t-il d'un ton dépité avant de se radoucir. Mais je suis désolé que tu ne te sentes pas bien.

— Pas autant que moi de tout annuler à la dernière minute, je t'assure. Tu trouveras sûrement quelqu'un d'autre à emmener.

Il y eut un bref silence, puis Brian reprit la parole.

— Ecoute, comme pour une fois Davina n'est pas là, je peux rendre les billets et venir passer la soirée chez toi.

— Non, non, ne fais pas ça ! se récria-t-elle, affolée. Je ne voudrais surtout pas te faire manquer cette pièce. Je sais que tu avais très envie de la voir.

— Très bien, répondit-il, l'air résigné. Je t'appellerai la semaine prochaine. Repose-toi.

Après avoir raccroché, Sarah resta songeuse. Sa relation avec Brian, superficielle à bien des égards, avait manifestement fait son temps. C'était un compagnon agréable et raffiné, parfois même amusant le temps d'une soirée, mais leur histoire se heurtait à deux écueils. Le premier était le refus catégorique de Sarah d'entretenir une relation sexuelle avec lui ; le second, le fait qu'il n'arrivait pas à s'entendre avec Davy, bien qu'il prétendît aimer les enfants.

A vrai dire, il ne l'avait vue qu'en de rares occasions, songea-t-elle plus tard, dans son bain. Par ailleurs, elle-même ne mènerait pas éternellement sa vie en fonction de Davy. Un jour ou l'autre, sa fille finirait par quitter le nid familial, mais cela ne changerait rien à ce qu'elle éprouvait — ou n'éprouvait pas — pour Brian. Repensant ensuite à l'incident de l'après-midi, Sarah essaya en vain de se souvenir du visage du conducteur qui l'avait renversée. Quelques détails lui revinrent néanmoins à l'esprit : il était beaucoup plus grand qu'elle, et fort puisqu'il n'avait eu aucun mal à la rattraper tandis qu'elle perdait l'équilibre. Ses cheveux devaient être bruns, ses yeux aussi. Il portait une chemise blanche trempée par la pluie… Si elle le croisait un jour dans la rue, elle serait sûrement incapable de le reconnaître. Ce qui n'était pas plus mal, en définitive.

Lorsqu'elle regagna le salon, elle constata avec soulagement que le ciel s'était complètement dégagé. Se retrouver sans Davy un vendredi soir était plutôt étrange, mais elle ne se sentait pas mécontente à l'idée de disposer d'un peu de temps pour elle.

Sur le point de se mettre en route pour son bridge hebdomadaire, Margaret Parker descendit l'escalier en agitant un petit sac.

— Avec tous ces événements, j'ai oublié de te donner ça… les courses que j'ai faites pour toi ce matin.

Sarah venait de la remercier quand la sonnerie de la porte retentit.

— Oh ! Pourvu que ce ne soit pas Brian ! s'exclama-t-elle.

— Enfin, Sarah ! la reprit sa grand-mère avec indignation.

Mais lorsque Sarah répondit à l'Interphone, on lui annonça une livraison de fleurs.

— Vous êtes sûr que c'est au nom de Tracy ?

— Il n'y a pas de nom, juste le numéro de la rue, répondit une voix désincarnée.

En ouvrant la porte, elle ne put retenir une exclamation face à l'énorme bouquet de lys derrière lequel disparaissait le livreur.

— Quelle charmante attention ! s'écria sa grand-mère. C'est Brian, bien sûr ?

— En fait… non, répondit Sarah, secrètement satisfaite, en lui tendant la carte.

Avec mes sincères excuses. J. Hogan.

— C'est un geste courtois, concéda Margaret Parker, non sans réticence.

— Le pauvre homme a mauvaise conscience, c'est tout, répondit négligemment Sarah en haussant les épaules. Hogan… ce nom me dit quelque chose… Je me demande s'il n'est pas dans la base de données du bureau.

— Son visage t'était-il familier ?

— Je ne sais pas, je l'ai à peine regardé.

Après le départ de sa grand-mère, Sarah fut ravie de pouvoir profiter seule de la maison. Elle se prépara un dîner léger et alla s'installer dans le salon où elle ouvrit en grand les portes-fenêtres donnant sur le jardin.

— Joli, dit-elle en passant devant le grand bouquet de lys.

Un peu plus tard dans la soirée, elle reçut un appel de Davina. D'une voix surexcitée, celle-ci lui demanda si elle avait prévu quelque chose de particulier pour le lendemain.

— Non, ma chérie, pourquoi ?

— Parce que la maman de Polly a dit que je pouvais les accompagner au bowling demain et dormir chez eux une nuit de plus. Je peux, dis ? S'il te plaît ! Attends, Mme Rogers va te parler.

Sarah n'eut pas le temps de répondre ; Davy avait déjà passé le combiné à la mère de son amie.

Alison Rogers l'assura que son mari et elle seraient ravis de garder sa fille un jour de plus. Sarah la remercia chaleureusement et reprit Davy pour lui adresser quelques recommandations de bonne conduite. Il fut convenu qu'elle viendrait la chercher dimanche en milieu de matinée.

En raccrochant, Sarah ne sut trop que penser. Si l'on excluait les nuits qu'elle passait en pension, c'était la première fois que Davy acceptait de se séparer d'elle un soir. Elle devait beaucoup aimer Polly, pour lui consacrer une partie de son week-end. Malgré un petit pincement au cœur, Sarah trouva très positif que sa fille commence à conquérir son indépendance. A neuf ans, Davina était plutôt grande pour son âge, mûre à bien des égards, mais encore très dépendante sur le plan affectif.

Le lendemain matin, Sarah se réveilla fraîche et dispose. La journée s'annonçait belle et ensoleillée, si bien qu'elle décida de prendre son petit déjeuner sur la terrasse. Tout en dégustant son café, elle parcourut d'un œil désinvolte les journaux du matin. Sa grand-mère fit alors son apparition en tenue de jardinage.

— Tu as l'air remise de tes émotions, ce matin, dit-elle à sa petite-fille après l'avoir embrassée.

— Je me sens bien mieux, c'est vrai. C'est plutôt étrange de ne pas être avec Davy un samedi matin, mais je ne suis pas fâchée d'avoir pu dormir une heure de plus ! Je crois que je vais profiter de cette journée de liberté pour faire un peu de lèche-vitrines.

D'habitude, Sarah consacrait la journée du samedi à

Davy. Elle attendait ce moment toute la semaine, mais, cette fois-ci, elle apprécia de pouvoir flâner à sa guise et de s'attarder dans les librairies. Après s'être offert un best-seller, elle fit un premier repérage au luxueux centre commercial de la ville. Avant de prendre la moindre décision, elle jugea plus sage de s'attabler dans un café pour y savourer un sandwich aux crudités. Lorsqu'elle sortait avec Davina, celle-ci réclamait invariablement une pizza...

Ragaillardie par son repas, Sarah alla parcourir les boutiques avec une idée précise en tête : trouver une robe qui puisse convenir au bureau, aux réunions de parents d'élèves, et même pour une sortie en ville.

Son choix s'arrêta finalement sur une robe de soie rose, d'une élégance plutôt classique. Elle s'examina longuement dans le miroir de la cabine d'essayage, assez satisfaite du résultat. Le vêtement s'arrêtait juste au-dessus du genou, mettant ainsi en valeur le bronzage de ses jambes.

De retour à Campden Road, elle s'installa dans une chaise longue pour lire un peu avant de se consacrer aux quelques dossiers qu'elle avait rapportés du bureau. Sa vie professionnelle était parfaitement réglée à son goût ; elle travaillait tous les jours de 9 heures à 15 heures pour un cabinet de recrutement où elle se chargeait des relations avec les clients et de la gestion du personnel. Le reste du temps, en accord avec son patron, elle ramenait ses dossiers chez elle. Cet arrangement convenait à tout le monde et Sarah avait conscience d'être très privilégiée. Son salaire était confortable et son emploi du temps idéal pour une mère de famille.

Sa grand-mère l'aidait à assumer l'éducation de Davy dans la mesure où ses nombreuses activités le lui permettaient. Margaret Parker faisait partie d'un club de bridge et de plusieurs associations caritatives en tant que membre actif. Sa vie sociale était si chargée, à vrai dire, que Sarah ne lui demandait de surveiller Davy qu'en cas d'extrême nécessité.

Plus tard dans la soirée, alors que Margaret se trouvait

au théâtre en compagnie d'une amie, la sonnerie de l'entrée retentit. Sarah venait à peine d'éteindre son ordinateur.

— Mademoiselle Tracy ? demanda une voix masculine à l'Interphone. Je m'appelle Hogan. Vous voulez bien m'accorder un instant ?

Sarah fronça les sourcils. Que faisait-il ici ? songea-t-elle, agacée. Intriguée malgré tout, elle le pria de bien vouloir attendre, se recoiffa rapidement, mit un soupçon de rouge à lèvres et alla ouvrir la porte pour se retrouver face à un homme grand, portant un jean et une chemise blanche. Elle constata qu'il avait les cheveux blond foncé, et non pas bruns comme elle l'avait cru la veille. De même, ses yeux n'étaient pas noirs, mais bleu marine. Pour tout dire, maintenant qu'elle le voyait distinctement, il lui parut très séduisant.

— Pardonnez-moi de vous déranger un samedi soir, s'excusa-t-il après avoir passé quelques instants à la regarder en silence. Mais je voulais m'assurer que vous alliez tout à fait bien.

Un peu décontenancée par l'intensité de ce regard sur elle, elle hésita un peu avant d'ouvrir la porte en grand.

— Entrez, je vous en prie.

Elle l'invita à la suivre jusque dans le jardin et lui proposa de s'asseoir.

— Je vous remercie de me recevoir, dit-il alors en la regardant droit dans les yeux. J'étais très inquiet, hier soir.

— Cet incident s'est produit par ma faute, non par la vôtre, monsieur Hogan, dut-elle admettre à contrecœur. En tout cas, merci pour les fleurs, elles sont magnifiques.

— Je suis ravi qu'elles vous plaisent, répondit-il en souriant. En fait, c'est ma deuxième visite de la journée. Je suis passé ce matin, mais vous deviez être sortie.

Elle sourit à son tour avant de lui demander sur une soudaine impulsion s'il désirait boire un verre.

— Vous vous apprêtiez peut-être à faire quelque chose ? s'enquit-il, visiblement étonné par sa proposition.

— Rien du tout, fut-elle forcée de reconnaître, tout

en regrettant de ne pouvoir lui dire qu'un quelconque prétendant l'attendait pour l'emmener dîner.

— Dans ce cas, j'accepte avec plaisir !

— Je n'ai guère que de la bière ou du vin à vous offrir.

— Une bière sera parfaite.

Dans la cuisine, Sarah sortit une des canettes habituellement destinées au jardinier et retrouva la chope de son père. Elle se servit un verre de vin par la même occasion.

— Il est temps que je me présente convenablement, déclara son invité qui s'était levé à son retour. Je m'appelle Jacob Hogan.

— Et moi, Sarah Tracy, enchaîna-t-elle en le priant de se rasseoir d'un geste de la main.

— Je regrette de ne pas avoir davantage insisté pour vous emmener à l'hôpital. Je n'ai cessé de penser à vous toute la soirée.

— Vous n'auriez pas dû vous inquiéter. J'ai juste eu peur, et pas seulement à cause de vous. J'ai la phobie des orages, c'est pour cela que je ne faisais pas attention.

— C'est compréhensible, commenta-t-il en s'adossant à sa chaise pour siroter sa bière.

Il semblait très décontracté et se comportait comme s'il avait l'intention de rester un petit moment. Et, chose étrange, Sarah n'y voyait aucune objection.

— Votre nom m'est familier…, dit-elle.

— Les carrelages Pentiles…

— Mais oui, bien sûr ! s'écria-t-elle. Nous en avons dans la salle de bains ! Ils étaient très chers, d'ailleurs.

— Ce n'est pas toujours le cas, objecta-t-il. Nous avons des produits pour tous les goûts et pour toutes les bourses.

— C'est vrai. J'ai souvent lu des articles au sujet de votre compagnie dans les journaux. C'est une belle réussite.

— Dans ce cas, vous savez peut-être que mon père n'avait qu'un simple magasin, à ses débuts ?

— Oui, je suppose qu'il ne lui a pas fallu beaucoup de temps pour s'agrandir. J'ai entendu dire que vous aviez des enseignes dans tout le pays, à présent.

— C'est exact. L'affaire a vraiment décollé lorsque j'ai réussi à persuader mon père que nous devions vendre des carreaux en céramique.

— Toute votre famille est-elle investie dans cette affaire ?

— Pentiles est géré par mon père et moi. Mon frère, Liam, est banquier à Londres. Quant à moi, je vis ici, à Pennington. L'autre soir, je faisais un détour par votre rue pour éviter les embouteillages. Et il a fallu que vous m'infligiez la pire frayeur de ma vie ! conclut-il, le regard malicieux.

— Parce que c'est vous qui avez eu peur ? reprit-elle d'un ton indigné. L'espace d'une seconde, j'ai vu ma vie défiler devant mes yeux. J'ai été blessée, moi ! lui rappela-t-elle en exhibant ses paumes meurtries.

Jacob se pencha en avant pour les inspecter. Elle eut l'étrange impression qu'il allait les embrasser, mais il se redressa et planta son regard dans le sien.

— Je ne peux que renouveler mes excuses, mademoiselle Tracy. Maintenant que je vous ai parlé de moi, puis-je savoir ce que vous faites dans la vie ?

En quelques phrases, elle lui décrivit son métier. Puis elle lui proposa un autre verre, ce qu'elle regretta aussitôt car il interpréta cette offre comme un signal de départ.

— Non, merci. Je n'avais pas l'intention de vous déranger si longtemps, déclara-t-il en quittant son siège. Encore merci de m'avoir gentiment reçu.

Un sourire chaleureux accompagna ses paroles. Elle aima les petits plis qui se formèrent au coin de ses paupières.

Lorsqu'ils repassèrent dans le salon, il s'arrêta un instant pour regarder une photo posée sur la commode. Lors de leur seule et unique excursion, Brian les avait photographiées, Davy et elle, juchées sur un vieux portail de bois. Elles paraissaient si joyeuses que Sarah avait encadré cette image ensoleillée. La lumière jouait dans leurs cheveux châtain cuivré, et leurs yeux noisette parsemés d'éclats dorés pétillaient de malice.

— Votre fille, bien sûr, commenta Hogan. La ressemblance est sidérante. Quel âge a-t-elle ?

— Elle aura bientôt neuf ans.

— Neuf ans ! s'écria-t-il, l'air vivement surpris. Vous deviez être très jeune lorsqu'elle est née !

— Dix-huit ans.

Elle passa devant lui pour ouvrir la porte d'entrée et lui tendit la main en souriant.

— C'est très gentil à vous d'être passé, monsieur Hogan. Croyez-moi, c'est ma dignité qui a le plus souffert, hier. Et je suis désolée d'avoir passé mes nerfs sur vous !

— C'était normal, vous aviez eu peur, répondit-il en lui serrant doucement la main, comme s'il eût craint de la blesser.

Puis il darda sur elle un regard indéchiffrable.

— J'espère que vos blessures vont guérir vite, madame Tracy.

— En fait, c'est Mlle Tracy, corrigea-t-elle d'une voix détendue. Merci de votre visite, monsieur Hogan.

Un sourire étrange illumina le visage de ce dernier.

— C'était un plaisir, un grand plaisir. Mais appelez-moi Jake, s'il vous plaît.

2.

Lorsque sa grand-mère rentra du théâtre, Sarah lisait, confortablement installée sur le canapé du salon. En apprenant la visite inattendue de Jake Hogan, la vieille dame parut interloquée.

— Jake Hogan, dis-tu ? Je suis sûre de connaître ce nom.

— Tu as dû le voir dans les journaux. Il dirige la compagnie Pentiles.

— Oui, ça me revient. Notre salle de bains… C'est incroyable !

— Il est passé ce matin, pendant que j'étais en ville. Comme tu jardinais, tu ne l'as sans doute pas entendu sonner. Tout compte fait, je suis plutôt contente d'avoir été absente la première fois… je veux dire par là, expliqua-t-elle en voyant Margaret froncer les sourcils, que c'était agréable de prendre un verre dans le jardin avec un homme si séduisant. Sa visite a pimenté mon samedi soir !

— Tu ne parlais pas de lui sur le même ton, la nuit dernière, fit aigrement remarquer son aïeule. Enfin, heureusement que tu ne m'as pas accompagnée au théâtre, ajouta-t-elle, l'air pincé. L'actrice, une ancienne star de feuilletons, a rempli la salle, mais Oscar Wilde a dû se retourner dans sa tombe… Son interprétation de lady Windermere était abominable !

— Mon Dieu ! Brian a dû être déçu, hier !

— Hum, pas si sûr. J'ai l'impression que les costumes dont elle s'était affublée ont plu au public masculin.

— Brian n'est pas comme ça, rétorqua Sarah en riant.
— Tous les hommes sont pareils, et tu le sais très bien.

Sarah eut du mal à s'endormir, ce soir-là. Que savait-elle déjà au sujet de la compagnie Pentiles ? Quelques bribes d'informations lui revinrent à la mémoire. Jacob Hogan était encore très jeune en reprenant l'affaire familiale. Grâce à lui, la compagnie avait pris un essor considérable. Mais hélas ! elle ne se souvenait plus si l'article précisait s'il était marié ou non.

Peu importe, de toute façon, songea-t-elle en soupirant profondément. Les hommes manifestaient une fâcheuse tendance à se désintéresser d'elle dès qu'ils apprenaient l'existence de Davy. Elle avait sûrement perdu tout attrait aux yeux de Jake lorsque celui-ci avait découvert la photographie sur la commode. Sur cette question, il fallait bien rendre justice à Brian qui insistait sur le fait que ses responsabilités de mère célibataire ne le dérangeaient pas. Seulement, elle n'accordait guère d'importance à cette déclaration d'intention. N'en déplaise à sa grand-mère qui défendait âprement les intérêts du jeune homme, Sarah avait toujours su que leur histoire ne durerait pas et que Davy n'était pas en cause. Elle-même n'éprouvait que peu d'attirance pour Brian, voilà tout.

En revanche, Jake Hogan lui faisait incontestablement de l'effet. Une belle peur et quelques égratignures étaient un prix modeste à payer pour avoir rencontré un homme aussi fascinant, même si elle ne devait jamais le revoir.

Le lendemain matin, elle prit sa voiture pour aller chercher Davy chez les Rogers, un peu à l'extérieur de la ville.

En approchant de chez eux, elle entendit des cris et des rires ravis en provenance de leur jardin. Alison Rogers l'accueillit avec un grand sourire et la fit entrer dans une vaste cuisine au désordre chaleureux où elle lui offrit une tasse de café. Pendant ce temps, Don, son mari, alla chercher les deux filles.

— Vous êtes si gentils d'avoir reçu Davy ! remercia Sarah. Pour elle, c'était un grand pas. Elle n'avait jamais passé un week-end chez une amie, auparavant.

— Elle me l'a dit, en effet, répondit Alison, visiblement touchée. Nous sommes très flattés qu'elle soit restée. En tout cas, elle peut revenir quand elle veut. Pour tout vous dire, c'était plus facile pour nous de les avoir toutes les deux. Quand Polly est seule, elle réclame une attention constante. Je suppose qu'il en va de même pour vous ?

— Exactement !

— Et comme vous êtes seule, cela doit bien vous compliquer la tâche, commenta Alison avant de se mordre la lèvre en rougissant. Pardonnez-moi, Sarah, je ne voulais pas être indiscrète. Davy nous a expliqué qu'elle n'avait jamais eu de père.

— C'est vrai, reconnut Sarah d'une voix légère destinée à rassurer la mère de Polly. Davy n'a pas l'habitude d'une présence masculine à la maison. A ce propos, j'espère qu'elle n'a pas trop ennuyé votre mari.

— Au contraire ! Don et elle se sont très bien entendus, comme vous pouvez le constater, répondit Alison en montrant la fenêtre d'un petit mouvement du menton.

De l'autre côté de la fenêtre, Sarah vit Don qui poursuivait les deux amies hilares, en faisant d'horribles grimaces. Elle éclata de rire lorsque ce dernier revint en courant vers la maison avec une fillette calée sous chaque bras.

— Laquelle voulez-vous, Sarah ? demanda-t-il, un peu essoufflé en les reposant sur le sol de la cuisine.

— Maman ! s'écria Davy en se jetant dans les bras de sa mère. Nous sommes allés au bowling, à la pizzeria et ensuite on a discuté toute la nuit ! débita-t-elle d'une traite.

— Ou presque, rectifia Polly avec un coup d'œil vers ses parents.

— Manifestement, tu viens de passer un merveilleux week-end, conclut Sarah en ébouriffant sa fille.

— Maman dit que Davy peut venir aussi souvent qu'elle veut ! intervint Polly, une lueur d'espoir dans les yeux.

— Et que dirais-tu de venir chez nous à ton tour ? lui proposa Sarah. Notre jardin n'est pas aussi grand que le vôtre, mais nous pourrions aller à la piscine et au cinéma.

La fillette se tourna aussitôt vers ses parents. Une date fut fixée, deux semaines plus tard, et Alison proposa à Sarah de venir déjeuner chez eux le dimanche en raccompagnant leur fille.

— Nous inviterons quelques voisins et ferons un barbecue, précisa-t-elle.

Sarah ne cacha pas son enthousiasme ; elle était si rarement invitée chez des amis !

— Avec plaisir ; je m'en réjouis d'avance.

Sur le chemin du retour, Davy ne cessa de jacasser, relatant par le menu son séjour chez les Rogers.

— Le père de Polly est très gentil, dit-elle avec un grand sourire. Sa mère aussi, mais elle ne pouvait pas tout le temps jouer avec nous parce qu'elle devait faire la cuisine et toutes sortes de choses.

— Comme toutes les femmes, rétorqua Sarah d'un ton mélodramatique.

— Tu ne cuisines pas tout le temps !

— C'est vrai. Mais grand-mère est en train de préparer notre déjeuner en ce moment…

En entrant dans la maison de Campden Road, elles furent accueillies par la délicieuse odeur du poulet rôti que Margaret avait mis au four. Cette dernière vint à leur rencontre, ouvrit grands ses bras à Davy, et lui demanda de ses nouvelles avec une chaleur dont elle ne gratifiait jamais Sarah.

— Va vite te laver les mains, ma chérie, ordonna-t-elle lorsque Davy lui eut raconté son week-end. Le déjeuner est prêt !

Puis elle se tourna vers Sarah.

— J'ai l'impression qu'elle s'est bien amusée.

— Oui, mais accroche-toi bien, parce que nous aurons

la visite de Polly dans quinze jours. Tu peux toujours partir en vacances un peu plus tôt que prévu, si tu le souhaites…

— Sûrement pas, répondit froidement sa grand-mère. Je serai là, comme toujours. Seulement, la petite Rogers sera sous ta responsabilité, pas la mienne !

Le reste de la journée passa très vite. Bientôt arriva l'heure de raccompagner Davy à la pension. C'était toujours un moment pénible aux yeux de Sarah, mais le fait de savoir que sa fille allait retrouver des amies rendait les choses un peu plus faciles.

Si elle avait été libre de ses propres choix éducatifs, la jeune femme aurait volontiers envoyé sa fille dans une école de la ville afin d'éviter ces douloureuses séparations. Mais elle honorait ainsi une promesse faite à ses parents. Par ailleurs, Margaret Parker, qui avait aidé ces derniers à économiser pour l'éducation de Davy, s'était, elle aussi, montrée intraitable : son arrière-petite-fille devait être inscrite à la pension de Roedale.

Même si ses parents, Anne et David Tracy, étaient morts accidentellement en vacances alors que Davina n'avait que cinq ans, Sarah restait fidèle à sa promesse. Evidemment, à l'époque où elle avait accepté, elle ne se doutait pas que ce serait si difficile.

Lorsque Brian l'appela le lendemain pour s'enquérir un peu tardivement de son état de santé, elle accepta son invitation à dîner, heureuse de se voir offrir une opportunité de lui dire que tout était fini entre eux.

Au cours du repas, dans le restaurant préféré de Brian, elle l'écouta patiemment vanter les mérites de la pièce qu'elle avait manquée.

— L'actrice qui jouait lady Windermere était remarquable, affirma-t-il. Une très belle femme, qui plus est.

— Oui, c'est ce que j'ai entendu dire, répondit-elle

distraitement, en se demandant quelle serait la manière la plus douce de lui révéler la vérité.

A la fin du repas, Brian parut soulagé qu'elle ne prenne ni dessert ni café. Dehors, il marcha si vite qu'elle supposa qu'il devait être impatient de rentrer chez lui. Mais une fois dans la voiture, il ne démarra pas tout de suite.

— Sarah, j'ai quelque chose à te dire, l'informa-t-il avec gravité.

Comme elle s'apprêtait à dire la même chose, mot pour mot, elle le dévisagea, interloquée.

— Je t'écoute, Brian.

— Je suis désolé d'avoir été de mauvaise compagnie ce soir, commença-t-il, les yeux rivés sur le pare-brise. C'est parce que… eh bien… Bon sang ! Ce n'est pas facile à dire.

— Par hasard, ne serais-tu pas en train de me dire que tout est fini ?

— Ecoute, je suis navré de t'infliger ça, surtout dans ta situation…

— Ma situation ? le coupa-t-elle sèchement.

— Ne le prends pas mal, supplia-t-il. Je pense sincèrement que tu t'en sors très bien avec ta fille, mais… pour tout te dire, je ne suis pas fait pour être beau-père.

Sarah, qui ne l'avait jamais imaginé dans ce rôle, acquiesça aussitôt.

— Je crois que tu as raison.

— Mais je dois être honnête, poursuivit-il. Ce n'est pas la seule raison. Il me semble évident à présent que notre relation ne sera jamais physique et, contrairement à l'impression que j'ai pu te laisser, je suis un type plutôt normal, avec des appétits normaux…

— Je comprends parfaitement ! s'écria-t-elle, prise de remords. Je suis désolée de ne pas avoir pu te satisfaire sur ce plan. Je ne voulais pas te blesser, tu sais.

— Je sais, Sarah, répondit-il en lui tapotant la main. Alors je vais être direct avec toi. J'ai rencontré quelqu'un d'autre. Amanda vient juste d'arriver au bureau ; je l'ai emmenée au théâtre à ta place, l'autre soir, et nous nous sommes bien entendus… Vraiment bien. J'ai passé tout le week-end avec elle, chose qui n'a jamais été possible avec toi, à cause de Davina. Je précise qu'Amanda sait que nous passons la soirée ensemble ; elle s'est montrée très compréhensive.

— Dans ce cas, c'est parfait, se força à répondre Sarah.

— J'espère que ça ne te fait pas trop de peine…

— Ne t'inquiète pas, Brian. Au contraire, je suis très heureuse pour toi. Tu veux bien me raccompagner chez moi, maintenant ?

Lorsqu'elle fut enfin rentrée, elle monta directement à l'étage pour apprendre la nouvelle à sa grand-mère. Une nouvelle qui n'allait pas lui faire plaisir.

— Désolée de te déranger, grand-mère, mais je voulais t'annoncer que Brian et moi avons rompu.

Margaret la considéra, l'air horrifié.

— Et pourquoi donc ? Qu'as-tu fait pour lui déplaire, petite écervelée ? Brian Collins est un si bon parti ! Son père possède la moitié de Pennington !

— A vrai dire, il s'agit plutôt de ce que je n'ai pas fait.

— Je ne comprends pas.

Sarah regarda son aïeule droit dans les yeux.

— Et moi, je suis sûre que tu sais ce dont je veux parler.

— Dans ce cas, tu ne peux t'en prendre qu'à toi-même. Tu es tout de même bien placée pour savoir ce qui se passe quand une femme se jette dans les bras d'un homme !

— Tu te trompes complètement, grand-mère. C'est tout le contraire, à vrai dire. Je ne me suis jamais intéressée à Brian au point de… Alors, il a trouvé quelqu'un d'autre, et tant mieux pour lui.

Margaret garda le silence un instant, songeuse.

— Je vois… Je te prie de m'excuser, dit-elle à contrecœur.

— Excuses acceptées, répondit Sarah avant d'ajouter : Et puis Brian ne se voyait pas dans le rôle du beau-père de Davy.

Sur ces paroles, elle tourna les talons et quitta la pièce.

*
* *

Quelques jours plus tard, tout heureuse de sa liberté retrouvée, Sarah rentrait du bureau d'un pas léger, bien décidée à profiter du soleil dans le jardin. Sa grand-mère s'était absentée et ses dossiers pouvaient bien attendre quelques heures ; elle ne se remettrait au travail qu'en fin d'après-midi.

Afin de préserver leurs vies privées, Margaret Parker avait divisé la maison en deux appartements indépendants. Sarah aurait de loin préféré habiter seule avec Davy, mais elle reconnaissait que, pour une mère célibataire, elle était très privilégiée. Elle s'acquittait tous les mois d'un loyer très modéré, touchait un salaire confortable pour ne pas dire rondelet et savait que l'instruction de Davy était assurée dans une école réputée. De plus, depuis que sa fille passait la semaine en pension, Sarah pouvait profiter de ses soirées pour sortir avec ses collègues de bureau.

Bien qu'elle n'eût pas de raisons de se plaindre, il lui arrivait néanmoins parfois de ressentir un certain vide. Cette impression s'était intensifiée la veille, lorsqu'elle trouva dans son courrier une invitation au mariage de Nick Morell, son meilleur ami depuis l'université. Il avait joint un petit mot au carton pour préciser qu'elle pouvait venir accompagnée si elle le souhaitait, et que toute leur bande d'amis était impatiente de la revoir.

A son entrée à l'université, Sarah craignait que son statut de jeune mère ne soit un handicap social. Mais, à sa grande surprise, Davy, encore bébé à l'époque, avait été adoptée par ses nouveaux amis, filles et garçons. Et Nick Morell avait toujours été là dans les moments difficiles.

Vais-je accepter cette invitation ? s'était-elle d'abord demandé, car la perspective d'être la seule célibataire de la fête ne la réjouissait guère. D'un autre côté, comme le mariage serait célébré en milieu de semaine, elle n'aurait pas à s'occuper de faire garder Davy. Un peu de distraction ne lui ferait pas de mal, après tout. Elle devrait juste s'acheter une nouvelle paire de chaussures, trouver un hôtel où passer la nuit et dénicher un cadeau de mariage. Après avoir un peu hésité, elle avait finalement réservé une chambre.

Après une journée plus chargée que d'ordinaire, Sarah était donc soulagée de quitter l'agence et de marcher dans les rues ensoleillées. Dès le retour des beaux jours, elle prenait rarement sa voiture pour aller travailler, profitant de ces trajets quotidiens pour faire un peu d'exercice. Alors qu'elle pressait le pas, impatiente de prendre le thé dans son jardin, une voiture s'arrêta à son côté. La portière s'ouvrit et un homme au visage familier, vêtu d'un costume trois-pièces sombre, descendit du véhicule.

— Bonjour ! Puis-je vous raccompagner ? demanda Jake Hogan en souriant.

Oh oui ! pensa-t-elle en lui rendant son sourire au moment où il ouvrit la portière côté passager à son intention.

— C'est vraiment très gentil, mais je ne devrais pas…

— Vous n'avez pas l'habitude de monter dans la voiture d'un étranger, c'est ça ?

— Exactement ! Non, mais j'aime marcher tous les jours pour rester en forme, expliqua-t-elle en prenant néanmoins place dans la voiture.

— Je doute que cette petite incartade vous nuise, dit-il en lui lançant un regard appréciateur. De toute façon, vous aviez l'air très pressée. Vous devez rentrer chez vous en urgence ?

— Oui, pour prendre une tasse de thé dans le jardin !

— Comme vous avez de la chance ! Moi, je suis en chemin pour une réunion…, dit-il en soupirant.

— Dans le quartier ?

— Non, pas vraiment. En fait, j'ai rendez-vous en centre-ville, mais en vous apercevant dans la rue, j'ai décidé de faire un détour pour vous raccompagner.

Cet aveu fit secrètement plaisir à Sarah.

— J'aurais pu me rendre à un autre endroit, lui fit-elle remarquer pour dissimuler son trouble.

— Dans ce cas, je vous aurais accompagnée ailleurs…, déclara-t-il en se dirigeant vers Campden Road. Ou vous auriez pu gentiment m'envoyer balader.

— Non ! Je vous suis très reconnaissante, et maintenant que nous sommes arrivés, je vous laisse aller à votre réunion.

— Attendez un instant avant de sortir, Sarah, la pria-t-il en plantant son regard marine dans le sien. Je suis content que nous nous soyons rencontrés, parce que ce n'est pas le type de question que j'aurais aimé vous poser au téléphone. Vous n'êtes pas obligée de me répondre, bien sûr, mais j'aimerais bien savoir quelque chose.

— Quoi donc ?

— C'est personnel, la prévint-il.

— Allez-y.

— Le père de votre petite fille partage-t-il votre existence ?

— Non.

Les yeux de Jake s'illuminèrent aussitôt.

— Dans ce cas, Sarah Tracy, voulez-vous dîner avec moi ?

Oh oui ! Elle en mourait d'envie !

— Si vous acceptez de répondre à une question à votre tour.

— Tout ce que vous voudrez.

— Etes-vous marié ?

Il secoua la tête en riant.

— Non, Sarah. Alors, c'est oui ?

— C'est oui. Quelle date vous arrangerait ?

— Ce soir.

Un peu surprise par l'empressement dont il faisait preuve, elle le dévisagea un instant en se demandant si elle n'allait pas lui dire qu'elle avait déjà d'autres engagements. Mais elle y renonça aussitôt.

— C'est d'accord, s'entendit-elle répondre.

— Parfait ! Je viendrai vous chercher à 20 heures.

Avant d'ouvrir la porte de sa maison, elle se retourna pour lui faire un signe de la main. En refermant le battant, elle se retrouva nez à nez avec sa grand-mère.

— J'étais à la fenêtre et je t'ai vue sortir d'une voiture. Qui t'a ramenée ici ?

— Jake Hogan. Il m'a invitée au restaurant ce soir.

Les traits de Margaret se durcirent.

— Tu ne vas pas y aller, tout de même ? Tu connais à peine cet homme.

— C'est juste un dîner en ville ! se récria Sarah. Et tant que j'y pense, j'ai reçu une invitation pour le mariage de Nick Morell.

— Ah bon ? Sache que si ça tombe en même temps que mon voyage en Italie, je ne pourrai pas te garder Davy, se contenta-t-elle de répondre d'une voix sèche.

— Rassure-toi, il se marie en milieu de semaine, rétorqua la jeune femme en ravalant la remarque acerbe qui lui brûlait les lèvres. Si tu veux bien m'excuser, je dois aller travailler avant de profiter de ma soirée avec Jake.

Satisfaite d'avoir eu le dernier mot, Sarah gagna son appartement et s'attaqua sans tarder à ses dossiers les plus urgents. Son travail bouclé en un temps record, elle alla se détendre dans un bain, prit le temps de se faire un brushing et de se maquiller avec soin. Puis, après s'être habillée, elle monta chez sa grand-mère pour lui annoncer son départ.

— Que penses-tu de ma tenue ? demanda-t-elle en tournant sur elle-même.

Margaret parut surprise de la voir vêtue d'un pantalon en lin et d'un haut sans manches assorti.

— C'est une tenue que tu portes au travail.

— Peut-être, mais je préfère garder ma nouvelle robe pour le mariage de Nick.

— Alors, tu as l'intention d'y aller ?

— Bien sûr ! Tu sais à quel point j'aime Nick. J'ai déjà réservé une chambre d'hôtel. En ce qui concerne ma tenue, j'ignore où Jake compte m'emmener ; j'ai donc préféré choisir un ensemble passe-partout.

*
* *

Au moment où Sarah ouvrit la porte à Jake Hogan, elle comprit qu'elle allait passer un moment très agréable. Dans sa veste de lin clair, il était irrésistible. Quant à son sourire mi-chaleureux, mi-amusé, il la troubla délicieusement. Jamais Brian ne lui avait fait un tel effet.

— Vous êtes divine, Sarah, murmura-t-il.

— Merci, répondit-elle timidement.

— Vu la chaleur, j'ai pensé qu'il serait agréable de dîner en terrasse, ce soir, annonça-t-il en la faisant monter dans sa voiture. Qu'en dites-vous ?

— Quelle bonne idée !

La Truite, le petit pub choisi par Jake, se trouvait à quelques kilomètres, en pleine campagne. Un ruisseau serpentait même au milieu du jardin.

— C'est ravissant ! s'exclama Sarah lorsqu'ils furent installés à leur table. Vous venez souvent ici ?

— Surtout à l'heure du déjeuner, avec des clients. Et je suis heureux de vous voir si contente.

— C'est le genre d'endroit qui plairait beaucoup à Davy, répondit-elle en mentionnant délibérément sa fille.

Jake l'interrogea du regard par-dessus son verre de vin.

— Une baby-sitter la garde ce soir ?

Bravo ! songea-t-elle. D'habitude, les hommes changeaient de sujet de conversation lorsqu'elle évoquait Davy.

— Non, elle est pensionnaire à Roedale.

— Votre ancienne école ?

— Oh non ! A son âge, j'allais à l'école du village où je suis née. Et vous ?

— Liam et moi sommes aussi des produits de l'école publique. Mais nous avons pris des chemins différents par la suite. Voyez-vous un inconvénient à ce que je retire ma veste ?

— Je vais en faire de même, il fait vraiment très chaud, le rassura-t-elle.

Jake se leva pour l'aider. Elle sentit alors son regard s'attarder sur ses épaules nues.

— Vous êtes bronzée, remarqua-t-il. Vous rentrez de vacances ?

Elle éclata de rire avant de le détromper.

— Pas du tout ! Ma peau est légèrement mate naturellement, et comme je termine mon travail à 15 heures, j'ai le temps de profiter du soleil au jardin. Expliquez-moi maintenant d'où vient votre bronzage. Le golf ?

— Non, les gènes ! Ma mère est italienne. Nous avons hérité de son teint.

— C'est plutôt rare, quand on a les cheveux blonds.

Et très séduisant aussi ! pensa-t-elle.

— Que prendrez-vous ? s'enquit-il en lui présentant le menu. La truite est délicieuse.

— Hum... Je vais choisir autre chose. Mon père pêchait beaucoup quand j'étais enfant, avec un peu trop de succès à mon goût.

Il éclata de rire et demanda :

— Il pêche encore ?

— Non... Mes parents sont morts.

— Je suis désolé, dit-il en posant fugacement sa main sur la sienne. C'est sûrement deux fois plus dur pour vous qui avez une petite fille à élever...

De toute évidence, il ne redoutait pas d'aborder des sujets sensibles.

— C'était vraiment difficile dans les premiers temps. Davy était inconsolable et j'ai dû mettre mon propre chagrin de côté pour l'aider à surmonter le sien. Mais ne parlons pas de choses aussi tristes ! Je ne voudrais surtout pas gâcher votre soirée.

— Aucune chance, assura-t-il avant de se plonger dans le menu. Par quoi souhaitez-vous commencer ?

— Toutes ces entrées ont l'air délicieuses, mais si j'en prends une, je ne pourrai jamais finir mon plat.

— Eh bien, dans ce cas, passons-nous du plat principal !

Je propose que nous choisissions chacun deux ou trois entrées et que nous les partagions.

— Nous pouvons faire ça ? l'interrogea-t-elle, ravie.

— Nous pouvons faire tout ce que vous voulez, répondit-il très sérieusement.

3.

Sarah s'attendait certes à passer une bonne soirée, mais elle ignorait que ce dîner avec Jake serait magique à ce point. Ils partagèrent des mini-asperges drapées de jambon de Parme, des bouchées au crabe, un millefeuille au fromage de chèvre et aux poivrons, des fettucine au saumon fumé et quelques morceaux de chorizo… Rien de tel que de piocher dans l'assiette de l'autre pour briser la glace et instaurer un climat intime !

— Goûtez un peu de ce pain, proposa-t-il en beurrant une tartine pour elle.

— Vous avez eu une excellente idée, décréta-t-elle après avoir dégusté le morceau de pain frais. Mais êtes-vous sûr d'avoir suffisamment dîné ? Ce repas était plutôt léger, selon les critères d'un homme moyen.

— Ah ! mais je conteste cette appellation ! dit-il en grimaçant. Rassurez-vous, j'ai pris un déjeuner copieux. Et vous ?

— Je me contente d'un sandwich au bureau tous les jours. Comme je termine tôt, je ne prends jamais de pause déjeuner.

— Et vous n'êtes pas fatiguée ?

— C'est une question d'habitude, répondit-elle en haussant les épaules.

— Racontez-moi ce que vous aimez faire, quand vous ne travaillez pas.

— Aller au cinéma, au théâtre, ce genre de sorties. En général avec des amies, précisa-t-elle d'une voix hésitante.

Et… ces derniers temps, je sortais plus ou moins régulièrement avec un homme.

— Que s'est-il passé ?

— Il m'a congédiée la semaine dernière.

— Mais pourquoi ? la questionna-t-il, l'air ébahi.

— Il a trouvé quelqu'un d'autre. Et puis, il n'avait pas la moindre envie de jouer les beaux-pères.

— Etait-il vraiment question de cela ?

— Pas du tout ! De toute façon, Davy ne l'aimait pas. Contrairement à ma grand-mère !

— L'avis de cette dernière compte-t-il beaucoup, à vos yeux ?

— Non, et heureusement, parce qu'elle n'a jamais été particulièrement compréhensive avec moi. Elle réserve sa tendresse à Davy.

— Vous la voyez souvent ?

— En fait, nous vivons avec elle, répondit Sarah qui lui expliqua rapidement leur petit arrangement.

— Lui avez-vous raconté comment nous nous sommes rencontrés ?

— J'aurais eu du mal à le lui cacher ! répondit-elle en riant. Elle était là quand je suis rentrée trempée jusqu'aux os.

— Je suis désolé de vous avoir renversée, mais, si je ne l'avais pas fait, nous ne nous serions pas rencontrés. Et comme vous avez dû le comprendre, je suis ravi d'avoir fait votre connaissance.

— Moi aussi.

Ils se regardèrent en silence pendant quelques secondes avant que Jake ne demande brusquement.

— Vous voulez peut-être un dessert ? Ils font un délicieux gâteau aux noix. A moins que vous ne préfériez un café ?

— Pas de café pour le moment, mais je veux bien goûter ce fameux gâteau.

Elle avait accepté le dessert pour le plaisir de prolonger sa soirée avec Jake dans ce joli jardin, où ils étaient seuls à présent. En revanche, pour le café, elle faisait d'autres projets…

— Nous pouvons nous installer à l'intérieur, si vous avez froid.

— Non, merci, je suis si bien ici.

— Moi aussi, dit-il en approchant sa chaise de la sienne. Sarah, il est peut-être encore un peu tôt pour vous demander cela, mais quand vous aurez appris à me connaître, ce que je souhaite ardemment, vous saurez que je tergiverse rarement lorsque je désire quelque chose.

— Voilà qui me fait peur !

— Ce n'était pas mon intention. Je serais simplement très heureux de vous revoir le plus vite possible. Par chance, seriez-vous libre samedi soir ?

— J'ai bien peur que non.

Jake s'approcha plus près encore et la scruta intensément.

— Vous êtes déjà prise ou est-ce parce que je précipite un peu les choses ?

— Ce n'est pas ça. Mais je ne suis jamais libre le week-end à cause de Davy. Cela handicape lourdement ma vie sociale.

— Où était-elle, samedi dernier ?

— En week-end, pour la première fois, chez l'une de ses amies.

— Mais puisque vous vivez avec votre grand-mère, ne peut-elle pas surveiller votre fille le temps d'une soirée ?

— Davy n'est à la maison que deux soirs par semaine et je tiens à lui consacrer tout mon temps. Sinon, ce serait avec plaisir.

— C'est une bonne raison, reconnut-il en prenant ses mains. Mais je suis déçu, bien sûr. Je me demande ce que je vais bien pouvoir faire samedi.

— Que faites-vous, d'ordinaire ? s'enquit-elle en regardant leurs mains liées.

— Comme vous, je voyais quelqu'un il y a peu de temps.

— Que s'est-il passé ?

— La même chose que pour vous : elle m'a préféré un autre homme. Ah ! Voilà le gâteau ! s'écria-t-il en relâchant ses mains.

Mais il resta à côté d'elle le temps de déguster le dessert.

— C'était merveilleux ! dit-elle en soupirant après avoir savouré la dernière bouchée. J'ai rarement aussi bien dîné.

— Moi aussi, murmura-t-il avant de se lever, comme à contrecœur. Mais il fait froid, nous devrions aller à l'intérieur, maintenant.

— Non, il y a vraiment trop de monde, répondit-elle alors qu'il l'aidait à remettre sa veste. Que diriez-vous de prendre un café chez moi, à la place ?

Le sourire radieux de Jake valut toutes les réponses.

Sur le chemin du retour, Sarah s'efforça de discuter calmement. Mais, à la vérité, elle s'était rarement sentie aussi agitée. L'éclair qui avait illuminé le regard de Jake au moment où elle lançait son invitation l'incitait à la prudence. Il fallait lui faire comprendre, sans le blesser, qu'il ne s'agissait que d'un café. D'ailleurs, elle avait rarement fait une telle proposition à un homme… Ses rencontres avec Brian se déroulaient toujours en ville. Quant à Oliver Bryce, qu'elle fréquentait avant lui, il n'était jamais venu chez elle non plus, trop pressé de rentrer chez lui pour libérer sa baby-sitter. Jake l'ignorait, mais il serait bien le premier à prendre le café à Campden Road.

Lorsqu'ils furent arrivés, elle le fit entrer dans le salon et se sentit mal à l'aise pour la première fois de la soirée.

— Asseyez-vous, je ne serai pas longue…

— Oubliez le café, Sarah, dit-il en lui prenant la main, l'air très sérieux. Ça ne signifie pas que je vais me jeter sur vous, bien sûr ! Je préférerais un verre d'eau, c'est tout.

Se sentant un peu ridicule, elle se mit à rougir.

Quand elle revint avec un verre, elle trouva Jake en train de regarder la photographie sur la commode.

— Vous avez des yeux noisette identiques et vos cheveux sont exactement de la même couleur. Sans parler de l'expression de vos visages.

— N'hésitez pas à vous mettre plus à l'aise, dit-elle pour détourner son attention de Davy.

Jake posa son verre sur la table, juste à côté du bouquet

de lys qu'il lui avait envoyé, ôta sa veste et lui adressa un sourire taquin.

— Détendez-vous Sarah, je n'ai pas l'habitude de solliciter les faveurs d'une femme lors d'un premier rendez-vous !

De nouveau, elle sentit son visage s'empourprer.

— Ravie de l'apprendre, s'exclama-t-elle en riant nerveusement. Vous ne voulez pas vous asseoir ?

— En fait, j'attendais que vous me donniez l'exemple, répondit-il en l'invitant à le rejoindre sur le canapé. Pourquoi êtes-vous si tendue, tout à coup ? Vous avez déjà eu une expérience désagréable dans ce genre de situation ?

— Non, pas du tout... seulement, je n'avais jamais invité personne ici.

— Jamais ? reprit-il, incrédule. Depuis combien de temps habitez-vous ici ?

— Bientôt quatre ans.

— Est-ce parce que vous partagez cette demeure avec votre grand-mère ?

— Pas vraiment. Elle a pris soin de diviser la maison en deux appartements pour préserver la vie privée de chacune.

— Pourquoi m'avoir invité, moi ? Je crois connaître la réponse, mais j'aimerais que vous me la disiez, demanda-t-il en lui prenant la main.

Tâchant de paraître dégagée, elle haussa les épaules.

— J'ai passé une très bonne soirée, et comme il n'est pas très tard, il m'a semblé tout naturel de vous inviter.

Il resserra son étreinte.

— Vous savez que vous m'avez devancé ? J'allais vous proposer de prendre le café chez moi. Auriez-vous accepté ?

— Puisque vous ne me l'avez pas demandé, nous ne le saurons jamais, assura-t-elle avec un sourire énigmatique.

— Je le ferai la prochaine fois.

— Il y aura donc une prochaine fois ?

— Et comment..., murmura-t-il avant de l'embrasser.

A peine avait-il frôlé ses lèvres, qu'elle bondit à l'autre extrémité du divan ! Il la regarda sans comprendre, manifestement stupéfait par sa réaction. Le voyant si surpris, Sarah voulut disparaître sous terre.

— J'étais sincère, tout à l'heure, en disant que je n'avais pas l'intention de me jeter sur vous. Je voulais juste vous embrasser, je vous le promets…, assura-t-il avant de marquer une pause. Vous avez dû remarquer que vous me plaisiez ?

— Non. Je pensais simplement que nous nous entendions bien… Si j'avais accepté d'aller chez vous, en auriez-vous conclu que j'étais prête à beaucoup plus que prendre un café avec vous ?

— Non, Sarah, pas du tout, se défendit-il en se levant.

Puis il lui tendit la main pour l'aider à en faire de même.

— Tout comme vous, j'avais envie de prolonger un peu le temps que nous passions ensemble, poursuivit-il.

Son regard était si sincère qu'elle le crut sans peine.

— Quand puis-je espérer vous revoir, Sarah ? Si votre samedi est pris, que dites-vous de dimanche ?

Sarah ressentit un immense soulagement ! Elle avait craint, en le repoussant de la sorte, de perdre toutes ses chances de revoir Jake. Impossible cependant de lui dire que, si elle avait suivi son instinct, elle aurait volontiers répondu à son baiser ! Elle en avait eu tellement envie… Mais c'était bien trop risqué.

Néanmoins, même si elle ne le connaissait que depuis peu, elle était sûre que Jake ne la forcerait jamais. Elle tenait absolument à le revoir, et comme elle se sentait toujours un peu triste le dimanche soir, après le départ de Davy, sa proposition lui parut très tentante.

— Avec plaisir, répondit-elle finalement.

— Vous avez mis du temps à répondre, remarqua-t-il gravement. Qu'aimeriez-vous faire ?

— Et si nous trouvions un endroit avec une jolie vue pour nous promener ?

— Ce sera bien la première fois qu'une femme me propose une excursion !

— Pas une excursion ! Juste une petite balade du dimanche soir…

— Tout ce que vous voudrez. A quelle heure rentrerez-vous de l'école de Davy ?

— Aux environs de 18 heures.

— Je passerai vous chercher un peu après, déclara-t-il en se penchant sur elle pour la regarder droit dans les yeux. Bonne nuit, Sarah, ajouta-t-il en l'embrassant sur le front.

— Bonne nuit, Jake, répondit-elle en levant les yeux sur lui. J'ai passé une très bonne soirée, merci.

— Moi aussi. La prochaine fois, vous pourrez me présenter à votre grand-mère, plaisanta-t-il au moment de sortir.

Elle le regarda monter dans sa voiture et répondit à son dernier signe de la main. Puis elle referma la porte, songeuse. Quel charmeur, ce Jake Hogan ! Tout le contraire d'Oliver, trop camarade dans sa manière d'être et de Brian, un peu ennuyeux à la vérité… Il serait si facile de tomber amoureuse de lui.

4.

Le vendredi suivant, alors qu'elle s'apprêtait à quitter son bureau pour aller chercher Davy, Sarah reçut un appel d'Alison Rogers.

— J'ai un problème, Sarah ! Ma voiture est tombée en panne et Don est à Londres jusqu'à ce soir.

— Ne vous inquiétez pas, je ramènerai Polly, assura-t-elle aussitôt. Je m'apprêtais à partir.

— C'est gentil, merci ! Je vais appeler l'école pour les prévenir. A tout à l'heure, je vous attends pour le thé.

Les deux amies ne cachèrent pas leur joie à l'idée de rentrer une nouvelle fois ensemble. Elles avaient passé l'après-midi à faire du sport et semblaient d'excellente humeur. Sarah apprit très vite que Davina avait décroché la première place en course et Polly en saut.

— Bravo à toutes les deux ! les félicita-t-elle en les faisant monter dans la voiture.

— J'espère que vous prendrez le thé chez nous, déclara Polly. Maman prépare toujours des bonnes choses, le vendredi après-midi.

— S'il te plaît, maman ! supplia Davy.

— Oui, mais nous ne resterons pas longtemps ; je ne veux pas abuser de l'hospitalité de Mme Rogers. Et maintenant, si vous me racontiez un peu ce que vous avez fait cette semaine, en dehors du sport ? Je pensais à des choses plus ennuyeuses, comme les maths par exemple !

Lorsqu'elles arrivèrent devant chez Polly, Alison les accueillit avec effusion.

— Sarah, vous m'avez sauvé la vie ! s'exclama-t-elle après avoir embrassé sa fille. Venez vous asseoir, vous avez l'air un peu fatiguée, non ? C'était une dure journée ?

— Pas plus que d'habitude, mais c'est toujours la course pour arriver à Roedale à l'heure.

— Davy m'a expliqué que vous travailliez aussi le soir à la maison ?

— Oui, mais rarement plus d'une heure. C'est un accord passé avec mon employeur. Cet arrangement me convient parfaitement. Quand Davy est à la maison, j'attends qu'elle soit couchée pour ouvrir mes dossiers.

Alison disposa sur la table une assiette de biscuits qui sortaient juste du four et appela les filles qui étaient déjà parties explorer le jardin.

— Je vais téléphoner à ma grand-mère, si vous le permettez, pour lui dire que nous rentrerons plus tard que d'habitude.

— J'ai beaucoup entendu parler de cette fameuse grand-mère, mais je pensais qu'il s'agissait de votre mère.

— Non. Elle gâte beaucoup Davy, mais en fait c'est son arrière-grand-mère.

Polly et Davy, qui se sentait manifestement très à l'aise chez les Rogers, arrivèrent en trombe, engloutirent quantité de biscuits et repartirent aussitôt dans le jardin.

— Un peu de tranquillité, enfin ! s'exclama Alison après leur départ. Prenez un autre gâteau, pour que je me sente un peu moins coupable.

— Coupable de quoi ? s'enquit Sarah, amusée.

— Je viens de m'apercevoir que c'est vous qui irez chercher Polly la semaine prochaine aussi !

— Ça ne me dérange pas le moins du monde, mais j'accepte ce gâteau avec plaisir. Ils sont délicieux.

— Avec la vie que vous menez, j'imagine que vous n'avez pas beaucoup le temps de cuisiner ?

Sarah secoua la tête et se mit à rire.

— En fait, j'ai du temps pour moi depuis que Davy est pensionnaire. Mais je ne me suis pas mise aux fourneaux pour autant. Pour tout vous avouer, je suis un cas désespéré ! Heureusement pour nous, ma grand-mère est un vrai cordon-bleu. Pendant la semaine, j'ai souvent l'occasion de sortir, chose que je faisais plus rarement lorsque Davy était avec moi. Au début, j'ai été très malheureuse de me séparer d'elle, mais maintenant que je la vois s'épanouir à Roedale, je ne suis pas mécontente de retrouver un peu de liberté.

De retour à Campden Road, Sarah constata qu'un message l'attendait sur son répondeur. Elle prit soin d'envoyer Davy chez Margaret avant de s'autoriser à l'écouter.

— C'est Jake, Sarah. Je voulais juste m'assurer que vous n'aviez pas oublié pour dimanche..., dit la voix désormais familière.

Comme s'il était utile de le lui rappeler ! Elle repassa le message, juste pour le plaisir d'entendre son timbre chaleureux une nouvelle fois.

Margaret la rejoignit avec Davy pour annoncer qu'elle s'absentait un moment et qu'elle avait déjà préparé la sauce des pâtes pour le dîner.

— Merci, grand-mère, répondit Sarah. J'aurais pu m'en occuper, tu sais...

— Pour ce qui est de réchauffer une boîte, je te fais confiance, rétorqua sèchement Margaret dès que Davy se fut éloignée. A propos, d'autres fleurs sont arrivées pour toi aujourd'hui. Je les ai mises dans un vase dans la cuisine.

— Qui me les envoie ?

— Je n'en ai pas la moindre idée.

Sarah descendit aussitôt et détacha la carte d'un magnifique bouquet d'œillets et de roses.

— Jake Hogan, annonça-t-elle à sa grand-mère qui l'avait suivie.

— Encore ! De toute évidence, il a passé une bonne soirée avec toi.

— Moi aussi. D'ailleurs, il est venu ici l'autre soir.

— Je sais, je l'ai entendu partir… C'est bien la première fois que tu invites quelqu'un à la maison, remarqua Margaret d'un ton accusateur. Je n'ai pas envie d'être dure avec toi, poursuivit-elle, l'air pincé, mais tu es manifestement attirée par cet homme ; alors je t'en prie, fais attention ! Essaie de comprendre mon point de vue.

— C'est ce que je fais en permanence ; seulement j'ai moi aussi un point de vue, figure-toi !

Durant le dîner, Davy raconta par le menu sa semaine à Roedale.

— Mais c'est agréable d'être à la maison, tout de même, conclut-elle en soupirant de bien-être.

— J'ai l'impression que tu aimes de mieux en mieux l'école, non ? s'enquit Sarah.

— C'est vrai, même si je préfère être avec toi.

Sarah sourit aux anges et se pencha pour embrasser sa fille.

— Qu'est-ce que tu aimerais faire ce soir, ma chérie ? On pourrait regarder une cassette vidéo, si tu veux.

Elles passèrent une excellente soirée devant une comédie avec Cary Grant, leur acteur préféré. Puis Davy alla se coucher et Sarah se remit au travail.

Le lendemain, elles se levèrent de bonne heure et se rendirent en ville avec un programme très chargé, comme tous les samedis. Après être allées à la piscine, elles achetèrent un nouveau jean à Davina avant de faire une halte à la pizzeria.

— Que veux-tu faire, à présent ? demanda Sarah après le repas. Il fait trop beau pour aller au cinéma. Si nous allions au parc ? Il y a une foire, aujourd'hui.

— Je pourrais avoir un hot-dog et des beignets ?

— Comment peux-tu avoir encore faim !

— J'ai supporté la cantine de la pension pendant une semaine !

En chemin, Sarah aperçut leur reflet dans une vitrine

et constata avec émotion que sa fille grandissait de plus en plus. Comme le temps passait vite !

— L'année prochaine, l'école organise un voyage en France, annonça Davy. Est-ce que je pourrai y aller ?

— Bien sûr, répondit Sarah sans l'ombre d'une hésitation, consciente qu'elle devrait habilement gérer ses finances pour offrir de telles vacances à sa fille.

— Je ne suis pas obligée d'y aller, précisa courageusement Davy.

— Mais j'espère bien que tu iras… Pour une fois, je serai un peu tranquille !

Davy, qui avait commencé à glousser, la prit soudain par le bras.

— Maman, il y a un homme là-bas qui te fait de grands signes.

Le cœur de Sarah fit un bond dans sa poitrine lorsqu'elle vit Jake traverser la rue pour les rejoindre.

— Qui est-ce ? chuchota Davy.

— Un ami, répondit Sarah sur le même ton. Sois gentille.

— Bonjour, Sarah, lui dit Jake en souriant avant de se tourner vers Davy. Bonjour, jeune fille. Je m'appelle Jake Hogan.

A la grande surprise de Sarah, Davy lui adressa un sourire rayonnant. Jamais elle ne s'était montrée si charmante avec Brian.

— Et moi, je m'appelle Davy Tracy. En fait, c'est Davina, mais maman m'appelle comme ça seulement quand elle est fâchée.

— Je connais ça, lui confia Jake avec un clin d'œil complice. Lorsque ma mère m'appelle Jacob, je prends mes jambes à mon cou.

— Même maintenant que vous êtes un adulte ?

— Surtout depuis que je suis un adulte ! s'exclama-t-il avant de regarder de nouveau Sarah. Je peux vous conduire quelque part ? A moins bien sûr que vous ne vous promeniez.

— C'est très gentil, mais nous ne rentrons pas tout de suite. Nous allons au parc, où il y a une foire.

Sarah lui aurait volontiers proposé de se joindre à elles, mais elle savait d'expérience que Davy tolérait mal la présence d'un étranger lors de leurs précieux samedis.

— Dans ce cas, passez un bon après-midi ! Davy, j'ai été ravi de faire ta connaissance, dit-il gaiement.

Puis il regarda intensément Sarah et prit congé avant qu'elle n'ait eu le temps de le remercier pour les fleurs.

— C'est un nouvel ami ? s'enquit Davy après son départ.

— Oui, je viens de faire sa connaissance. Pourquoi ?

— Il est sympa. Pas comme ce raseur de Brian ! s'exclama Davy qui mit aussitôt la main devant sa bouche. Oh... pardon !

— Tu fais bien de t'excuser, la gourmanda Sarah en tâchant de ne pas rire. Et pour information, mademoiselle, je ne sors plus avec Brian.

— Ah bon ? s'étonna sa fille dont le visage s'était éclairé. C'est à cause de M. Hogan ?

— Pas du tout. Nous avons décidé avec Brian qu'il était temps de mettre un terme à notre relation, voilà tout.

Davy poussa un cri de joie.

— Génial ! J'avais tellement peur que tu l'épouses et que je sois obligée de l'appeler papa.

Sarah ne put s'empêcher de rire, cette fois-ci.

— Il n'en a jamais été question, mon trésor.

— Ouf ! Mais tu sais, je ne vois pas d'objection à ce que tu te maries un jour, précisa Davy, magnanime. Quelqu'un comme le père de Polly serait parfait.

— Je tâcherai de m'en souvenir !

Davy parut enchantée de son après-midi au parc. Elle s'émerveilla devant les animaux tout en dégustant un hot-dog, puis s'exerça au stand de tir. Après plusieurs tentatives, elle parvint à gagner un lapin blanc en peluche.

— Tu crois qu'il plairait à grand-mère ? demanda-t-elle lorsqu'elles arrivèrent devant la porte de la maison.

— Sûrement, ma chérie.

— C'est pour moi ? s'étonna Margaret quelques minutes plus tard, ravie de recevoir un cadeau. Voyons, comment vais-je l'appeler ?

— Pourquoi pas Jake ? proposa Davy, une lueur malicieuse dans les yeux, avant de monter l'escalier quatre à quatre.

Les yeux inquisiteurs de Margaret sondèrent ceux de Sarah.

— Comment ça, Jake ?

Bon gré mal gré, Sarah dut lui raconter rapidement leur rencontre avec Jake Hogan.

— Elle m'a dit l'aimer mieux que « ce raseur de Brian ».

Sa grand-mère partit d'un rire un peu forcé.

— On prétend que la vérité sort de la bouche des enfants…, dit-elle en soupirant.

— Tu es d'accord avec elle ? Toi qui tenais tant à ce que j'épouse Brian…

— Je veux juste la sécurité pour toi, Sarah.

— Si je me marie un jour, ce qui est peu probable vu les circonstances, je serai suffisamment exigeante pour attendre bien plus que la sécurité !

Le lendemain, raccompagner Davy à Roedale parut moins pénible à Sarah puisqu'elle devait dîner en compagnie de Jake le soir même. Elle débordait d'enthousiasme à cette idée, mais était bien décidée à rester vigilante.

Lorsqu'elle tourna sur Campden Road et qu'elle l'aperçut, nonchalamment adossé à la carrosserie de sa voiture, elle sentit son cœur s'emballer. Tomber amoureuse de Jake serait si facile… Sarah réalisa soudain qu'il était probablement déjà trop tard. Par manque d'expérience, elle ne s'était pas méfiée des signes avant-coureurs assez tôt. Heureusement, elle n'eut pas le temps de s'attarder sur ces pensées.

A peine eut-elle garé sa voiture que Jake s'empressa de lui ouvrir la portière.

— Enfin ! s'écria-t-il. J'ai commis l'erreur d'arriver en avance et je commençais à trouver le temps long.

— Bonjour, répondit-elle en souriant. Entrez un instant, je vous en prie.

Il la suivit dans l'entrée, referma la porte derrière lui et jeta un rapide coup d'œil vers l'escalier.

— Votre grand-mère est-elle là ?

— Non, pourquoi ?

D'un geste doux, il l'attira contre lui et la prit dans ses bras quelques instants.

— Parce que j'ai envie de vous serrer contre moi, murmura-t-il. Mais rassurez-vous, je ne vous embrasserai pas, sauf si vous me le demandez gentiment. J'aurais tant voulu vous donner un baiser, hier après-midi, en partant. Vous en êtes-vous rendu compte ?

— Bien sûr que non ! répondit-elle en sentant ses joues devenir écarlates.

— Etiez-vous contente de me voir ?

— Oui, à tel point que j'ai oublié de vous remercier pour les fleurs !

— Ce ne serait pas plutôt à cause de la présence de Davy ?

— Pas du tout… Nous ferions mieux de nous dépêcher, si nous voulons avoir le temps de nous promener. Vous pouvez vous installer dans le salon pendant que je rentre la voiture au garage.

— Où est-il, votre garage ?

— Au fond du jardin.

— Donnez-moi les clés, je vais m'en occuper.

Après lui avoir donné ses instructions, elle monta dans sa chambre pour se changer. L'ensemble de lin qu'elle portait lui parut trop apprêté pour une promenade. Elle choisit donc une tenue plus adaptée : un pantalon en coton blanc et des mocassins assortis. Face au miroir, elle vérifia son maquillage et redescendit au moment où Jake revenait.

— Merci. La voiture restera à l'abri jusqu'à vendredi prochain.

— Et que se passera-t-il si un orage éclate alors que vous rentrez chez vous ? demanda-t-il, amusé.

— A l'avenir, je prêterai davantage attention aux prévisions de la météo !

— Vous avez un téléphone portable ?

— Oui.

— Dans ce cas, il vous suffira d'appeler et je viendrai vous chercher.

— Et si votre secrétaire me dit que vous êtes trop occupé ?

— Je lui donnerai des instructions. Et d'ici à la fin de la soirée, nous aurons échangé nos numéros de téléphone personnels. Vous pourrez m'appeler à n'importe quel moment, Sarah, précisa-t-il en la regardant droit dans les yeux. Et maintenant, en route !

A l'extérieur de la ville, Jake lui fit découvrir un parc qui longeait une ancienne gare ferroviaire transformée en restaurant.

— Vous n'étiez jamais venue, auparavant ? s'enquit-il.

— Non, mais je reviendrai. Davy pourrait faire de la bicyclette, par ici.

— Oui, j'emmène souvent les enfants avec les leurs, lui apprit-il d'un ton désinvolte.

En la voyant ouvrir de grands yeux, il éclata de rire.

— J'ai deux sœurs qui sont mariées et qui ont chacune des enfants.

— Je comprends ! C'est pour cette raison que vous étiez si à l'aise avec Davy.

— Ce n'était pas bien difficile ; c'est une petite fille très mignonne.

— Ne dites surtout pas « petite » devant elle ! Davy se croit très mûre, au contraire, répliqua-t-elle en faisant la moue. Avant-hier, elle a essayé de me convaincre de lui acheter des chaussures à talons compensés, le même modèle que sa chanteuse préférée.

— Avez-vous cédé ?

— Non, je lui ai proposé un compromis. C'est un

art que j'ai dû apprendre en la voyant grandir si vite. Je lui ai permis de prendre le jean brodé qu'elle réclamait également, mais pas les chaussures. Elle doit respecter les limites que je fixe, expliqua-t-elle en souriant. Elle le fait d'ailleurs la plupart du temps.

— Les filles de Maddy, ma sœur, se tournent vers leur père quand elles n'obtiennent pas satisfaction…

Jake s'arrêta au beau milieu de sa phrase, l'air mortifié.

— Je suis un idiot… Pardon, Sarah.

— Ne soyez pas désolé, je ne suis pas susceptible sur ce point, le rassura-t-elle. Expliquez-moi donc comment votre beau-frère gère leurs ruses féminines ?

— Sam a très vite compris qu'il avait intérêt à faire la sourde oreille s'il ne voulait pas subir les foudres de sa femme. Ma sœur a hérité du caractère volcanique de notre mère. Les fils de Paula, mon autre sœur, sont plus âgés et s'intéressent plus aux ordinateurs qu'aux vêtements.

— Ce doit être amusant de faire partie d'une famille nombreuse, commenta-t-elle d'un ton envieux.

— A certains moments c'est amusant, à d'autres c'est l'enfer, répondit-il avec un haussement d'épaules. Ceux d'entre nous qui habitent ici sont censés déjeuner chez mes parents le dimanche. Liam vient très souvent lui aussi. Habiter Londres n'est pas une excuse suffisante aux yeux de notre mère.

— Votre frère est-il marié ?

— Non, mais il est avec quelqu'un, dit-il, la mine sombre.

— Vous n'aimez pas son amie ?

— Ce n'est pas mon avis qui compte, répondit-il en jetant un coup d'œil à sa montre. Il se fait tard, je vous invite à dîner chez moi. Je suis sûr que vous aimerez les cannelloni de ma mère, qui ne me laisse jamais partir les mains vides. Elle est persuadée que je ne me nourris pas correctement, expliqua-t-il en faisant la grimace. Cette promenade était une excellente idée, Sarah. La prochaine fois, nous pourrons peut-être emmener Davy ?

— Je préfère ne pas mêler ma fille à ma vie sociale.

— Parce que votre dernier ami vous a laissée tomber ?

— Oh non ! Davy était ravie de l'apprendre, s'exclama-t-elle en riant. Apparemment, elle avait très peur que j'épouse ce « raseur de Brian » et qu'elle soit obligée de l'appeler papa.

Jake partit d'un éclat de rire, s'attirant le regard amusé d'un autre couple de promeneurs.

— Etait-il si ennuyeux ?

— Pour tout dire… oui. C'est bien pour cela que j'avais l'intention de le quitter, mais il a été plus rapide que moi.

— Cet homme est un imbécile, décréta Jake d'un ton sans appel. Davy est-elle opposée à l'idée que vous vous mariiez un jour ?

— Non, elle m'a même dit qu'elle aimerait bien un papa comme celui de son amie Polly.

— Qu'en pense le père de Polly ?

— J'aime trop Alison Rogers pour lui faire ce coup-là…, plaisanta-t-elle.

— Vous ne parlez tout de même pas de la femme de Don Rogers ?

— Si, pourquoi ? Vous la connaissez ?

— Et comment ! La société de son mari est en relation avec la mienne. J'aime beaucoup Don.

— Que le monde est petit !

— Pennington est une petite ville, fit-il remarquer. En fait, c'est plutôt étrange que nous ne soyons pas tombés l'un sur l'autre plus tôt.

— Pas tant que ça. Jusqu'à l'automne dernier, je ne sortais pas beaucoup.

— Que s'est-il passé à ce moment-là ?

— Davy est devenue pensionnaire. Lorsqu'elle était encore avec moi, je passais mon temps à faire le chauffeur pour l'accompagner à ses diverses activités, et puis je m'occupais de ses devoirs.

— Et cette vie vous suffisait-elle ? demanda-t-il lorsqu'ils furent devant la voiture.

— Je n'avais pas le choix… Mais depuis quelques mois,

j'ai une vie personnelle un peu plus normale… Il y avait même quelqu'un d'autre, avant Brian.

— Ne me dites pas qu'il a rompu, lui aussi ; je ne vous croirais pas.

— Non. Cette fois-là, c'était moi.

— Pourquoi ?

— Il était veuf et…

— Davy ne l'aimait pas ?

— Elle ne l'a jamais rencontré. Oliver avait un petit garçon et comme je ne voulais pas mêler nos enfants à tout ça, notre relation s'est doucement étiolée. Sans compter que le pauvre homme n'avait pas fait le deuil de sa femme.

Jake roula en silence un moment et lui adressa un regard en biais.

— Juste pour information, Sarah. Je ne cours après le souvenir de personne.

Elle était ravie de l'entendre.

— Et la femme dont vous m'avez parlé ? s'enquit-elle néanmoins.

— Ma famille peut occasionnellement interférer dans ma vie, mais je ne traîne pas de casseroles susceptibles de compliquer notre relation.

Une relation ? Abasourdie, Sarah resta muette.

— De toute évidence, ce que je viens de dire vous a surprise, dit-il alors. L'idée vous déplaît-elle à ce point ? Dès la première fois que je vous ai vue…

— J'étais trempée et je criais sur vous comme une vraie harpie ! lui rappela-t-elle.

— J'ai su malgré tout.

— Su quoi ?

— Que je voulais que vous fassiez partie de ma vie. C'est pour cela que je suis venu frapper à votre porte. Quand vous m'avez enfin ouvert, j'ai été ébloui.

— Parce que j'avais meilleure allure une fois sèche ?

— Je vous ai trouvée ravissante, acquiesça-t-il. Mais en voyant la photo de Davy, j'ai pensé que vous étiez mariée.

Vous avez dû remarquer mon soulagement lorsque vous m'avez dit que vous étiez *mademoiselle* Tracy ?

— Quel âge avez-vous, Jake ? demanda-t-elle à brûle-pourpoint.

— Trente ans, pourquoi ?

— Vous avez réussi et vous n'êtes pas mal loti physiquement. Alors, pourquoi n'êtes-vous pas marié ?

— Parce que je n'ai jamais trouvé la bonne personne, c'est tout. Voilà, nous sommes arrivés, ajouta-t-il en se garant devant un bel immeuble.

Avant de descendre de voiture, il prit les mains de la jeune femme dans les siennes et posa sur elle son beau regard grave.

— Sarah, je suis prêt à accepter la relation que vous me proposerez.

5.

Jake habitait un grand appartement doté d'une terrasse surplombant la rivière Penn. La baie vitrée, le parquet clair, les murs couleur crème dénués de tout ornement offraient un contraste saisissant avec la vieille maison surchargée que Sarah partageait avec sa grand-mère.

— Vous habitez ici depuis longtemps ? s'informa-t-elle, vivement frappée par l'impression de lumière et d'espace que dégageait ce lieu.

— Pourquoi, cette pièce vous semble-t-elle trop nue ?

— Oh non ! j'aime énormément ce côté épuré.

Sa réponse parut lui faire plaisir.

— Quand j'ai quitté le nid familial, j'ai d'abord emménagé dans un appartement meublé dans une maison semblable à la vôtre. Ma mère a eu beaucoup de mal à comprendre pourquoi j'éprouvais le besoin de vivre seul. Le jour où j'ai appris que cet appartement était à vendre, j'ai sauté sur l'occasion. Mais j'ai décidé de prendre tout mon temps pour le meubler, et de n'acheter que ce qui me plaît. Cela qui chagrine ma mère, qui aimerait baucoup m'aider à décorer cet endroit.

— Pourquoi refusez-vous son aide ?

— Elle raffole des tableaux, des tentures, des miroirs et des coussins. Si je l'écoutais, ce parquet disparaîtrait sous les tapis !

Sarah hocha la tête en silence, tout en balayant du regard le salon. Le canapé en daim miel était recouvert d'un plaid en cashmere marron glacé. De chaque côté, deux profonds fauteuils assortis se faisaient face. Dans un coin, elle aperçut un paravent en fer forgé, tapissé d'un cuir subtilement patiné. Des étagères de verre avaient été installées dans des niches murales, discrètement éclairées par en dessous. Le reste de la pièce était vide, à l'exception d'un nu en bronze, légèrement en retrait.

— Un cadeau de Liam quand je me suis installé, expliqua-t-il, manifestement touché qu'elle prenne le temps de regarder chaque objet.

— Il n'y a pas de rideaux… Vous avez raison, il aurait été dommage de cacher une vue pareille.

— Si vous souhaitez admirer un autre point de vue, suivez-moi.

Il la fit entrer dans une cuisine spacieuse — un mélange de bois brut et d'acier — dont la fenêtre offrait un angle différent sur la rivière.

— Vous ne devez pas utiliser souvent cette pièce ! s'écria-t-elle.

— J'ai fait un grand rangement ce matin dans le but de vous impressionner. Mais je vous épargnerai la visite de ma chambre.

— J'y tiens, au contraire ! J'ai souvent entendu parler de ces appartements au bord de la rivière, et je me suis toujours demandé à quoi ils pouvaient ressembler.

Comme elle s'y attendait, les murs de la chambre, tout comme le couvre-lit, étaient dans les tons ivoire. Un petit tapis en laine ocre ajoutait une note de chaleur à la pièce. A l'exclusion d'un gigantesque placard et du lit, le seul meuble était une table de chevet surmontée d'une lampe en bronze. L'ensemble aurait pu sembler spartiate, mais quand elle songeait à sa propre chambre, encombrée d'un bureau, d'un ordinateur et de tous les meubles hérités de ses parents, elle enviait à Jake cet espace et cette tranquillité. A vrai dire, elle aurait adoré habiter un tel endroit.

— Alors, quel est votre verdict ? demanda-t-il quand ils retournèrent dans la cuisine.

— Je suis verte de jalousie !

— Je suis heureux que ça vous plaise. Pendant que je prépare notre dîner, vous pouvez admirer le coucher de soleil par la fenêtre, dit-il en débouchant une bouteille de vin. Ma mère m'a donné du pain fait maison. Je vais faire réchauffer les cannelloni et nous irons pique-niquer dans le salon. Euh… comme vous l'avez sans doute remarqué, je n'ai pas de salle à manger. J'ai préféré abattre les cloisons pour agrandir la pièce principale.

Quelques instants plus tard, ils s'assirent sur le canapé que Jake avait pris soin de tirer près de la fenêtre pour qu'ils puissent admirer la vue. Bien que les cannelloni fussent délicieux, Sarah savait que c'était la compagnie de Jake qui rendait ce repas si agréable, comme la fois précédente au restaurant.

— C'était exquis, dit-elle lorsqu'elle eut terminé son plat. Votre mère est une cuisinière de grand talent.

— J'ai failli vous faire croire que je les avais faits moi-même, mais j'ai préféré être honnête, dit-il en se levant pour rapporter les assiettes dans la cuisine.

Une fois revenu, il s'installa à côté d'elle et soupira de contentement.

— Que faites-vous, d'ordinaire, le dimanche après avoir raccompagné Davy ?

— Je tourne en rond et je me mets au lit avec un livre, répondit-elle avec un petit sourire. Vous me faites faire de grands progrès !

— Merci. C'est également un progrès pour moi.

— Et vous, que faites-vous le dimanche ?

— Rien de très palpitant. Après le traditionnel repas de famille, je parle affaires avec mon père et, quand je rentre ici, je m'occupe de mes papiers.

— Tous les dimanches ?

— Ces derniers temps, oui. Auparavant, je passais mes week-ends à Londres. Mais ça n'a pas duré longtemps…

— Pourquoi donc ?

— Comme je vous l'ai dit, elle a rencontré quelqu'un d'autre, répondit-il un peu froidement.

Tout à coup, Sarah se sentit étrangement mal à l'aise.

— Il est temps que je rentre, décréta-t-elle en se levant. Merci pour cet excellent dîner.

Il bondit sur ses pieds à son tour, l'air surpris et affolé.

— Ne partez pas tout de suite ! Je ne voulais pas être désagréable. Quand je vous ai dit que je ne courais après le souvenir de personne, j'étais sincère. De mon côté, rien ne fait obstacle à notre relation.

— Mais de quelle relation parlez-vous ?

— Ne vous voilez pas la face, Sarah…

— Très bien, mais une relation entre nous est impossible si vous regrettez toujours cette femme.

— Pas du tout ! se récria-t-il avant de lui caresser doucement la joue. Asseyez-vous, je vous en prie, et laissez-moi m'expliquer. Puis, si vous le souhaitez toujours, je vous raccompagnerai chez vous. J'ai rencontré cette femme à Londres, commença-t-il alors que la pénombre s'étendait au-dehors.

Elle ne put s'empêcher de lui adresser un regard hostile. Pourquoi ne désignait-il pas cette personne par son nom ?

— Nous courions après le même taxi et, bien sûr, nous avons décidé de le partager, poursuivit-il. A partir de là, les événements se sont enchaînés très vite. Elle travaille dans la publicité, gagne énormément d'argent et déteste la campagne. Je n'ai jamais réussi à la faire venir ici. C'était à moi de me déplacer tous les week-ends. Elle m'a quitté avant même que cela devienne une habitude. Fin de l'histoire.

— Tenez-vous toujours à elle ?

Jake sursauta, comme si cette question avait été des plus incongrues. Puis il la regarda avec un étonnement non feint.

— Grand Dieu, non ! J'ai été très en colère, mais elle n'a pas brisé mon cœur. Ça n'a jamais été ce genre de relation.

— Qu'était-ce, alors ?

— Une simple aventure.

— Dans ce cas, pourquoi tant de colère ?

— Parce qu'elle m'a menti. Elle a continué de me voir

alors qu'elle sortait avec un autre homme. C'est lui qui a insisté pour qu'elle m'avoue la vérité. Visiblement, cette situation ne la gênait pas le moins du monde.

— A-t-elle donné une raison à ce mensonge ?

— Elle avait paraît-il peur de me faire souffrir, répondit-il d'un ton ironique. Ce qui était plutôt présomptueux de sa part, attendu que nous n'avions guère passé que quelques soirées ensemble, à dîner, à nous amuser et à faire l'amour, bien entendu. Rien de bouleversant de ce côté-là, d'ailleurs. Quand je le lui ai fait remarquer, elle m'a tout bonnement giflé. Je suis rentré chez moi dans un état de rage indescriptible.

Il garda le silence un instant, les yeux perdus dans le vague puis se tourna de nouveau vers elle en souriant.

— Désolé, je n'avais pas l'intention de vous ennuyer avec le passé.

Sur ces paroles, il l'embrassa à la commissure des lèvres sans lui laisser le temps de réagir. Le contact velouté de sa bouche la fit frissonner. Mais, aussitôt, une sonnette d'alarme retentit dans sa tête.

— J'avais d'autres plans pour vous ce soir, murmura-t-il à son oreille.

— Des plans ? reprit-elle, sur la défensive.

— C'est juste une manière de parler, dit-il, visiblement déconcerté par sa soudaine froideur. Je voulais que nous passions du temps ensemble pour apprendre à mieux vous connaître.

Un passage dans son lit faisait-il également partie de ses projets ?

— Je voudrais rentrer chez moi, s'il vous plaît, annonça-t-elle, glaciale.

— Si tôt ? Et si je jure de ne pas vous toucher, accepterez-vous de rester un peu plus ?

Elle déclina l'offre en évitant soigneusement son regard.

— Il se fait tard, et nous devons tous les deux travailler demain.

— Vous semblez si pressée de partir, tout à coup…

Bon, puisque vous n'avez pas l'air de vouloir changer d'avis, allons-y, je vous raccompagne.

Durant le trajet, Sarah garda le silence, maudissant sa tendance à fuir dès qu'il était plus ou moins question de sexe. Cette fois-ci, elle avait gâché une soirée commencée de manière idyllique. La promenade, le dîner, tout s'était merveilleusement passé jusqu'à ce que Jake commence à parler de sa dernière aventure.

Lorsqu'ils furent arrivés à Campden Road, Jake lui ouvrit galamment la portière, la raccompagna jusqu'à la porte et prit congé immédiatement.

Cette nuit-là, elle ne parvint pas à trouver le sommeil. Espérait-elle que Jake la supplierait de rester ? Dans ce cas, elle méritait la palme de la naïveté. Le charme et la légèreté dont il savait faire preuve déguisaient une volonté de fer. Mais inutile d'y songer, à présent, car elle n'aurait pas l'occasion de mieux le connaître. Elle venait d'anéantir tout espoir de le revoir. Et tout cela à cause d'un mot malheureux… Pour couronner le tout, ils n'avaient pas échangé leurs numéros de téléphone comme prévu !

Jamais un lundi ne lui avait paru aussi pénible. Sarah se sentait si abattue que même ses collègues lui demandèrent ce qui n'allait pas. Pour surmonter sa tristesse, elle travailla deux fois plus et resta au bureau plus tard que d'habitude. Lorsqu'elle se résolut enfin à rentrer, elle s'aperçut qu'il pleuvait des cordes. Un temps parfaitement accordé avec son humeur… En ouvrant son parapluie, elle se reprocha d'avoir déjà bouclé tous ses dossiers, alors qu'une longue soirée solitaire l'attendait. Perdue dans ses idées noires, elle sursauta violemment lorsqu'une main se posa sur son épaule. Elle fit volte-face pour se retrouver nez à nez avec Jake Hogan. Il portait un imperméable et un chapeau enfoncé jusqu'aux yeux. Dans cette tenue, elle eut peine à le reconnaître. Son visage, d'ordinaire souriant, était fermé.

— Vous rentrez tard, ce soir, lui dit-il sans s'encombrer de salutations.

— Bonjour, Jake, rétorqua-t-elle, un peu pincée, pour masquer la joie qu'elle éprouvait à le revoir. Que faites-vous ici ?

— Je vous attendais sous la pluie. Je vais vous raccompagner chez vous.

Il n'attendit pas son assentiment, la prit par le bras et la fit monter dans sa voiture, sans ajouter un mot. Ils avaient déjà parcouru la moitié du trajet quand elle trouva le courage de briser le silence.

— Je suis désolée pour hier soir, dit-elle, les yeux rivés sur les gouttes d'eau ruisselant sur le pare-brise.

— Moi aussi, répondit-il en lui décochant un regard intrigué. Mais de grâce, dites-moi ce que je vous ai fait !

— Vous m'avez dit préférer la vérité, n'est-ce pas ?

— En temps normal, oui. Mais cette fois-ci, je n'en suis pas si sûr.

Allez, Sarah, parle. Libère-toi de ce poids ! s'ordonna-t-elle.

— Vous m'avez laissé entendre que vous vouliez faire partie de ma vie, à n'importe quel titre.

Il acquiesça sombrement de la tête.

— Oui, et je le pense toujours, affirma-t-il en se garant devant sa maison.

— Combien de temps a duré votre relation avec l'autre femme ? s'enquit-elle en le regardant droit dans les yeux.

— Trois… non, quatre week-ends.

— Mais vous avez couché ensemble dès le début ?

— Oui, reconnut-il dans un haussement d'épaules. C'est plutôt courant, de nos jours…

— Si courant que c'est ce que vous comptiez faire avec moi, hier soir.

Jake la dévisagea longuement, l'air songeur et torturé. Croyant un moment qu'il n'ajouterait plus un mot, Sarah se demanda si elle ne ferait pas mieux de descendre de la voiture. C'est à ce moment-là qu'il reprit la parole.

— Cette idée vous est-elle insupportable à ce point ?

— Non, admit-elle en rougissant. Ce n'était pas ce que je voulais dire. Malgré tout, il n'est pas question de cela entre nous. Je ne peux vous offrir que mon amitié.

— Vous changerez peut-être d'avis en apprenant à me connaître, déclara-t-il en lui prenant la main.

— A votre place, je n'y compterais pas, le détrompa-t-elle en évitant de croiser son regard. J'apprécie beaucoup votre compagnie, Jake, mais c'est tout.

Il souleva son menton pour l'obliger à lever les yeux et, contre toute attente, les traits de son visage s'adoucirent.

— Chat échaudé craint l'eau froide, dit-on. Vous avez eu une mauvaise expérience par le passé ?

Elle acquiesça d'un hochement de tête, préférant lui offrir cette explication plausible plutôt que d'entrer dans des éclaircissements qu'elle n'était pas prête à lui donner.

— J'ai toujours envie de passer du temps avec vous, dit-il d'une voix grave.

— Moi aussi.

— Que faites-vous, ce soir ?

— Rien de particulier.

Jake parut enfin se détendre et sourit de nouveau.

— Un cinéma vous tente ? On passe un bon Clint Eastwood en ce moment. Je promets que je ne ferai que vous tenir la main.

Profondément soulagée, elle lui rendit son sourire, toute tristesse envolée.

— Si vous me prenez par les sentiments… Aurai-je droit à du pop-corn ?

— Et à de la glace, si vous êtes gentille.

Le lendemain de cette soirée au cinéma, Jake invita Sarah à dîner dans un très bon restaurant du centre-ville et, plus tard dans la semaine, il l'emmena au théâtre. Mais, lorsqu'il la raccompagna à Campden Road après le spectacle, son visage s'assombrit de nouveau.

— Je suppose que je ne vous reverrai pas avant la semaine prochaine ?

— J'en ai bien peur, en effet ! répondit-elle avant d'éclater de rire. Si toutefois je suis encore vivante ! Polly vient passer le week-end ici, et dimanche je suis invitée à déjeuner chez ses parents, ce qui me fait grand plaisir, d'ailleurs.

— On pourrait se voir dimanche soir, peut-être ?

— Je ne pense pas que ce soit une bonne idée. Je serai vraisemblablement épuisée.

— Nous devrons attendre jusqu'à mercredi, dans ce cas, dit-il en fronçant les sourcils. Je dois m'absenter lundi et je ne serai pas de retour avant mardi soir.

Sarah le regarda, soudain consternée.

— C'est impossible, mercredi. J'ai oublié de vous le dire, mais je pars quelques jours en milieu de semaine.

— Vous avez oublié ! reprit-il, l'air navré. Où allez-vous ?

— Jake, il est encore tôt ; vous voulez prendre le café chez moi ?

— Vous m'invitez chez vous ?

— Oui, voulez-vous venir ?

— Je ne me ferai pas prier ! s'exclama-t-il en ouvrant aussitôt la portière de la voiture.

Puis, en un clin d'œil, il l'aida à sortir et l'entraîna jusque devant la porte.

— Pourquoi tant de hâte ? l'interrogea-t-elle en riant.

— Pour ne pas vous laisser le temps de changer d'avis.

Au moment où ils entrèrent dans le hall, Margaret sortit de la cuisine.

— Bonsoir, grand-mère ! la salua joyeusement Sarah. Permets-moi de te présenter Jake Hogan. Jake, ma grand-mère, Margaret Parker.

— Bonsoir, monsieur, dit cette dernière avec une courtoisie toute formelle.

Jake lui tendit la main en souriant.

— Ravi de faire votre connaissance, madame.

Margaret lui serra la main et lui adressa même un petit sourire.

— J'étais en train de me faire un café, leur expliqua-t-elle.

— Tu peux le prendre avec nous, si tu veux, proposa vaillamment Sarah.

Mais Margaret déclina poliment l'offre et, après avoir dit à Jake qu'elle avait été ravie de faire sa connaissance, remonta chez elle.

— Je comprends de qui vous tenez vos yeux noisette, commenta Jake en la regardant disposer des tasses sur un plateau.

— Ma mère avait les mêmes. Le gène maternel est dominant, dans ma famille.

Grâce au ciel ! songea-t-elle en le faisant entrer dans le salon.

— Vous ne m'avez toujours pas dit où vous allez, la semaine prochaine, fit-il remarquer en s'asseyant.

— A un mariage.

— Quelqu'un de votre famille ?

— Non, un vieil ami de l'université. Je dois faire l'effort d'y aller parce que j'aime beaucoup Nick, et que je retrouverai là-bas tout le groupe…

— On dirait que cette perspective vous ennuie, non ?

Sarah acquiesça en silence avant d'expliquer :

— Le mariage a lieu au milieu de la semaine, ce qui m'arrange en un sens puisque je n'ai pas à me soucier de Davy…

— Dans ce cas, quel est le problème ?

— Oh ! ce n'est rien… Seulement, je serai la seule à ne pas être en couple, c'est tout.

— En êtes-vous gênée à ce point ?

— En fait, oui. Autrefois, Nick m'accompagnait toujours dans ce genre d'occasions, mais comme c'est lui le marié, cette fois-ci, je devrai me résoudre à être toute seule !

— Vous avez reçu une invitation pour deux, je présume ?

— Oui, reconnut-elle en faisant la moue. Nick m'a priée de venir avec mon actuel petit ami.

— Dans ce cas, pourquoi ne pas le faire ?

Elle ouvrit de grands yeux étonnés.

— Vous voulez dire que vous viendriez avec moi ?

— Bien sûr ! Nous sommes plus ou moins un couple, après tout, fit-il valoir, une lueur moqueuse dans les yeux. Si vous le souhaitez, je serai ravi d'être votre cavalier.

L'offre était pour le moins tentante, mais un problème subsistait.

— Je passerai la nuit là-bas…

— Je réserverai une chambre dans le même hôtel que vous, dans ce cas.

— Et votre travail ? Que vont-ils dire, chez Pentiles, si vous vous absentez en plein milieu de semaine ?

— Vous oubliez que *je suis* Pentiles ! A ce titre, je suis libre de faire ce que bon me semble. Et puis la société ne va pas s'arrêter de tourner parce que je m'en vais deux jours.

— Si vous venez avec moi, commença-t-elle en choisissant ses mots avec prudence, mes amis risquent de vous prendre pour mon fiancé.

— Je n'y verrais aucune offense ! Cela dit, vous n'aurez qu'à me présenter comme un ami, si vous préférez.

A ce moment-là, son regard parut s'enflammer.

— Parfois, j'ai du mal à admettre d'avoir été aussi facilement dompté…, poursuivit-il.

Cette remarque prit Sarah de court. Déstabilisée, et pour tout dire un peu inquiète, elle lui adressa un regard furieux. Avec cette lueur féline dans les yeux, Jake ne donnait pas vraiment l'impression d'avoir été dompté…

— Si vous venez au mariage, commença-t-elle avant d'être interrompue.

— Je viens ! J'aime beaucoup les mariages.

— Vous êtes bien le seul homme de ma connaissance à aimer ça !

— Comme je m'obstine à vous le répéter, je ne suis pas comme tous les hommes. Et j'ai une longue expérience des mariages, je vous assure. J'ai assisté et survécu à celui de mes deux sœurs et d'une ribambelle de cousins. J'ai même été deux fois témoin.

— Très bien, vous avez gagné, Jake ! dit-elle en riant malgré elle.

— Je gagne toujours, précisa-t-il avec un clin d'œil. Où a lieu le mariage ?

Sans attendre une minute, il appela l'hôtel que lui indiqua Sarah pour réserver une chambre. Manifestement, on ne semblait pas décidé à satisfaire sa requête. Il demanda alors à parler à la directrice de l'établissement et usa de tout son charme pour la convaincre.

— Il ne restait plus qu'une chambre à cause du mariage, expliqua-t-il en raccrochant. La directrice hésitait à me la laisser parce qu'ils ont fait des travaux dedans et que ce n'est pas tout à fait fini. J'ai pu la persuader de les faire terminer pour mon arrivée.

— Vous ne manquez pas de culot ! Je suppose que votre numéro de charme marche à tous les coups.

— Pas toujours, non. Si c'était le cas, j'aurais déjà essayé avec vous, répondit-il en soupirant avant de consulter sa montre. Il est temps que je parte.

— Ecoutez, Jake, si vous changez d'avis... je veux dire pour le mariage. N'hésitez pas à annuler, dit Sarah en se redressant.

Suivant son exemple, il se leva et la prit par les épaules.

— Je n'ai pas l'intention de changer d'avis. L'idée d'aller seule à ce mariage vous chagrine, et je suis ravi de pouvoir vous aider. Nous ne sommes pas amis pour rien, n'est-ce pas ?

Obéissant à une impulsion subite, elle se mit sur la pointe des pieds et l'embrassa sur la joue.

— Merci, Jake.

Il recula, visiblement troublé.

— Ça me fait plaisir, assura-t-il d'une voix enrouée. Bonne nuit, Sarah.

D'ordinaire, ils s'embrassaient amicalement au moment de se dire au revoir. Cette fois-ci, Jake l'attira contre lui et l'embrassa avec une avidité qui la laissa pantelante lorsqu'il desserra finalement son étreinte.

— Je vous appellerai, lança-t-il, un sourire coquin au coin des lèvres.

Puis il partit dans la nuit, sans avoir fixé de rendez-vous avant le mercredi suivant, à la grande déception de Sarah.

6.

Avec Davy et Polly chez elle, le week-end de Sarah fut trop chargé pour que Jake lui manque. Du moins pas autant qu'elle l'avait redouté. Le samedi matin, les deux amies se levèrent de bonne heure. Après les avoir accompagnées à la piscine, elle les emmena déjeuner à la pizzeria puis enchaîna sur une séance de cinéma. Le soir, Margaret proposa spontanément de se joindre à elles pour un jeu de société.

— Merci, lui dit Sarah une fois que les deux fillettes furent enfin couchées. Je pensais que tu devais sortir, ce soir.

— J'ai préféré voir Barbara à l'heure du déjeuner, nous avons un peu discuté de notre prochain voyage en Toscane, expliqua sa grand-mère en posant soudain sur elle un regard curieux. Dis-moi, comment Jake vit-il le fait que tu ne sois pas disponible le week-end ?

— Si cela le contrarie, il n'en laisse rien paraître, en tout cas. Et puis, dès le début, j'ai posé toutes les cartes sur table au sujet de Davy. Enfin… presque toutes, corrigea-t-elle. A propos, Jake va m'accompagner au mariage de Nick.

— Vraiment ? Et à quel titre ?

— En tant qu'ami.

— Est-ce tout ce qu'il est pour toi ?

— Bien sûr, c'est tout ce qu'il peut être, répondit-elle en soutenant le regard inquisiteur de sa grand-mère.

*
* *

En ouvrant les yeux le lendemain, Sarah constata avec plaisir qu'un soleil radieux illuminait sa chambre. Un temps idéal pour le barbecue des Rogers, songea-t-elle. Après avoir pris sa douche, elle revêtit une jupe de lin framboise et un haut blanc sans manches, légèrement ajusté. Puis elle alla chercher les deux filles.

— Tout s'est bien passé ? s'enquit Alison à leur arrivée.

Polly se précipita dans les bras de sa mère et lui raconta d'une traite toutes ses aventures du week-end. Puis, Davy et elle partirent jouer dans le jardin.

— J'espère qu'elles ne vous ont pas épuisée, déclara Don. Asseyez-vous et détendez-vous !

— Rassurez-vous, tout s'est bien passé, déclara Sarah en s'installant dans une chaise longue.

Lorsque les premiers invités arrivèrent, les Rogers prirent le temps de la présenter à chacun. Elle se sentit donc tout de suite à l'aise au milieu de leur groupe d'amis. Profitant de ce que les hommes aidaient Don à préparer le barbecue, Alison sollicita son aide pour apporter les plats sur la table dressée dans le jardin.

Alors que Sarah venait de faire son dernier voyage dans la cuisine, le carillon de la porte retentit. Quand elle alla ouvrir au retardataire, quelle ne fut pas sa surprise de se retrouver nez à nez avec Jake Hogan ! Vêtu d'un jean et d'un polo bleu marine de la même couleur que ses yeux, il arborait un sourire triomphant.

— Jake ! s'écria alors Alison en les rejoignant. Cela fait si longtemps qu'on ne vous a pas vu. Je constate que vous avez rencontré Sarah Tracy.

— En effet, répondit-il en embrassant son hôtesse sur les deux joues. Comment allez-vous, Ally ?

— Je suis un peu plus vieille que la dernière fois que nous nous sommes vus, répondit-elle en riant. Mais entrez vite et servez-vous à boire !

Alison disparut dans le couloir pour rejoindre ses invités. Sarah s'apprêtait à faire de même, mais Jake la retint un instant.

— Etes-vous contente de me voir ?

— Vous ne m'avez pas dit que vous seriez là, lui reprocha-t-elle.

— Don ne m'a invité que vendredi.

— Quelle coïncidence !

— Pas vraiment, reconnut-il. Je me suis débrouillé pour appeler Don et lui dire que cela faisait une éternité que je n'avais pas vu Alison, et le tour était joué.

Sarah le toisa en essayant de prendre l'air sévère.

— Tout de même, vous auriez pu me prévenir.

— Je voulais vous faire la surprise, dit-il en lui prenant la main. Dites-moi que ça vous fait plaisir, ajouta-t-il d'un ton caressant.

— Ça me fait plaisir, admit-elle, soudain radoucie.

— Tant mieux ! s'exclama-t-il en lui adressant ce sourire enjôleur qui avait le don de la faire fondre. Où est Davy ?

— Dans le jardin, avec Polly. Venez, nous ferions mieux de rejoindre les autres.

Jusqu'à ce moment, Sarah s'était bien amusée. Depuis l'arrivée de Jake, elle se sentait euphorique. Ce dernier, après s'être présenté à tous les invités, s'installa dans une chaise longue à son côté.

Ils devisaient gaiement quand Helen Fenwick, une des amies d'Alison, demanda à la cantonade si quelqu'un avait vu la pièce qui se jouait au théâtre cette semaine-là. Jake répondit spontanément qu'ils y étaient allés ensemble.

— J'ignorais que vous vous connaissiez si bien, s'étonna Alison, en les dévisageant l'un après l'autre, l'air vaguement soupçonneux.

— Eh si, répondit légèrement Jake avant de changer de sujet. Comment va Polly ?

— Elle fait la folle dans le jardin avec la fille de Sarah… Oh ! mon Dieu ! Que se passe-t-il ?

Ils tournèrent tous la tête dans la même direction et aperçurent Polly qui accourait du fond du jardin en pleurant.

— Davy est coincée dans un arbre ! Elle n'arrive pas

à descendre et elle saigne, se lamenta cette dernière entre deux sanglots.

Sarah se sentit blêmir. Jake, qui s'était déjà levé, l'aida à se mettre debout. Sans attendre une seconde de plus, ils suivirent Polly en courant, accompagnés de Don qui avait abandonné ses ustensiles à sa femme. Sarah crut défaillir en voyant sa fille juchée à plusieurs mètres du sol, sur la branche de l'un des arbres qui bordaient la propriété des Rogers.

— Salut, Davy ! lança Jake d'une voix qu'il s'efforçait manifestement de rendre naturelle. Comment as-tu fait pour monter aussi haut ?

Davy le regarda avec surprise.

— Bonjour, monsieur Hogan, cria-t-elle avant que sa voix ne se brise. C'était très facile de grimper, mais maintenant je ne peux plus descendre…

— Tu t'es blessée ? demanda Sarah d'un ton résolument calme.

— Ce n'est pas grave, c'est juste une égratignure au genou.

Don, qui des deux hommes était le plus lourd, se campa au pied de l'arbre, prêt à récupérer Davy, si par malheur elle venait à tomber. Pendant ce temps, Jake grimpa sans difficulté de branche en branche. Lorsqu'il eut rejoint Davy, il lui sourit d'un air confiant en lui tendant le bras.

— Allez, Davy, donne-moi la main.

— Je ne peux pas ! gémit-elle.

— Mais si, tu en es capable, ma grande, assura-t-il avec douceur. Je ne te demande qu'une seule main. Tiens-toi bien avec l'autre.

Le cœur serré, Sarah vit sa fille lâcher doucement la branche pour donner la main à Jake.

— Maintenant, penche-toi un peu en avant et passe ton autre main autour de mon cou, lui ordonna-t-il.

Polly serra compulsivement la main de Sarah au moment où Davy relâcha sa dernière prise pour permettre à Jake de la porter.

— Très bien, la félicita ce dernier. Accroche-toi bien, maintenant ! On y va…

— D'accord, répondit-elle courageusement tandis qu'il commençait à descendre.

Arrivé à deux mètres du sol, il s'arrêta pour permettre à Don de prendre Davy dans ses bras. Ce dernier la remit aussitôt à Sarah qui la serra contre elle. Comme Polly s'inquiétait de l'état de son genou, Davy répondit crânement qu'il ne s'agissait que d'une écorchure. Puis, au grand plaisir de Sarah, elle se tourna vers Jake et le remercia chaleureusement de l'avoir aidée.

— N'hésite pas à me refaire signe si tu en as besoin un jour, lui dit-il en l'ébouriffant.

Au cours du déjeuner, Don prit un malin plaisir à présenter Jake comme le héros du jour.

— J'ai une prédilection pour les jeunes filles en détresse, renchérit l'intéressé d'un ton badin.

— De tous les âges ? s'enquit Alison en riant.

— Et comment ! s'exclama-t-il avec une mimique qui suscita l'hilarité générale.

A présent que Davy était saine et sauve, Sarah pouvait se détendre complètement. Elle était heureuse de se trouver parmi cette joyeuse assemblée, au côté de Jake. Et comme pour ajouter à son plaisir, Davy, qui avait insisté pour être placée à côté de son sauveur, passa le plus clair de son temps à discuter joyeusement avec lui.

Le déjeuner se prolongea tard dans l'après-midi, si bien que, au grand dam de Sarah, il était presque l'heure de raccompagner les deux fillettes à l'école lorsqu'ils se levèrent de table.

— Voulez-vous que je raccompagne Polly ? proposa-t-elle à Alison lorsque les invités furent partis. Je suis sûre que vous avez besoin d'un peu de repos après nous avoir préparé un tel déjeuner. Et il serait absurde que nous fassions le trajet toutes les deux !

— J'accepte avec plaisir ! s'écria sa nouvelle amie, l'air

reconnaissant. A propos, j'ignorais que Jake Hogan était l'un de vos amis.

— Le monde est petit, se contenta de répondre Sarah qui ne souhaitait pas entrer dans les détails.

A ce moment-là, les deux filles qui étaient montées se changer firent leur apparition. Ce n'étaient plus les petites sauvageonnes de l'après-midi, mais d'adorables écolières vêtues de leur uniforme.

— Vous prendrez bien une tasse de thé avant de partir, Sarah ? demanda Alison avant de se tourner vers Davy et Polly, l'air faussement sévère. Et vous deux, tâchez de ne pas vous salir !

Alison, Jake, Don et elle prirent donc le thé dans le jardin. C'était un vrai plaisir de prolonger encore un peu cette journée, mais Sarah commençait à se sentir mélancolique. De l'extérieur, tous les quatre devaient certainement donner l'image de deux couples avec leurs enfants. Cette idée était loin de lui déplaire, d'ailleurs, mais savoir que cela ne pourrait jamais se réaliser lui brisait le cœur.

Au bout d'un moment, Alison pria Don de l'accompagner dans la cuisine, sous prétexte qu'elle avait besoin de son aide. Jake en profita pour rapprocher sa chaise de celle de Sarah.

— Vous êtes-vous remise du petit drame de tout à l'heure ? demanda-t-il doucement.

— Je suis habituée, répondit-elle avec un haussement d'épaules. Davy adore grimper aux arbres et s'est déjà retrouvée dans la même situation à Campden Road.

— Et cet incident mis à part, avez-vous passé une bonne journée ?

— Mieux que bonne ! C'est la première fois que je suis invitée à un barbecue comme celui-ci.

— Comme c'est étrange ! Pourquoi ?

— Ce n'est pas très difficile à comprendre, pourtant. Tous les invités étaient en couple.

— On ne vous invite à aucune fête ?

— Quelques-unes seulement : de petites sauteries au

bureau pour l'anniversaire des collègues, les pots de nouvel an ou les réceptions pour des œuvres de charité. C'est ainsi que j'ai rencontré Brian, d'ailleurs. Mais des déjeuners entre amis comme celui-ci… non, jamais. Désolée, je suis en train de me plaindre.

— Don m'a demandé si nous sortions ensemble, lui apprit-il avec décontraction.

— Que lui avez-vous répondu ?

— La vérité. Parce que, littéralement parlant, nous sortons ensemble, expliqua-t-il en soupirant. Je n'ai pas pu me résoudre à lui dire que vous refusiez tous mes baisers. Mon ego ne l'aurait pas supporté.

— Je ne les ai pas tous refusés, objecta-t-elle en sentant ses joues devenir cramoisies.

Comme les Rogers revenaient, la conversation en resta là. Après avoir bu une dernière tasse de thé, Sarah déclara qu'il était temps de partir. Quand les deux filles furent montées dans la voiture, elle remercia avec effusion ses hôtes.

— Revenez nous voir très vite, lui lança Don avec un regard de biais vers Jake. Vous deux, bien sûr.

— Nous dînerons tous les quatre, précisa Alison. Comme ça, nous aurons plus de temps pour discuter.

— Je vous appellerai, Sarah, dit Jake à son tour.

Elle lui adressa un sourire gêné, ne sachant comment lui dire au revoir et consciente de la curiosité des Rogers à leur égard. Puis, dans un concert d'au revoir, elle fit démarrer la voiture.

Quand elle rentra de Roedale, tout entrain l'avait quittée. Son cafard du dimanche soir était de retour, mais pour d'autres raisons que d'ordinaire.

Après avoir mis sa voiture dans le garage, elle fit quelques pas dans le jardin, en se demandant à quoi elle allait bien pouvoir s'occuper.

Elle s'immobilisa tout à coup ; Jake était là, assis dans une chaise longue ! Une joie immense l'envahit aussitôt.

Il se leva en la voyant approcher et anticipa la question qu'elle s'apprêtait à poser.

— Votre grand-mère m'a laissé entrer. J'espère que vous n'y voyez pas d'inconvénient.

— Bien sûr que non ! s'exclama-t-elle, incapable de dissimuler le bonheur qu'elle avait à le voir. C'est la deuxième surprise de la journée !

— Je voulais vous voir seule, expliqua-t-il, l'air entendu.

— Pourquoi ne pas l'avoir demandé plus tôt ?

— L'autre soir, vous m'avez dit que vous seriez sûrement trop fatiguée… Je ne voulais pas essuyer un refus. Alors, j'ai sonné chez votre grand-mère. Comme elle s'apprêtait à sortir, je lui ai dit que je pouvais attendre dans la voiture, mais elle m'a gentiment proposé de m'installer dans le jardin.

— J'en suis ravie, dit-elle en le regardant dans les yeux.

— Et pour une fois, ça se voit ! fit-il alors remarquer. D'habitude, vous ne laissez rien paraître de vos sentiments.

— Je ne suis pas démonstrative, c'est tout. Puis-je vous offrir quelque chose à boire ?

— Non, merci. J'ai simplement envie de profiter de la fraîcheur de cette soirée en votre compagnie. J'ai passé une si bonne journée que je ne voulais pas qu'elle s'achève trop tôt. Et puis, nous devons mettre au point l'organisation de la journée de mercredi.

— Si ce voyage vous pose le moindre problème, commença-t-elle sans qu'il lui laisse le temps de finir.

— Ce n'est pas le cas. Comme je vous l'ai dit, j'aime beaucoup les mariages.

— Du moment que vous n'êtes pas le marié, je présume !

— Détrompez-vous. Le jour venu, je serai l'homme le plus heureux du monde, assura-t-il en la fixant avec une intimidante intensité. Mais vous, n'avez-vous jamais songé à vous marier ?

— Non, dit-elle après un silence. Jamais.

— Pas même avec le père de Davy ?

— Sûrement pas.

— De toute évidence, vous ne souhaitez pas en parler. Très bien, changeons de sujet. A quelle heure dois-je venir vous chercher ?

— Tôt, j'en ai peur. Le mariage a lieu à 15 heures, mais un long voyage nous attend et j'aimerais avoir le temps de me préparer avant la cérémonie.

La discussion se poursuivit avec une aisance d'ordinaire réservée aux amitiés de longues dates. Puis, goûtant la douceur de l'air, ils gardèrent le silence alors que pâlissaient les derniers rayons du soleil.

— Etes-vous consciente que, pour Don et Alison, nous sommes désormais un couple ? demanda-t-il soudain.

— La prochaine fois que je les verrai, je leur expliquerai que ce n'est pas le cas.

— Pourquoi ? Nous ne sommes peut-être pas un couple conventionnel, mais nous formons néanmoins une paire.

— S'ils m'en parlent, je leur dirai que nous sommes de bons amis.

— Ce qui les confortera sûrement dans l'idée que nous sommes amants. Ce qui est loin d'être la vérité, hélas !

Sarah jugea préférable de ne pas répondre. Le regard qu'il venait de poser sur elle la fit néanmoins frissonner.

— Il fait un peu froid. Rentrons, je vais préparer le dîner. Que diriez-vous d'une omelette ?

— Je crois que je vais me laisser tenter, même si je ne suis pas venu ici dans le but de me faire nourrir.

— Qu'attendiez-vous, exactement ?

— Pas grand-chose, mademoiselle Tracy, répondit-il mi-figue, mi-raisin. C'est une habitude que j'ai prise depuis que je vous connais.

Le clin d'œil qu'il lui adressa pour ponctuer sa remarque la fit sourire malgré elle. Dans la cuisine, elle refusa l'aide qu'il lui proposait et prépara rapidement une omelette aux fines herbes. Lorsqu'ils furent installés à la grande table, Jake commença à déguster son plat avec gourmandise.

— Cette cuisine est immense, commenta-t-il en balayant la pièce du regard.

— Surtout pour quelqu'un comme moi qui se contente de préparer des salades ! Mais autrefois, cette pièce devait servir à une famille nombreuse. Cette maison ressemble très peu à celle dans laquelle j'ai grandi. Mon père était ingénieur au service de grandes compagnies hôtelières. Lorsqu'il a fait construire notre maison, il s'est arrangé pour la doter de tous les gadgets possibles et imaginables pour faciliter la vie de ma mère.

— Votre mère était-elle particulièrement délicate ?

— Elle n'était pas très solide, mais papa a toujours été très protecteur avec elle. Ce n'est qu'en grandissant que j'ai pris conscience qu'ils étaient plus proches l'un de l'autre que la plupart des couples mariés. Ils s'idolâtraient. En fait, nous étions très liés, tous les trois.

— Ils n'ont pas mal perçu la naissance de Davy ? s'enquit-il en posant la main sur la sienne.

— Non, du moins pas comme vous l'imaginez, répondit-elle sans le regarder.

— Il n'a pas dû être facile pour vous de devenir mère si jeune…

— Plus facile que pour d'autres, malgré tout. J'avais pris une année sabbatique, à l'époque. Plus tard, j'ai vécu une vie normale d'étudiante, à la différence près que je me transformais en mère de famille dès que je rentrais à la maison…, expliqua-t-elle avant de s'interrompre brusquement. D'ordinaire, c'est un sujet dont je ne parle pas, Jake.

— J'en suis conscient et je vous remercie de la confiance que vous me témoignez. Mais, dites-moi, à quelle heure dois-je venir vous chercher mercredi prochain ?

— J'aimerais arriver là-bas à midi, si possible, précisa-t-elle, heureuse qu'il ait eu le tact de changer de sujet.

— Dans ce cas, je passerai vous prendre à 6 heures.

— J'espère que ce n'est pas trop tôt…

— Pas du tout ! Je suis plutôt matinal, de toute façon. Nous éviterons ainsi les embouteillages.

— Merci beaucoup, vous êtes si gentil…

— Les amis sont faits pour ça, dit-il en se levant. Puis-je vous aider à ranger ?

Elle secoua la tête et partit d'un grand éclat de rire.

— Décidément, vous être trop parfait pour être vrai ! Passons plutôt dans le salon.

— Il ne nous reste plus qu'à nous entraîner à jouer les vieux amis en vue de mercredi, déclara-t-il en s'asseyant à son côté sur le sofa. Ce ne sera pas très difficile pour moi.

— Pour moi non plus, affirma-t-elle en tournant la tête vers lui. Vous savez… je suis très contente que vous soyez venu chez les Rogers.

— Je ferai livrer des fleurs à Alison demain pour la remercier de m'avoir donné l'occasion de passer tout un dimanche en votre compagnie, rétorqua-t-il avec malice. Malheureusement, j'ai bien peur que cela ne se reproduise pas de sitôt.

— En effet.

— Davy refuserait-elle que nous passions du temps ensemble, tous les trois ?

— Non, mais je préfère que nous ne le fassions pas.

Il garda le silence quelques instants avant de reprendre la parole.

— Pourquoi ?

— Parce que nous ne resterons peut-être pas éternellement amis, se résolut-elle à dire. Je ne veux pas prendre le risque qu'elle s'attache à vous. A la mort de mes parents, elle a eu le cœur brisé. Il m'a fallu beaucoup de temps pour la sécuriser. Elle a été de nouveau fragilisée à son entrée en pension et vient tout juste de retrouver son équilibre. Je ne veux pas qu'elle le perde.

Le regard de Jake se posa sur la photographie de la commode.

— Les hommes ont-ils été absents de votre vie depuis sa naissance ?

— Comme tout le monde, j'ai eu des petits amis à l'université, mais jamais rien de sérieux. Je ne les ai jamais présentés à Davy, précisa-t-elle en détournant les yeux.

Jusqu'à la mort de mes parents, j'ai mené une existence tout à fait normale… ou que je croyais normale. Depuis leur disparition, tout a changé. Nous avons emménagé chez ma grand-mère, et vous connaissez la suite.

— Si je comprends bien, vous ne voulez pas d'un homme dans votre vie, de crainte de blesser Davy, résuma-t-il calmement.

— Oui, et jusqu'à présent, ça ne m'a pas coûté.

— Jusqu'à présent…, reprit-il doucement. Seriez-vous prête à vous engager dans une relation plus intime avec moi, si ce n'était pas pour Davy ?

Incapable de proférer un son, Sarah se contenta de hocher la tête. Il l'attira contre lui et elle se sentit soudain sans défense.

— S'il vous plaît, Jake !

— Quoi ? murmura-t-il avant de l'embrasser avec une douceur insoutenable.

Le traître ! songea-t-elle, profondément troublée. Le simple contact de ses lèvres faisait naître des sensations inconnues pour elle et qui la ravissaient.

— Ne me rejetez pas, Sarah ! Laissez-moi prendre soin de vous.

— En m'embrassant ? demanda-t-elle en fermant les paupières pour échapper à son regard de braise.

— Oui, répondit-il dans un souffle. Et je deviens à moitié fou parce que j'aimerais tellement plus…

Sur ces paroles, il captura ses lèvres et l'embrassa avec fougue. Cette fois-ci, elle répondit avec ardeur à la chaleur de cette étreinte et frissonna de plaisir lorsqu'il souleva son corsage pour caresser langoureusement son dos. Les bouts de ses seins se tendirent douloureusement, témoignant mieux que tous les mots de l'impatience qui la consumait. Comme s'il avait deviné son attente, il taquina de ses doigts les bourgeons gorgés de désir. Une onde de plaisir d'une intensité inouïe la parcourut. Sur le point de succomber, elle recouvra subitement ses esprits et s'arracha brusquement à lui.

Jake émit un son étouffé et se leva. Sans dire un mot, il marcha jusqu'à la fenêtre pour regarder au-dehors. Sarah pouvait entendre sa respiration, encore un peu courte, et voir sa poitrine se soulever à intervalles réguliers. Profondément déstabilisée, elle mit du temps à recouvrer l'usage de sa voix. Finalement, elle s'éclaircit la gorge et rassembla son courage :

— Je suis désolée, Jake.

— Moi aussi, Sarah, répondit-il en tournant simplement la tête. Parce que vous êtes une énigme que je n'arrive pas à comprendre. Je vous désire, Sarah, et je suis affreusement malheureux que vous ne vouliez pas de moi.

— Il ne s'agit pas de cela..., dit-elle d'une voix pitoyable.

Il fit volte-face et posa sur elle un regard de feu.

— Alors, pourquoi ?

Comme elle ne répondait pas, il blêmit soudain.

— Bon sang, Sarah, dites-moi ! Avez-vous été victime d'un viol ?

— Non, Jake, assura-t-elle en allant le rejoindre. Ce n'est pas ça.

D'un geste tendre, il la prit dans ses bras et poussa un soupir de soulagement en frottant sa joue contre la sienne.

— Dieu merci ! J'ai eu si peur... Peut-être qu'un jour vous accepterez de me parler de votre passé, quand vous me connaîtrez mieux. Pour le moment, je vais vous laisser vous reposer et rentrer chez moi.

— Merci, Jake, murmura-t-elle, émue.

— Pour quoi ?

— Pour tout, répondit-elle en rougissant.

7.

Le lendemain, Margaret Parker s'envola pour Pise avec son groupe d'amis. Sans sa présence, l'atmosphère de la maison parut soudain beaucoup plus légère. Loin de se sentir seule, Sarah était heureuse d'avoir tout l'espace pour elle. Et, comble du bonheur, Jake l'appela le soir même.

— Je voulais juste prendre de vos nouvelles, murmura-t-il à l'autre bout du fil.

— Comme c'est gentil !

— Mais *je suis* gentil ! dit-il en riant. Je viens de passer une journée très ennuyeuse, alors racontez-moi la vôtre.

— Je n'ai rien vécu d'extraordinaire non plus. J'ai fait quelques courses et puis Nick, le futur marié, m'a appelée pour s'assurer que je viendrai.

— Lui avez-vous parlé de moi ?

— Bien sûr. Il m'a dit qu'il avait hâte de vous rencontrer. Ensuite, il m'a énuméré toutes les vertus de sa Delphine. Visiblement, il est fou amoureux.

— Et ça ne vous pose aucun problème ?

— Pas du tout ! Nick et moi avons toujours été les meilleurs amis du monde, mais il n'y a jamais rien eu d'autre entre nous.

— Je n'ai donc aucune raison d'être jaloux ?

— Aucune ! confirma-t-elle avant de marquer une pause. Seriez-vous d'un tempérament jaloux ?

— Seulement en ce qui vous concerne, lança-t-il d'un ton badin. Parlez-moi un peu de vos courses.

— Pour commencer, j'ai acheté un chapeau.

— Une de ces gigantesques capelines ?

— Non, un petit chapeau, un peu original.

— Il me tarde de vous voir avec. Qu'avez-vous trouvé d'autre ?

— Le cadeau de mariage.

— Je suis ravi que vous m'en parliez. En fait, j'avais besoin de vos lumières à ce sujet : que puis-je offrir aux jeunes mariés ?

— Comme vous ne les avez jamais rencontrés, vous n'êtes pas obligé…

— Qu'avez-vous choisi pour eux ? la coupa-t-il.

Elle lui décrivit rapidement la coupe de bois faite à la main qu'elle avait achetée et mentionna au passage que, vu son prix, elle avait renoncé à s'offrir une nouvelle paire de chaussures.

— Nous pouvons tous les deux signer la carte, suggéra-t-elle.

— Dans ce cas, je tiens à participer pour moitié.

— C'est une très bonne idée.

Une si bonne idée qu'elle s'offrirait peut-être une nouvelle paire de chaussures, après tout.

— J'ai hâte d'être à mercredi ! Je passerai vous chercher comme convenu à 6 heures.

— Je serai prête. Bonne nuit, Jake, et merci d'avoir appelé.

En se préparant pour aller se coucher, Sarah se fit la réflexion qu'elle aimait tout en Jake : son sourire, sa voix, son allure, sa façon de la toucher… Au souvenir de la caresse de ses mains sur sa peau, elle frémit. Mais pour lui, évidemment, elle restait un mystère à élucider, un puzzle auquel il manquait une pièce indispensable pour qu'ils puissent envisager de construire la relation qu'il espérait et qu'elle commençait à désirer tout autant que lui.

*
* *

Le lendemain, en début de soirée, Sarah était en train de rassembler ses affaires lorsque Jake sonna à la porte.

La joie qu'elle ressentit en le voyant fit vite place à un pressentiment désagréable. Il avait sûrement un empêchement et venait lui annoncer qu'il ne pourrait pas l'accompagner au mariage.

— Quelque chose ne va pas, Jake ?

— Tout va très bien. Je voulais juste vous voir, dit-il en l'embrassant doucement.

Soudain rassurée, elle lui rendit son baiser.

— Je pensais que vous vouliez annuler pour demain, lui avoua-t-elle en le précédant dans le salon où ils prirent place côte à côte sur le sofa.

— Quelle idée ! J'ai passé les deux derniers jours à travailler comme un fou pour être sûr de pouvoir me libérer.

— Vous avez l'air fatigué...

— Un peu, reconnut-il. Mais j'ai l'intention de me coucher tôt, ce soir. Demain, je serai tout à vous. J'ai été très occupé ces jours-ci, et vous m'avez beaucoup manqué. C'est la raison de ma présence ici, même si l'on doit se voir dans quelques heures, dit-il en lui prenant la main. Désolé si je n'ai pu m'empêcher de vous embrasser, mais vous aviez l'air si inquiet...

— C'est vrai ; j'ai craint de ne plus avoir de chauffeur pour demain.

Il serra sa main un peu plus fort, en dardant sur elle un regard pénétrant.

— Auriez-vous été déçue ?

— Oui, admit-elle en baissant les yeux sur leurs mains réunies. Et pas seulement parce que je ne voulais pas y aller seule.

Il passa alors un doigt sous son menton pour lui soulever légèrement la tête.

— Serait-il possible que cette jeune femme ne soit pas insensible à mon charme ?

— Vous le savez très bien, répondit-elle en soutenant son regard. Mais rien n'est changé pour autant.

L'air résigné, il hocha la tête.

— Mais vous ne pouvez pas me refuser un baiser amical, cela me ferait tant de bien.

Pour toute réponse, elle rejeta légèrement la tête en arrière pour lui offrir sa joue. Jake effleura sa pommette et, sans crier gare, l'attira contre lui. Incapable de lutter, Sarah se lova contre son épaule. Il soupira alors et resserra son étreinte. Une lueur enflamma son regard que ses pupilles agrandies assombrissaient. Doucement, il pencha la tête et l'embrassa du bout des lèvres. Puis il approfondit son baiser avec une ferveur qu'elle ne tarda pas à partager. Au bout de quelques minutes, Jake se redressa et, le souffle court, déclara :

— J'avais tort en croyant que vous embrasser me ferait du bien.

— Si c'est ce que vous appelez un baiser amical, je me demande à quoi ressemble un baiser fougueux ! Inutile de m'en faire la démonstration, ajouta-t-elle précipitamment.

Comme il ne répondait pas, elle lui lança un regard interrogateur.

— Que se passe-t-il, Jake ?

Il sourit tristement avant de répondre.

— Je ne peux m'empêcher de me poser des questions au sujet de votre vieil ami, Nick Morell. Est-ce que vous entreteniez ce type de relations amicales ?

— Non, pas du tout ! Ni avec lui ni avec personne d'autre.

— Avec personne d'autre, vraiment ? insista-t-il en lui caressant les cheveux.

— Je devine où vous voulez en venir, dit-elle en affrontant son regard. Très bien, j'accepte de vous dire une seule chose, à la condition qu'ensuite nous n'abordions plus le sujet.

Pour se donner du courage, elle enfouit la tête dans le cou de Jake.

— A part ma grand-mère, personne ne sait que Davy a été conçue au cours d'un moment d'égarement.

Jake continua de lui caresser la tête en silence, puis il se leva et l'aida à en faire autant.

— Merci, Sarah ; cette confidence a dû vous coûter. Il est temps que je rentre chez moi, à présent.

— Vous aviez raison, Jake. Vous n'êtes pas comme les autres hommes. Un autre m'aurait assommée de questions.

— N'en déduisez pas pour autant que je ne souhaite pas tout connaître de vous ! J'attendrai simplement que vous me fassiez suffisamment confiance pour me raconter toute l'histoire. Allez vite vous coucher ; une longue journée nous attend.

Comme il le lui avait promis, Jake passa la chercher à 6 heures tapantes. Tout comme elle, il portait un jean et un pull-over en coton bleu marine. Cette similitude les fit éclater de rire.

— Nous ressemblons à des jumeaux !

— Pas tout à fait, répondit-il avec une grimace comique en la regardant de la tête aux pieds.

Puis il prit la valise de Sarah, alla la déposer dans le coffre et attendit sur le pas de la porte qu'elle eût mis en route le système d'alarme.

— Ma grand-mère est en vacances, expliqua-t-elle en prenant place dans la voiture.

— Ce qui signifie que vous étiez seule hier soir ? s'enquit-il en mettant le contact.

— Oui.

Il la regarda en coin.

— Mais vous ne me l'avez pas dit, de crainte que je ne cherche à profiter de la situation.

— Croyez-le ou non, j'ai tout simplement oublié de le mentionner.

— Je vous crois toujours, Sarah.

— Vous m'en voyez ravie ! En tout cas, sachant que ma grand-mère devait partir pour l'Italie, j'ai d'abord hésité à accepter l'invitation de Nick. A cause de Davy, bien sûr. Mais en cas de problème, la directrice de Roedale peut me joindre sur mon portable et je lui ai même transmis les coordonnées de l'hôtel. J'ai pris toutes les précautions nécessaires… J'espère que tout ira bien.

— Bien sûr ; mais en cas de nécessité, je vous ramènerai chez vous à la vitesse de l'éclair.

Il ponctua sa phrase d'un sourire rassurant et changea de sujet pour lui raconter les deux jours qu'il venait de passer à Londres. Manifestement, son seul moment de répit avait été un déjeuner avec son frère.

— Lui avez-vous parlé de nous ?

— Oui.

— Quelle a été sa réaction ? Lui avez-vous parlé de Davy ?

— Bien entendu. Nous sommes très proches, Liam et moi. Nous aimons savoir si l'autre est heureux.

— Est-ce le cas de Liam ?

— Sa vie professionnelle le satisfait pleinement. Mais son histoire d'amour est dans une impasse.

— Le pauvre ! le plaignit-elle sincèrement avant de reparler du mariage. Nick m'a dit qu'il n'y avait plus une seule chambre d'hôtel libre dans la région.

— A propos, comment dois-je me présenter à votre bande ?

— Comme « l'ami de Sarah », bien sûr !

— C'est un peu tiède à mon goût. Je sais que vous ne me permettrez pas de dire que je suis votre amant et je n'aime pas trop « petit ami ». Que diriez-vous de « compagnon » ?

— Non, cela laisserait entendre que nous vivons ensemble.

— Ce serait le cas, s'il ne tenait qu'à moi, déclara-t-il, à la grande surprise de Sarah.

— Comment pouvez-vous souhaiter une chose pareille alors que nous n'avons jamais…, commença-t-elle avant de s'arrêter, vivement embarrassée.

— Fait l'amour ? Ce « détail » ne m'a pas échappé, Sarah. Néanmoins, l'aperçu que vous avez eu la bonté de m'offrir me persuade que nous sommes faits l'un pour l'autre… et les mots sont faibles, ajouta-t-il après avoir pris une profonde inspiration. Mais, par pitié, changeons de sujet ! Au volant, c'est trop dangereux.

A mi-chemin, ils s'arrêtèrent dans une auberge pour prendre un café. Une fois installés à une table, Sarah proposa à Jake de le relayer pour la conduite. Il déclina son offre.

— Non que l'idée d'être conduit par une femme me dérange, précisa-t-il, mais je veux que vous arriviez au mariage parfaitement reposée pour en profiter au maximum.

— Merci, dit-elle en souriant avec chaleur.

— Etes-vous consciente des dégâts qu'un tel sourire est susceptible de causer ?

— Des dégâts ? répéta-t-elle, interloquée.

— Je m'en doutais ! De grâce, ne souriez pas comme ça aux autres hommes, tout à l'heure.

— Serait-ce un ordre ?

— Un conseil seulement, dit-il en affectant de la menacer du doigt. Je suis votre cavalier, mademoiselle Tracy, et je veux que vous me réserviez ce sourire-là.

Peu après 11 heures, ils arrivèrent à l'hôtel de Greenacres. Sarah ne tarda pas à apercevoir le marié adossé au bar en compagnie de trois amis. Ces derniers la saluèrent en poussant des cris de joie. Nick, qui avait bondi sur place, accourut pour l'embrasser et la serra fort dans ses bras. Puis ce fut au tour de Frances, de Grania et de Paul, les fidèles compagnons avec qui elle avait partagé un appartement lorsqu'elle était étudiante.

Les premières effusions passées, Sarah prit Jake par la main pour le présenter :

— Les amis, voici Jake Hogan.

Les deux femmes ne se firent pas prier pour l'embrasser, et Nick dut interrompre leur bavardage pour que Paul et lui puissent se présenter à leur tour.

— Et si nous reprenions un peu de café ? Les autres seront bientôt de retour, annonça le futur marié en posant la main sur l'épaule de Sarah. Ben… le mari de Grania, précisa-t-il à l'intention de Jake, fait le tour des hôtels du coin dans l'espoir de trouver une chambre pour ce soir.

— Tom, mon mari, lui sert de guide, ajouta Frances. Ce qui est loin d'être rassurant, puisqu'il ne connaît pas du tout les environs ! Sans compter que, jusqu'à présent, tous les hôtels affichaient complet.

— C'est ma faute, reconnut Grania. J'avais l'intention de réserver une chambre au moment où j'ai reçu l'invitation, mais ça m'est complètement sorti de l'esprit. Et quand ce petit détail m'est revenu à la mémoire, il était déjà trop tard, expliqua-t-elle en faisant la moue. Ben n'est pas très content. J'ai demandé à la réceptionniste de cet hôtel de nous mettre sur liste d'attente, au cas où quelqu'un annulerait, mais c'est sans espoir… Tant pis, nous dormirons dans la voiture.

— Nos hommes peuvent faire ça, intervint Frances. Tu peux partager ma chambre, si tu veux.

Grania secoua la tête.

— C'est très gentil de me le proposer, mais je n'ai pas envie de chasser Tom de son lit sous prétexte que j'ai été trop bête pour réserver une chambre à temps. Le sujet est clos, trancha-t-elle en se tournant vers Sarah. Dis-nous un peu ce que devient notre Davy chérie.

— A part une fâcheuse tendance à rester coincée dans les arbres, elle se porte à merveille.

Ses amis réclamèrent des photos et poussèrent des cris admiratifs lorsque Sarah sortit quelques clichés de son sac. Tout le monde s'accorda à trouver la ressemblance entre la mère et la fille remarquable.

— Nous sommes tous très attachés à Davy, Jake, expliqua Nick. Nous la connaissons depuis son plus jeune âge.

— Comme je vous envie ! répondit simplement Jake.

— Davy est un vrai trésor, commenta Grania en souriant rêveusement. A propos, devinez, les amis… Nous attendons un enfant pour Noël !

Un concert de félicitations s'éleva aussitôt et tous

embrassèrent la future mère avec émotion. Soudain, Nick jeta un coup d'œil à sa montre et blêmit.

— Oh ! la la ! Je dois me dépêcher ! J'ai promis à mon frère d'aller le chercher à la gare. Tu viens, Paul ? On se reverra à l'église ! lança-t-il avant de s'éloigner rapidement.

— Le pauvre ! s'exclama Frances lorsqu'il fut parti. Moi qui pensais que seules les jeunes mariées étaient aussi nerveuses…

— Ben lui aussi était au bord de la panique le jour de notre mariage, déclara Grania en soupirant. Oh ! mon Dieu… Pourvu qu'il revienne avec de bonnes nouvelles !

— Je crois que nous devrions monter nos bagages, dit subitement Sarah en se tournant vers Jake.

— Je vais aller les chercher.

Quand il eut quitté le bar, Grania et Frances tentèrent d'assouvir leur curiosité.

— Aurais-tu l'intention de donner un père à Davy ? s'enquit Grania d'une voix surexcitée.

Sarah, qui se sentit rougir, secoua énergiquement la tête.

— Nous sommes juste amis.

— A d'autres ! railla Frances en pouffant de rire. De toute évidence, cet homme est fou de toi. Si tu avais vu sa tête quand Nick t'a serrée dans ses bras…

— Arrête, Fran ! intervint Grania qui avait toujours été très protectrice avec Sarah. Tu la fais rougir. En tout cas, Jake est charmant. Tu le connais depuis longtemps ?

— Pas très, dit-elle en souriant parce que l'intéressé lui faisait de grands signes depuis l'entrée. Je dois y aller, les filles.

— Quand vous serez installés, venez déjeuner avec nous, Jake et toi, proposa Grania en la retenant un instant. Ben et Tom seront sûrement rentrés.

— Avec plaisir. A tout à l'heure !

Lorsque Sarah rejoignit Jake, elle lui prit des mains sa boîte à chapeau et en profita pour lui parler à voix basse.

— Pouvons-nous parler un instant avant d'aller dans nos chambres ?

— Oui, bien sûr. Que se passe-t-il ?

— Quelle sorte de chambre avez-vous réservée ?

A sa grande surprise, il parut embarrassé.

— Vous allez rire…

— Bien sûr que non ! Pourquoi, ils vous ont trouvé un placard à balais ?

— Au contraire ! J'ai droit à leur nouvelle suite nuptiale. Manifestement, votre ami ne l'a pas réservée pour lui ! C'était ça ou rien, précisa-t-il en haussant les épaules.

— Vous plaisantez ! Je n'ose imaginer le prix d'une telle chambre ! s'exclama Sarah en riant.

— Ne me le demandez pas ! Dites-moi plutôt quel est le problème et ce en quoi je puis vous aider.

— Grania est enceinte…

— Et vous êtes inquiète à l'idée de la laisser dormir dans une voiture.

— Exactement. Je me sens coupable d'avoir à ma disposition une chambre double. Et Dieu sait quelle taille fait la vôtre. Il serait ridicule de ne pas leur laisser l'une des deux, seulement…

— Poursuivez.

— C'est peut-être stupide, mais je ne veux pas que tout le monde sache que nous avions initialement réservé deux chambres.

Les yeux de Jake s'illuminèrent.

— Suis-je en train de rêver ou voulez-vous partager ma chambre ?

— Oui, pour laisser la mienne à Grania, répondit-elle avec impatience. Il y aura sûrement un divan pour moi, non ?

— Il ne vous reste plus qu'à l'espérer.

— Verriez-vous un inconvénient à ce que nous dormions dans la même chambre ?

— Vous savez très bien que non, Sarah, dit-il en la regardant droit dans les yeux. Etes-vous sûre de votre décision ?

— Evidemment. Comment allons-nous faire, à présent ?

— C'est très simple : il suffit de dire à la réceptionniste

que nous avons réservé deux fois par erreur. Ils proposeront votre chambre à Grania. Quel est son nom de famille ?

— Forrester.

— Très bien. Attendez-moi ici.

Sans attendre, Jake traversa le hall pour parler à la réceptionniste. A la fois amusée et impressionnée, Sarah le regarda exécuter un véritable numéro de charme auprès de la jeune fille pour lui expliquer le « malentendu ». De toute évidence, celle-ci buvait ses paroles. Au bout de quelques instants, elle acquiesça de la tête en souriant et, non sans avoir jeté un regard envieux du côté de Sarah, se dirigea vers le bar.

— Qu'avez-vous inventé, encore ? murmura Sarah à son retour.

— Je lui ai raconté que j'avais réservé la suite nuptiale pour vous faire une surprise, sans m'être rendu compte que vous aviez déjà pris une chambre de votre côté. Ne vous inquiétez pas, j'ai insisté pour que Mme Forrester reprenne votre chambre et précisé que vous souhaitiez que notre petit arrangement reste secret. Et ç'a marché.

— En effet, je crois qu'elle est allée annoncer la bonne nouvelle à Grania. Nous ferions mieux de monter nos bagages, à présent.

Dès que les portes de l'ascenseur se furent refermées, ils échangèrent un regard complice et partirent d'un grand éclat de rire. Ils s'arrêtèrent au dernier étage, où il n'y avait qu'une seule porte. Lorsque Jake s'effaça pour la laisser entrer la première dans la chambre, le regard de Sarah fut tout de suite attiré par le grand lit recouvert de draps en lin blanc. Elle en détourna aussitôt les yeux et tâcha de se concentrer sur la décoration.

— Eh bien, vous n'aurez aucun mal à vous sentir chez vous, ici, constata-t-elle pour se donner une contenance.

— Pourquoi ?

— Cette chambre me rappelle votre appartement ; les mêmes couleurs claires, le style épuré, presque minimaliste. Ce n'est pas l'idée que l'on se fait généralement d'une suite nuptiale.

— Ce qu'elle ne sera pas ce soir.

— Exact, répondit-elle en posant sa boîte à chapeau sur l'une des chaises du coin salon. Où puis-je suspendre mes affaires ?

Jake ouvrit un immense placard coulissant et désigna une porte de l'autre côté de la chambre.

— Je suppose qu'il s'agit de la salle de bains.

— Parfait ! Grania nous propose de déjeuner avec eux dès que nous serons prêts.

— Tant mieux, je suis affamé ! déclara-t-il en accrochant dans le placard la housse qui contenait sa tenue. Je vais vous laisser seule pour que vous puissiez vous installer. On se retrouve au bar ?

Touchée par sa délicatesse, elle acquiesça en souriant.

— Merci, Jake, vous êtes très gentil.

— Une femme magnifique me demande de partager ma chambre avec elle et je suis gentil d'accepter ? s'exclama-t-il, le regard brillant. Si j'étais vraiment un type bien, je vous laisserais cette suite et j'irais dormir dans la voiture. Mais je n'en ai pas du tout envie, ajouta-t-il avec un clin d'œil avant de quitter la chambre.

Consciente qu'en résolvant le problème de Grania elle se mettait dans une situation délicate, Sarah suspendit sa robe et constata avec plaisir que celle-ci n'avait pas souffert du voyage. Puis, elle ouvrit la porte de la salle de bains et éclata de rire. Le sol en marbre, les gigantesques miroirs, la baignoire ronde, les flacons de sels et d'onguents et la pile de serviettes posée sur une chaise aux dorures un peu criardes juraient singulièrement avec la sobriété de la chambre. Après s'être rafraîchi le visage, elle quitta ce temple de l'opulence pour goûter de nouveau au calme serein de la pièce principale. Hélas ! pendant son absence, aucun divan providentiel n'avait fait son apparition. Le seul endroit où dormir serait bel et bien le lit…

8.

Il régnait une ambiance de fête dans le bar lorsque Sarah y retrouva ses amis. Tom Hills et Ben Forrester ne dissimulèrent pas leur joie de la revoir, et Grania lui raconta qu'une annulation de dernière minute leur avait permis de trouver une chambre.

— Je suis vraiment soulagé ! confia Ben. Avec Tom, nous avons fait le tour de tous les hôtels du coin, sans succès. Je redoutais d'annoncer cette nouvelle à Grania.

— Heureusement que des miracles se produisent parfois, le coupa cette dernière, le visage enfin rayonnant. J'ai du mal à croire que nous ayons eu autant de chance !

— La chambre est-elle confortable ? s'enquit Sarah en évitant le regard de Jake.

— Simple, mais très correcte. Quand je pense à ce qui nous attendait…

— A propos, Tom, intervint Frances en apostrophant son mari, j'avais proposé à Grania de dormir avec moi si le pire devait se produire. Je lui ai dit que tu ne verrais aucun inconvénient à passer la nuit dans la voiture avec Ben !

Tous rirent de bon cœur en voyant la surprise et la consternation se peindre sur le visage du pauvre homme.

— Je l'aurais fait, bien sûr, dit-il avec une dignité affectée. Mais je suis bien content d'avoir échappé à ça !

Sarah était très heureuse de retrouver des amis qu'elle voyait trop peu à son goût. Elle éprouvait une joie d'autant plus vive que Jake, intégré au groupe sans effort, faisait manifestement l'unanimité. Celui-ci prit l'initiative de commander un assortiment de sandwichs pour tous avant qu'il ne soit l'heure de se préparer pour la réception.

— Depuis combien de temps connaissez-vous Sarah, Jake ? demanda Frances.

— Depuis trop peu de temps !

— Et comment l'avez-vous rencontrée ? insista l'incorrigible curieuse.

— Ce fut un véritable choc ! Il m'a renversée avec sa voiture, expliqua Sarah d'un ton neutre avant de rire en voyant l'air ébahi de ses amis.

— Mon Dieu ! s'écria Grania. Tu as été blessée ?

— A quelques égratignures près, non. C'était ma faute, à vrai dire. Jake a fait tout son possible pour m'éviter. Je me suis littéralement jetée sous ses roues en traversant, au beau milieu d'un orage, précisa-t-elle d'un air entendu.

— Ah ! Tout s'explique..., dit Frances à l'intention de Jake. Sarah a une peur panique des orages. A l'époque où nous étions étudiants, elle filait se cacher dans un placard au moindre roulement de tonnerre.

Après le repas, ils convinrent de se retrouver à 14 heures dans le hall pour se rendre tous ensemble à l'église. Jake et Sarah partagèrent l'ascenseur avec Ben et Grania qui répétèrent une fois de plus leur soulagement d'avoir trouvé une chambre.

— Je crois que Grania vous aime bien, confia Sarah à Jake lorsqu'ils furent de nouveau seuls.

— Tant mieux, parce que j'apprécie vraiment vos amis. Je sens que je vais beaucoup aimer ce mariage.

— Pourquoi donc ?

— Parce que je suis heureux de passer cette journée en votre compagnie, bien sûr ! Vous n'imaginiez tout de même pas que c'était à l'idée de partager ce grand lit avec vous ?

— Non, et pourtant nous n'avons pas d'autre choix pour cette nuit.

— Ecoutez, Sarah, dit-il en posant sur elle un regard ombrageux. Je suis tout à fait conscient que vous n'avez pas demandé à partager ma chambre parce que vous brûlez de désir pour moi. Je dormirai donc par terre. Rassurez-vous, ce ne sera pas la première fois.

— Vous êtes l'homme le plus délicat qu'il m'ait été donné de connaître, murmura-t-elle en lui effleurant la joue.

Il lui sembla qu'il rougissait imperceptiblement. D'un geste tendre, il lui prit la main et la porta à ses lèvres.

— Personne ne m'avait fait ce compliment avant vous…

— J'ai du mal à vous croire, le taquina-t-elle. Maintenant, si vous le permettez, je vais utiliser la salle de bains.

Après avoir pris une douche rapide, elle revint dans la chambre, simplement vêtue d'un peignoir en éponge.

— A votre tour !

Profitant de l'absence de Jake, elle s'habilla prestement et s'assit devant la coiffeuse pour se maquiller et coiffer ses longues boucles châtaines. Puis elle mit à ses oreilles les améthystes héritées de sa mère et le collier assorti. Enfin, elle glissa ses pieds dans des escarpins beiges à brides. Lorsque Jake sortit de la salle de bains, Sarah pivota sur elle-même devant lui.

— Ferai-je bon effet ?

— Oh oui ! Sarah, très bon effet, dit-il sur un ton qui lui fit monter le rose aux joues.

— Merci, répondit-elle, un peu gênée. Je vais me tourner vers la fenêtre et lire un magazine pendant que vous vous habillez.

Les yeux rivés sur les pages du journal mais incapable de lire une ligne, elle se sentit soudain stupide. Qu'y a-t-il de si extraordinaire à cette situation ? se sermonna-t-elle. Elle avait partagé un appartement avec Nick et Paul pendant des années, mais ces deux compères n'avaient jamais été que des amis. Ce qui n'était pas le cas de Jake…

— Vous pouvez regarder, je suis décent à présent, annonça-t-il d'une voix amusée.

Heureuse de pouvoir enfin reposer son magazine, elle se tourna vers Jake qui achevait de boutonner la veste de soie anthracite qu'il portait avec une chemise blanche et une cravate dans les tons gris perle.

— Ferai-je bon effet ? l'interrogea-t-il avec malice.

Jake n'avait pas besoin de s'apprêter pour lui plaire ; néanmoins, dans cette tenue habillée, elle le trouva irrésistible.

— Vous êtes parfait, dit-elle avec conviction.

— Si seulement c'était vrai…, soupira-t-il tout en jetant un coup d'œil à sa montre. Je crois qu'il est temps pour vous de mettre votre chapeau.

Sarah souleva le couvercle de la boîte et sortit avec précaution un ravissant petit bibi en paille orné d'un nuage de tulle blanc, piqué de boutons de rose en satin.

— Ce petit chapeau est très sexy, commenta Jake. Mais comment diable allez-vous le faire tenir ?

— Une épingle à cheveux est dissimulée sous l'une des fleurs.

Sans plus tarder, elle posa le bibi sur sa tête, légèrement en biais de manière à ce que quelques boutons de rose viennent caresser sa tempe.

— Qu'en pensez-vous ?

Il la regarda en silence pendant quelques instants avant de répondre :

— Je préfère ne pas vous le dire, murmura-t-il enfin en lui effleurant la joue d'un doigt.

Troublée par ce geste, elle saisit son petit sac et lui adressa un regard qui se voulait moqueur.

— Allons-y ! lança-t-elle.

La célébration du mariage fut simple et émouvante. Après la cérémonie, Nick et Delphine firent leur apparition sur le parvis de l'église sous un tonnerre d'applaudissements et une pluie de confettis. Les nouveaux époux, rayonnant de bonheur, firent de grands signes à l'assemblée avant de disparaître dans une voiture. Les invités suivirent leur exemple et se mirent en route pour la maison de la mariée, où devait se dérouler la réception.

Dans le jardin ensoleillé du vieux manoir, une gigantesque tente avait été dressée pour accueillir les amis et la famille des mariés.

— Venez par ici, Jake, si vous voulez embrasser la mariée, dit Sarah en tirant son cavalier par le bras.

— Ce n'est pas la mariée que je veux embrasser, marmonna-t-il en se laissant faire malgré tout.

Au cours du cocktail, les mariés passèrent de groupe en groupe pour saluer leurs invités. Ils semblaient si heureux ensemble que Sarah ne put s'empêcher de les regarder avec envie. Elle sentit alors le regard de Jake sur elle.

— Vous regrettez de ne pas être la mariée ? lui demanda-t-il à voix basse.

— Pas du tout ! rétorqua-t-elle vertement. Les mariages rendent les femmes sentimentales, c'est tout.

— J'avais plutôt l'impression que vous vous laissiez aller à la nostalgie.

— Peut-on savoir quel est le sujet de ces messes basses ? les questionna Frances en se plantant devant eux.

— Jake s'imagine que je me morfonds à l'idée que Nick se soit enfin marié, répondit Sarah, amusée de voir à quel point sa franchise surprenait son compagnon.

— Et pourquoi te morfondrais-tu ? s'étonna Grania qui venait de prendre la conversation au vol.

— Sarah veut dire que Jake est un peu jaloux de sa relation avec Nick, intervint Ben à son tour.

— Etes-vous jaloux, Jake ? l'interrogea Frances, les yeux brillant d'excitation.

— Oui, admit ce dernier avec une candeur désarmante.

— C'est inutile, assura Grania. Ces deux-là ont toujours fait la paire, mais ils avaient chacun leurs histoires de cœur. Nick racontait à Sarah ses déboires amoureux, bien qu'elle ne se soit jamais beaucoup confiée de son côté. Sarah a toujours été très discrète sur sa vie privée. Je suis sûre qu'elle vous cache un sombre secret, Jake, conclut la jeune femme en souriant.

— Pourriez-vous éviter de parler comme si je n'étais

pas là ? se plaignit Sarah avant de se tourner vers Jake. Alors, rassuré ?

Au grand soulagement de Sarah, les mariés choisirent ce moment pour se joindre à eux et la conversation tourna court.

— Tu es magnifique, Sarah ! s'exclama Nick. Vous n'êtes pas d'accord, Jake ?

— Tout à fait d'accord, répondit ce dernier d'un ton neutre. Tout comme vous, madame Morrell. Je vous souhaite beaucoup de bonheur.

— Merci beaucoup, déclara Delphine en échangeant un regard énamouré avec Nick. A chaque fois que quelqu'un m'appelle Mme Morell, je me sens toute chose.

Au dîner, Sarah se trouva placée entre Tom et Ben tandis que Jake lui faisait face, entouré de Frances et Grania.

— J'espère que vous n'êtes pas trop fâché de ne pas être à côté de Sarah, dit Grania qui l'avait sans doute vu se rembrunir au moment de consulter le plan de table.

— Comment pourrais-je être contrarié, alors que je suis en votre compagnie ? répondit-il galamment.

Plus tard dans la soirée, les premières notes d'une valse résonnèrent. Nick et sa femme esquissèrent alors quelques pas maladroits sous les applaudissements de l'assemblée. Un air de jazz suivit aussitôt. Les plus âgés en profitèrent pour danser avant que le rythme ne devienne trop endiablé à leur goût.

Jake fit le tour de la table pour inviter Sarah. Elle le suivit sur la piste, étrangement intimidée. Au bout de quelques minutes seulement, elle osa le regarder dans les yeux.

— Vous vous trompez en croyant que…

— Que vous avez toujours un faible pour Nick ?

— Pas pour lui, non, dit-elle en soutenant délibérément son regard.

Son cœur se mit à battre plus fort en le voyant baisser les paupières.

— Vous pensez ce que vous venez de dire ? lui chuchota-t-il à l'oreille.

Hochant la tête en silence, elle se serra contre lui et sentit ses bras se refermer sur sa taille.

A compter de ce moment, elle passa une soirée merveilleuse. Après avoir accordé une danse à Tom, Ben et Nick, elle resta tout le temps avec Jake, soit sur la piste de danse, soit à côté de lui, à table.

La soirée était déjà très avancée lorsque la fanfare annonça le départ des mariés à grand renfort de trompettes. Nick et Delphine, à présent en tenue de ville, saluèrent la foule qui les applaudit une dernière fois.

— Où partez-vous en voyage de noces ? cria une voix.

— Destination secrète, répondit Nick en riant avant de conduire sa femme à la voiture sous une haie d'honneur.

— Et si nous retournions danser ? lança Jake à la cantonade.

Sarah ne put s'empêcher de rire en voyant la mine déconfite de ses amis : Grania s'appuyait sur Ben et Frances s'efforçait manifestement de retenir ses bâillements.

— Où sont donc passés les infatigables fêtards que je connaissais ? les taquina-t-elle.

— Il est tard, répondit Ben en bâillant. Et il serait plus raisonnable que Grania aille se coucher. Elle tombe de fatigue.

— Nous allons suivre votre exemple, décréta Tom d'une voix ensommeillée.

Après s'être donné rendez-vous le lendemain matin à 11 heures au bar de l'hôtel pour boire un dernier café ensemble avant le départ, ils regagnèrent leurs voitures respectives.

— Etes-vous aussi fatiguée que Grania ? s'enquit Jake au moment d'entrer dans leur suite.

— Non, mais je ne suis pas enceinte, moi. A ce stade de la grossesse, elle a besoin de beaucoup de sommeil. Et après la naissance du bébé, ce sera encore pire !

— Comme vous le savez d'expérience, commenta-t-il en refermant la porte derrière eux.

Dans la chambre, les lumières avaient été allumées et

la courtepointe du lit largement rabattue. Détournant le regard, Sarah rangea son chapeau dans sa boîte, s'assit sur une chaise et ôta ses escarpins en poussant un soupir de soulagement.

— Comment pouvez-vous marcher avec des chaussures pareilles ?

— Secret de femme, répondit-elle en agitant ses orteils.

— Vous avez de très jolis pieds, Sarah, remarqua-t-il en souriant.

— Vraiment ? Je n'aurais jamais imaginé que mes pieds pouvaient être jolis… Jake ?

— Oui ?

— Nous devons parler finances.

— Comment ?

— Cette chambre a dû vous coûter une fortune…

— Il est hors de question que nous partagions les frais.

— Dans ce cas, je refuse que vous participiez au cadeau de mariage, annonça-t-elle en posant sur lui un regard sévère.

— Franchement, je ne vois pas pourquoi, affirma-t-il en s'adossant au placard, l'air obstiné.

— Parce que c'est plus juste.

Il la regarda en secouant la tête et haussa les épaules avec un soupir.

— Très bien, vous avez gagné.

— Merci, dit-elle en lui adressant un sourire. M'autorisez-vous à nous commander des rafraîchissements ? Je meurs de soif !

— C'est inutile ! s'exclama-t-il, l'air triomphant, en ouvrant la porte du minibar. Que diriez-vous d'un peu de champagne ? J'avais donné mes instructions avant de partir.

— Comme c'est gentil !

Jake lui tendit une flûte et posa la sienne sur la table basse. Puis il ouvrit en grand les fenêtres, laissant entrer une brise chaude et parfumée.

— Nous avons déjà porté un toast aux mariés ; je propose de lever nos verres à nous, cette fois-ci.

— A nous ! dit-elle avant de siroter son champagne avec un plaisir non dissimulé. J'ai passé une merveilleuse journée, du moins à un petit incident près…

— Je suis désolé d'avoir réagi de la sorte. Mais vous regardiez Nick d'un air languissant qui m'a rendu fou de jalousie.

— Je ne me languissais pas, précisa-t-elle en posant sa flûte sur la table. J'étais envieuse, c'est tout. Le mariage de Nick fait de moi la dernière célibataire du groupe. Je ne peux m'empêcher d'envier le bonheur de mes amis qui peuvent compter sur leur partenaire quoi qu'il arrive.

— Alors que vous devez élever Davy seule.

— Ce qui ne me coûte pas, croyez-moi, assura-t-elle en posant la main sur la sienne.

— Je sais, répondit-il doucement. A propos, Davy m'a raconté que le père de Polly va participer à la course des pères qu'organise son école chaque année.

— Elle ne m'a pas parlé de cette course des pères… Oh non ! gémit-elle. J'imagine qu'il y aura une course des mères également.

— Gagné ! D'ailleurs, Davy vous a déjà inscrite ! Et ce n'est pas tout. Au déjeuner chez les Rogers, elle m'a demandé si je voulais concourir avec Don… J'ai dû lui expliquer que n'étant pas père de famille, je n'en avais pas le droit.

— Je n'en reviens pas ! s'écria Sarah, stupéfaite. Cette petite farceuse ne m'en a pas touché mot. Je suis désolée qu'elle vous ait embarrassé de la sorte.

— Je suis ravi, au contraire. C'est plutôt bon signe.

— Comment ça ?

— Manifestement, elle n'a rien contre moi, dit-il en la regardant intensément. Ce qui m'amène à parler d'un sujet qui me tient à cœur. J'attendais juste le bon moment…

— De quoi s'agit-il ? demanda-t-elle nerveusement.

— Quand j'ai réservé cette chambre, je ne me doutais pas que vous la partageriez avec moi. Mais à présent que vous êtes là, j'ai quelque chose à vous dire. Alors écoutez-moi bien, Sarah.

— Pour l'amour du ciel, Jake, le coupa-t-elle avec impatience. Vous me rendez nerveuse. Quoi que vous ayez à dire, parlez !

Il se leva brusquement et une forte appréhension envahit Sarah.

— Vous devez savoir que je suis amoureux de vous. Et je crois que je ne vous laisse pas indifférente non plus, je me trompe ?

Le souffle coupé, Sarah ne put qu'acquiescer en silence, les yeux rivés à ceux de Jake.

— J'ai beaucoup réfléchi, poursuivit-il. Manifestement, vous n'avez pas l'intention que notre relation évolue.

— Mais…

— Laissez-moi terminer. Je veux… j'ai besoin de beaucoup plus que de votre amitié.

Observant un bref silence, il reprit sa respiration avant de continuer.

— J'ai prétendu être prêt à me satisfaire de n'importe quel type de relation, mais celle que j'envisage avec vous, mon cœur, est le mariage.

9.

Sarah resta immobile, incapable de bouger tant l'émotion la submergeait.

— Avez-vous pensé à Davy ?

— Bien sûr.

— Vous n'avez que trente ans, Jake. Vous êtes bien jeune pour prendre en charge une enfant de neuf ans.

— Je suis plus âgé que vous.

— Ce n'est pas pareil.

— Parce que vous êtes sa mère, je sais. Mais contrairement à votre ex, je suis sûr d'être un bon beau-père. J'aime beaucoup Davy et je crois que c'est réciproque. Et comme je n'envisage pas de me séparer de vous, elle ne risque pas de souffrir un jour. Je veux vous garder, Sarah, vous garder toutes les deux.

Sarah sentit une larme couler le long de sa joue, puis une autre. Très vite, son visage fut inondé. Comme elle n'avait pas de mouchoir pour les essuyer, elle se frotta les yeux et renifla telle une enfant.

Jake alla chercher une boîte de Kleenex dans la salle de bains et la posa à côté d'elle.

— Pardonnez-moi, Jake. Je ne pleure jamais, d'habitude.

— Je ne voulais pas vous faire pleurer, murmura-t-il. Et si l'idée de m'épouser vous affecte à ce point, il vaut mieux tout oublier, ajouta-t-il en posant la main sur son épaule.

Facile à dire ! songea-t-elle avec désespoir. Avant qu'il ne parle de mariage, elle n'avait pas réalisé qu'elle souhaitait l'épouser, elle aussi. Du moins, s'était-elle interdit d'y penser.

— Si nous nous marions, votre famille ne s'étonnerait-elle pas que vous choisissiez une femme qui a déjà un enfant ?

Les doigts de Jake se resserrèrent sur l'épaule de Sarah.

— Je l'ignore. Si vous n'étiez plus en âge d'avoir des enfants, ce serait peut-être différent. Mais vous avez quoi ? Vingt-sept ans ?

Elle hocha de la tête. Jake lui adressa alors un sourire enjôleur.

— Nous n'aurions aucun mal à lui donner des frères et sœurs, ma chérie.

Une petite voix dans la tête de la jeune femme la pressait de répondre oui. Elle avait tant de mal à résister aux sentiments que lui inspirait Jake ! Abandonnant soudain toute résistance, elle se laissa aller entre ses bras. A quoi bon lutter ? Il serait si bon d'avoir un homme dans sa vie… Et celui-ci n'était pas comme les autres ; elle savait qu'il méritait sa confiance et qu'il saurait aimer Davy.

— Jake, dit-elle au bout d'un moment. Je sais que ce n'est pas la réponse que vous méritez, mais j'aimerais avoir un peu de temps pour réfléchir.

Pendant un instant qui parut une éternité aux yeux de Sarah, Jake la scruta sans mot dire. Puis il secoua la tête.

— J'aimerais avoir la noblesse de vous laisser tout le temps nécessaire ; mais si vous avez l'intention de refuser, j'aime mieux le savoir tout de suite. Je préfère une rupture nette.

— Alors… si je réponds non, tout est fini entre nous ? demanda-t-elle, consternée.

— Je veux que vous soyez ma femme, avec tout ce que cela implique, ou rien, répondit-il sombrement. Vous n'éprouvez donc aucun sentiment pour moi ?

— Vous savez très bien que si, rétorqua-t-elle en s'arrachant à son étreinte. Je vous donnerai ma réponse demain matin, si vous acceptez d'attendre jusque-là.

— Une nuit d'insomnie m'attend donc, dit-il en soupirant avant de presser farouchement ses lèvres contre les siennes.

Prenez la salle de bains en premier, si vous voulez. Pendant ce temps, je vais installer mon campement.

— Merci, Jake.

— Pour quoi, cette fois-ci ?

— Pour la demande en mariage. C'est ma première.

— Et la dernière, je l'espère.

Lorsque Sarah sortit de la salle de bains, drapée dans le peignoir qu'elle avait tenu à mettre par-dessus sa chemise de nuit malgré la chaleur, elle constata que Jake s'était préparé un lit par terre à l'aide de couvertures et d'oreillers.

— Ça m'a l'air horriblement inconfortable, dit-elle d'une voix coupable. Tout est ma faute ! Je n'aurais pas dû vous demander de partager votre chambre.

Jake émit un son étouffé, fit un mouvement pour la rejoindre, puis se ravisa. Tournant les talons, il alla s'enfermer dans la salle de bains.

Sarah profita de son départ pour ôter son peignoir, se glisser dans le lit et éteindre sa lampe de chevet, prête à affronter la très longue nuit qui s'annonçait. Son énervement l'empêchait de s'abandonner à la fatigue de la journée, et pour couronner le tout, il régnait une chaleur étouffante. Néanmoins, lorsque Jake traversa la pièce et éteignit la lampe de son côté, elle s'efforça de ne pas bouger.

Persuadée que la chaleur et la tension la tiendraient éveillée toute la nuit, elle commença sa longue veille, immobile, dans un état un peu flottant, et perdit bientôt la notion du temps. Soudain, un éclair illumina la chambre, suivi d'un sourd grondement de tonnerre. La jeune femme sursauta violemment. Une rafale de vent souleva les rideaux tandis qu'une pluie dense s'abattait au-dehors. Une angoisse indicible serra la poitrine de Sarah, qui résista à son envie de crier et se recroquevilla dans le lit. Lorsque l'orage se rapprocha et que le ciel gronda de plus belle, elle ne put retenir un gémissement. A ce moment, Jake alluma la lumière et se leva pour fermer les fenêtres. Puis il se retourna et regarda Sarah. Sans un mot, il s'approcha, s'assit sur le bord du lit, et la prit dans ses bras. Sarah le laissa faire sans protester, et se blottit contre sa poitrine nue.

— Ça ne va pas ? demanda-t-il en lui caressant les cheveux.

— Non, répondit-elle dans un souffle.

— N'ayez pas peur, il y a un paratonnerre sur le toit de l'hôtel, murmura-t-il. Mais vous tremblez ! Avez-vous froid ?

— Pas du tout. Pardonnez-moi, Jake. Je ferais mieux d'aller m'enfermer dans la salle de bains jusqu'à ce que l'orage soit passé.

— Il y a une fenêtre aussi, là-bas, fit-il judicieusement remarquer.

Un nouvel éclair illumina la pièce, aussitôt suivi d'un coup de tonnerre. Avec un petit cri, Sarah s'accrocha à Jake comme si sa vie en dépendait. Elle le sentit se raidir, puis il l'allongea doucement sur le lit.

Levant un regard suppliant vers lui, elle trouva le courage de lui dire :

— Ne me laissez pas seule !

Le visage de Jake se figea. Comme à contrecœur, il se laissa glisser à côté d'elle et la prit dans ses bras.

— Ça va mieux ?

Sarah se serra fort contre lui, sans pouvoir réprimer ses tremblements.

— Beaucoup mieux, murmura-t-elle, les lèvres quasiment collées à sa gorge.

Jake se tenait aussi immobile qu'une statue, et elle pouvait sentir la chaleur de son corps contre elle. Son cœur fit un bond dans sa poitrine lorsqu'elle s'aperçut qu'il ne portait qu'un simple caleçon qui ne dissimulait rien du désir qu'il ressentait.

Lorsque le tonnerre gronda à nouveau, plus fort que les fois précédentes, elle eut si peur qu'elle resserra encore son étreinte. Avec un grognement étouffé, Jake essaya de la repousser, mais elle s'accrocha si fort à lui qu'il cessa soudain de lutter. Elle sentit ses bras d'acier se refermer sur elle et comprit qu'il n'y aurait plus moyen de faire marche arrière. Il prit alors possession de sa bouche avec une ardeur sauvage. S'abandonnant complètement, Sarah s'offrit sans retenue aux caresses de sa langue et répondit à ses baisers avec une passion désespérée. Sans un mot, il la débarrassa de sa chemise de nuit. Puis il caressa langoureusement ses hanches et sa taille avant de descendre le long de ses cuisses. A présent que l'orage s'était éloigné, seul le son saccadé de leur respiration brisait le silence. Jake suspendit son geste, comme pour laisser à la jeune femme une dernière chance de changer d'avis. Mais elle ne chercha pas à l'arrêter. Elle le désirait tant qu'elle voulait aller jusqu'au bout. Elle croisa son regard et frémit en y voyant danser des flammes. D'une main, il cueillit un de ses seins qu'il parcourut de ses lèvres avides.

— Jake… Je dois…, murmura-t-elle sans parvenir à finir sa phrase.

Il lui donna un baiser si sensuel, si explicite, que toute pensée rationnelle la quitta.

— Ne me demande pas d'arrêter, susurra-t-il contre sa bouche. Te désirer à ce point est une souffrance. Et je veux que tu me désires toi aussi.

Il happa le bout de son sein qu'il suçota doucement, lui arrachant un long gémissement. Les sensations qu'il faisait naître sur sa peau étaient presque insoutenables. Des ondes de plaisir dont le foyer se situait au plus profond d'elle-même lui faisaient découvrir un vertige inconnu. Jake dessina un chemin de feu à l'intérieur de ses cuisses pour remonter lentement jusqu'au cœur brûlant de sa féminité. Ancrant son regard dans le sien, il la caressa lentement de ses doigts experts. Ses soupirs se transformèrent alors en petits cris de volupté.

— Jake…, essaya-t-elle une nouvelle fois alors qu'il posait son doigt sur ses lèvres pour la faire taire.

— Me désires-tu ?

— Oui… désespérément… Mais je n'ai jamais fait l'amour…

Le regard de Jake exprima soudain la plus totale stupéfaction. Craignant qu'il ne parte, elle s'arc-bouta contre lui, plaquant lascivement ses hanches contre les siennes.

— J'ai envie de toi, dit-elle d'une voix rauque. Et tu ferais mieux de me faire l'amour, si tu ne veux pas me rendre folle.

Cédant aussitôt à cette invite, Jake la pénétra doucement. Tout à la joie d'être sienne, elle ne ressentit aucune douleur. Lentement, il commença à bouger en elle, lui procurant un plaisir qui s'épanouissait de seconde en seconde. Emportés dans un tourbillon de sensations divines, ils se rapprochaient ensemble du vertige ultime. Projetés soudain au plus haut point de la volupté, ils succombèrent ensemble à l'extase, unis par un même cri.

Lorsque Sarah émergea de sa douce torpeur, Jake lui caressait les cheveux avec tendresse. La force de l'amour qu'elle lui portait la submergea et, avec un soupir frémissant, elle releva la tête pour l'embrasser.

— Merci d'avoir été si patient, murmura-t-elle.

— Je t'aime, Sarah, répondit-il en posant sur elle un regard enflammé. Mais je dois reconnaître que je n'y comprends rien. Cela ne me donne pas le droit de te poser de questions, mais…

— Tu as le droit de savoir, au contraire, l'interrompit-elle en souriant. Si nous devons nous marier…

— Sois-en sûre !

— Dans ce cas, je te dois une explication.

Jake la considéra un moment en silence, l'air songeur.

— Je ne te cacherai pas que je suis dévoré par la curiosité. Mais avant que tu ne me racontes tout, prenons le temps de boire quelque chose et de nous détendre.

Sarah lui fut reconnaissante de se montrer patient une fois de plus. Troublée par la puissance des émotions qu'elle venait de vivre, elle estimait préférable de se calmer avant de lui révéler la vérité au sujet de Davy.

Après avoir pris soin de la recouvrir avec le drap, Jake se leva pour leur préparer deux jus de fruits. Elle but le sien d'une seule traite et poussa un soupir.

— Ce fut une journée riche en événements, murmura-t-elle en se rapprochant de lui.

— Tu oublies la nuit, ajouta-t-il en l'attirant dans ses bras. D'ailleurs, j'ai bien l'intention de la terminer dans ce lit, à côté de toi !

— Bien sûr ! Tu devais être affreusement mal, par terre.

— Je n'ai pas pu fermer l'œil, reconnut-il. Mais ce n'était pas à cause du manque de confort. Comment aurais-je pu dormir alors que tu étais là, à quelques mètres de moi, si inaccessible ?

— Je ne le suis plus.

— Non, dit-il en l'embrassant dans le cou. Es-tu fatiguée, mon amour ?

— Pas le moins du monde, répondit-elle, étonnée de se sentir en forme à ce point. Je croyais que l'on s'endormait aussitôt après avoir fait l'amour !

— C'est parce que nous n'avons pas suffisamment fait l'amour.

— Il fait si chaud ! dit-elle d'un ton mutin. J'aimerais bien prendre une douche.

Sans dire un mot, il la prit dans ses bras, la porta jusqu'à la salle de bains et la posa délicatement sur le sol de la cabine de douche. Puis, il fit couler l'eau chaude et lui passa le jet dans le dos. Elle rejeta la tête en arrière en fermant les paupières de plaisir. Après l'avoir embrassée avec fougue, il entreprit de la savonner. La sensualité de ses gestes la rendit plus audacieuse et, bientôt, elle suivit son exemple. Jake gémit douloureusement lorsque, enhardie, elle laissa glisser ses mains au bas de son ventre. L'embrassant de nouveau avec une ardeur presque sauvage, il s'arracha finalement à elle en soupirant et la fit sortir de la cabine. Après l'avoir séchée en toute hâte, il la porta dans la chambre et se laissa tomber avec elle sur le lit.

Renonçant à tout préliminaire, bouche contre bouche et mains liées, ils s'unirent l'un à l'autre. Très vite, une volupté dévastatrice les balaya.

— Je remercie cet orage, dit finalement Jake. Si tu ne

t'étais pas jetée dans mes bras, je n'aurais rien tenté. Pas ce soir, en tout cas.

— Pourquoi ?

— Parce que je ne voulais pas profiter de la situation.

— Quel gentleman ! s'exclama-t-elle d'un ton taquin.

— Tu ne devrais pas dire ça, répondit-il aussitôt. Car en ce moment précis, je meurs de curiosité.

— J'imagine que tu comprends maintenant pourquoi je ne pouvais pas répondre à tes avances, commença-t-elle en le regardant avec gravité. Durant toutes ces années, je n'ai jamais voulu m'investir physiquement avec quelqu'un. Sauf avec toi… et pourtant, je savais que cela me forcerait à partager un secret que je n'ai jamais confié à personne.

— Je suis prêt à l'écouter, assura-t-il sérieusement en l'embrassant sur le front. Mais Davy te ressemble tant que j'ai du mal à croire qu'elle ne soit pas ton enfant.

Les yeux de Sarah s'emplirent de larmes.

— A mes yeux, pourtant, elle est ma fille. Seulement, je ne suis pas sa mère ; Davy est ma sœur.

10.

— Ta sœur ?

Jake dévisagea Sarah avec incrédulité, puis se leva pour aller chercher une boîte de Kleenex. S'asseyant à son côté, il essuya doucement ses larmes en la berçant dans ses bras.

— Je… je suis désolée de pleurer, dit-elle entre deux sanglots.

Il la laissa se calmer et alla lui servir un verre de cognac.

— Bois ça, mon amour. Tu as besoin d'un remontant.

Obéissant à cette prescription, elle but une gorgée, toussa bruyamment, mais se sentit mieux.

— Merci. D'ordinaire, je déteste les alcools forts, mais cette fois-ci, c'était indispensable.

— Sarah, dit-il en posant la main sur son épaule. Tu n'es pas obligée de continuer, si ça te rend malheureuse.

Touchée par sa délicatesse, elle posa la main sur sa joue et secoua la tête.

— Je veux que tu saches tout, Jake. Je ne pleurerai plus, c'est promis.

La jeune femme prit une profonde inspiration avant de poursuivre :

— Ma mère avait un ami très proche, Tony Barrett. Ils s'étaient rencontrés à l'université. Ils se sont mariés chacun de leur côté, tout en continuant à se voir. Pendant des années, Tony est venu nous rendre visite avec sa femme et nous allions régulièrement chez eux, à Cumbria. Ma mère s'est rendue plusieurs fois au chevet de Lisa Barrett au cours de sa maladie — elle souffrait d'un cancer. Aussi, quand

Tony l'a appelée pour lui annoncer sa mort, ma mère s'est aussitôt mise en route pour Cumbria. A l'époque, je devais préparer des examens et mon père construisait un hôtel en Malaisie. Elle y est donc allée seule. Après le service funéraire, alors que tous les parents et amis étaient partis, Tony a supplié ma mère de rester auprès de lui un jour de plus pour l'aider à ranger les affaires de Lisa. Durant la nuit, il est entré dans sa chambre. Il paraissait si désespéré que ma mère, n'écoutant que son cœur, l'a pris dans ses bras pour le consoler. Elle était petite et menue, Tony était un homme grand et fort, expliqua Sarah d'une voix neutre. Et, à cause de la maladie de sa femme, cela faisait très longtemps qu'il vivait en célibataire.

— Et l'inévitable s'est produit, conclut Jake.

— Tony fut rongé de remords, bien sûr. Quant à ma mère, elle est rentrée à la maison au comble du désespoir, bien décidée à oublier cet épisode épouvantable. J'étais en terminale et bien trop absorbée par mes propres soucis pour m'apercevoir immédiatement que maman n'était plus la même. Au bout de quelques semaines, j'ai tout de même compris que quelque chose n'allait pas. Je lui ai donc demandé si elle était malade. Lorsqu'elle m'a avoué en pleurant qu'elle était enceinte, je me suis sentie si rassurée que je n'ai pas compris son désespoir. Elle n'avait que trente-neuf ans, après tout. Mais elle m'a raconté toute l'histoire. J'ai alors appris qu'elle avait failli mourir en me donnant la vie et que, pour cette raison, mon père avait tenu à subir une vasectomie après ma naissance. L'idée de lui annoncer cette grossesse la plongeait dans un désespoir sans bornes.

— Mon Dieu ! murmura Jake. Quelle histoire…

— Inutile de préciser que ma grand-mère fut horrifiée quand ma mère trouva le courage de lui raconter ce qui lui était arrivé. Comme elle voulait à tout prix éviter un scandale, elle lui conseilla aussitôt de se faire avorter, mais ma mère ne put s'y résoudre.

— Ton père n'a pas été mis au courant ?

— Non. Lorsqu'il est rentré, en mars, ma mère était si contente de le revoir qu'elle n'a pas eu le cœur de lui dire la vérité. Avant de repartir pour la Malaisie, il lui a annoncé qu'il ne serait pas de retour avant la fin de l'automne. Cette nouvelle aurait désespéré ma mère en temps normal mais, cette fois-ci, elle était soulagée.

— Mais… j'imagine qu'elle voyait un médecin ?

— Non. Nous habitions un petit village où tout le monde connaissait tout le monde. Mon père y avait grandi. Le médecin était l'un de ses amis.

Le front plissé, Jake resta muet quelques instants.

— Ce devait être une situation très lourde à supporter, pour toi.

— C'était surtout difficile pour ma mère ! Le bébé devait naître au début de l'automne. En juin, j'ai passé mes examens avec succès et ma grand-mère a décidé de nous emmener en Cornouailles pour les vacances. Ce que nous faisions tous les ans, de toute façon.

— Mais à ce stade de sa grossesse, ta mère devait avoir besoin d'être suivie médicalement.

— C'est pour cela que grand-mère a insisté pour que nous nous installions là-bas. C'était sa terre natale et sa plus vieille amie avait été sage-femme, dans le temps. Mme Treharne a donc été mise dans le secret pour prendre soin de maman…

Sarah raconta ensuite à Jake que la présence de la sage-femme se révéla indispensable un soir d'août où, au beau milieu d'un orage, le travail commença prématurément. Jenna Treharne appela immédiatement une ambulance et monta dedans avec sa patiente, malgré les protestations de celle-ci. Margaret les accompagnait et Sarah dut donc se résoudre à les suivre seule en voiture.

Comme elle venait tout juste d'avoir le permis de conduire, elle mourait de peur à l'idée de prendre la route sous une pluie battante. A vrai dire, elle croyait même que les éclairs allaient la foudroyer. Mais, craignant que sa mère ne meure avant d'arriver à l'hôpital, elle réussit à prendre sur elle. Quelques heures plus tard, Anne donna naissance à une fille et subit aussitôt une transfusion sanguine. Heureusement, en dépit de sa prématurité, le bébé était en parfaite santé.

Après son retour à la maison, sa mère sombra dans la dépression. Margaret Parker se consacra entièrement à elle tandis que Sarah s'occupait du bébé. Comme elle était jeune et en excellente santé, elle s'habitua vite aux nuits morcelées et à la sempiternelle ronde des stérilisations et des préparations de biberons. Les innombrables querelles avec sa grand-mère, qui insistait pour que le bébé soit adopté, furent plus dures à supporter.

— A ce moment-là, j'avais déjà l'impression que Davina était mon bébé. Je ne supportais pas l'idée de l'abandonner, et maman partageait ce sentiment. C'est alors que ma grand-mère a proposé un arrangement…

— Quel était cet arrangement, mon amour ? demanda-t-il en l'encourageant du regard.

— Au cours d'une de nos disputes quotidiennes, elle s'est écriée que tout aurait été plus facile si Davy avait été ma fille. Il y aurait eu des commérages, bien sûr, mais elle pensait que les gens, y compris mon père, auraient accepté plus facilement que je sois la mère. A l'époque, elle s'était mis en tête que tout était arrivé par ma faute, que si j'avais accompagné ma mère à Cumbria plutôt que de rester à la maison à étudier, rien de tout cela ne se serait produit.

— Comment a-t-elle pu te reprocher une chose pareille ! s'exclama Jake, indigné.

— Les événements lui avaient fait perdre la tête… J'ai néanmoins réfléchi et décidé que c'était en effet la meilleure solution. Je ne l'ai pas fait pour ma grand-mère, mais pour sauver le mariage de mes parents. Le lendemain, je suis allée déclarer la naissance de Davy. L'employé municipal n'a pas douté un seul instant que j'étais sa mère. Sur l'acte de naissance, il y a donc écrit : « Mère : Sarah Anne Tracy, Père : aucun ».

— Tu as été très courageuse, déclara-t-il en la regardant avec admiration.

— Ma mère se faisait appeler Anne, mais son prénom était Sarah Anne, comme moi. Je n'ai presque pas eu l'impression de mentir…

— Et personne ne s'est jamais posé de questions ?

— Quand ma mère a appris ce que j'avais fait, j'ai bien cru qu'elle allait devenir folle. J'ai dû discuter avec elle pendant des heures pour la persuader que c'était le seul moyen d'épargner mon père. Elle a fini par capituler à certaines conditions, touchant notamment à l'éducation de Davy. Lorsque je suis rentrée de Cornouailles avec un bébé, amaigrie par la fatigue et l'angoisse, tout le monde a cru que Davy était ma fille.

— Mais le regard des autres ne te dérangeait-il pas ?

— Bien sûr que si ! D'un autre côté, comme je n'avais pas de petit ami, on ne pouvait blâmer personne. Et puis ma scolarité venait de s'achever. Evidemment, lorsque mes amis se sont détournés de moi parce que je refusais de leur parler du père de Davy, j'ai eu beaucoup de chagrin, reconnut-elle avec un haussement d'épaules. Mais je savais que ce n'était pas le plus important. J'ai annulé mon année d'études en France et, comme ma mère était encore très fragile, j'ai pris soin de Davy moi-même. Elle a donc toujours été ma fille.

Le plus dur pour Sarah avait été d'écrire à son père pour lui annoncer la naissance de *sa* fille, Davy. C'était un pieux mensonge, mais un mensonge tout de même. David Tracy l'avait appelée dès qu'il avait reçu la lettre pour l'assurer de son soutien et de son amour. Il s'était déclaré prêt à aider Anne à prendre soin du bébé quand Sarah partirait pour l'université comme prévu. Lorsqu'il était revenu de Malaisie, Anne, qui avait complètement récupéré, était si heureuse de retrouver son mari qu'elle finit par accepter le geste insensé de Sarah.

— Je n'ai jamais rien regretté. La première année, j'ai tenu à m'occuper de Davy à plein temps, puis maman a pris le relais lorsque je suis partie pour l'université. Ce fut déchirant pour moi, mais je garde un excellent souvenir de ma vie d'étudiante. Bien sûr, je rentrais plus souvent chez moi que le reste de mes amis parce que je ne supportais pas d'être séparée trop longtemps de ma fille. Davy adorait mes parents, mais c'était moi sa maman.

A la fin de ses études, après avoir décroché un diplôme de littérature anglaise, elle était retournée vivre chez ses parents et avait complété son cursus universitaire par une formation accélérée en informatique. Au bout de quelques mois, elle avait trouvé un travail dans une société de software et partagé la garde de Davy avec ses parents.

— Davy était âgée de cinq ans lorsque mes parents ont décidé de partir en vacances. Ils ne sont jamais revenus. L'autocar qui les transportait de l'hôtel à l'aéroport a eu un accident, et ils ont été tués sur le coup. A partir de ce moment-là, ma vie a changé du tout au tout. Seule pour élever ma fille, j'ai dû vendre la maison de famille que mes parents avaient hypothéquée pour payer mes études et la future scolarité de Davy. Je n'ai donc pas touché beaucoup d'argent ; juste assez pour que je puisse me permettre de prendre un temps partiel. J'ai été contrainte de m'installer chez ma grand-mère. Tu connais la suite, dit-elle en réprimant un bâillement.

— C'est une histoire incroyable, Sarah. Je sais que tu es fatiguée, mais j'ai une dernière question à te poser. Tony Barrett est-il au courant ?

Sarah secoua la tête vigoureusement.

— Non. C'était l'une des conditions posées par maman. Elle ne voulait plus en entendre parler. J'ai toujours eu un peu de peine pour lui. Peut-être qu'un jour, quand Davy sera assez grande pour comprendre, je lui laisserai le choix de le connaître ou non. Il n'a pas d'enfants, il n'y a donc aucun risque pour qu'elle tombe amoureuse de son frère, ajouta-t-elle en souriant.

*
* *

Sarah s'éveilla, alors que le ciel commençait seulement à blanchir, dans les bras de Jake. Lorsqu'elle tourna la tête vers lui, il ouvrit les yeux, qui paraissaient encore plus bleus à la lumière de l'aube, et la regarda avec amour.

— Bonjour, murmura-t-elle.

— Quelle merveilleuse journée ! répondit-il d'une voix un peu ensommeillée en l'embrassant sur le nez. As-tu bien dormi ?

— Oui, je viens seulement de me réveiller, dit-elle en s'étirant lascivement.

— Attention ! Si tu fais ça, tu t'exposes à un grand danger, la menaça-t-il, soudain bien réveillé.

Sarah soutint son regard et sourit en se lovant sensuellement contre lui. Jake émit un rire étouffé et la serra plus fort.

— Dites-moi, mademoiselle Tracy, aimez-vous faire l'amour aux aurores ?

— Je ne le sais pas encore, répondit-elle, mutine.

— Nous allons vite être fixés, assura-t-il d'une voix rauque.

Sur ces paroles, il lui prodigua des caresses de plus en plus voluptueuses jusqu'à ce qu'elle le supplie de mettre un terme à cette douce agonie. Obéissant à sa supplique, il prit possession d'elle et lui procura un plaisir dévastateur qui l'arracha à elle-même.

Lorsqu'elle rouvrit les yeux, ce fut pour voir le beau visage grave de Jake penché sur le sien.

— Dis-moi que tu m'aimes.

— Si ce n'était pas le cas, Jake Hogan, rien de tout cela ne se serait produit, orage ou pas.

— Dis-le-moi quand même.

Elle s'en voulut de se sentir si étrangement intimidée au moment de parler.

— Je t'aime, marmonna-t-elle finalement en baissant les yeux.

— Encore.

— Si tu t'obstines à me le faire dire, je risque de changer d'avis.

— Dans ce cas, je devrais prendre les mesures nécessaires pour te faire changer d'avis une nouvelle fois. Mais pour le moment, que dirais-tu de prendre un bon petit déjeuner ? J'ai demandé qu'on nous le serve ici à 8 heures.

Après une nuit si intense, Sarah dégusta avec plaisir les toasts, fruits et brioches qu'on leur amena. Après avoir bu son café, Jake reposa sa tasse et la regarda avec gravité.

— Tu sais, Sarah, c'était une première fois pour moi aussi. Bien sûr, j'ai eu des aventures par le passé, mais avec toi c'est différent.

— Pourquoi ?

— Parce que je n'étais jamais tombé amoureux jusqu'à présent, répondit-il simplement.

Emue par la sincérité de cette déclaration, Sarah sentit les larmes lui monter aux yeux. Elle se pencha pour l'embrasser sur les lèvres et lui adressa un sourire lumineux.

— Moi non plus, mon amour.

— Es-tu contente que la directrice de l'hôtel nous ait laissés étrenner la suite nuptiale ?

Sarah acquiesça avec ferveur.

— Comme nous avons été les premiers à y dormir, j'ai l'impression qu'elle nous appartient un peu. A vrai dire, je suis un peu triste de devoir partir.

— Nous reviendrons aussi souvent que tu le voudras, affirma Jake avec conviction. Mais parlons sérieusement. Quand pouvons-nous nous marier ?

— S'il ne tenait qu'à moi, dès que possible ! Mais je veux laisser le temps à Davy de s'habituer à cette idée.

Lorsqu'ils descendirent rejoindre les autres au bar du restaurant, Frances les accueillit avec un sourire malicieux.

— Nous avons pensé à toi, Sarah, la nuit dernière. J'espère que Jake a su te rassurer pendant l'orage !

— J'ai beaucoup aimé cet orage, dit ce dernier avec un clin d'œil.

— Je n'en doute pas ! s'exclama Ben, déclenchant ainsi l'hilarité générale.

— Arrêtez, vous embarrassez Sarah ! intervint aussitôt Grania.

— Pas du tout, assura celle-ci en lançant un regard énamouré à son chevalier servant. En fait, nous avons une annonce à faire…

Jake l'embrassa rapidement et, avec un grand sourire, se tourna vers le reste du groupe.

— La nuit dernière, j'ai demandé à Sarah de m'épouser et elle a dit oui.

Lorsque les effusions et les félicitations furent terminées, la joyeuse troupe se sépara non sans peine et chacun prit le chemin du retour.

— Je m'aperçois un peu tard que tu ne souhaitais peut-être pas que j'officialise aussi vite notre union…, déclara Sarah durant le trajet.

— Au contraire, je veux que la terre entière l'apprenne ! Mais avant tout, je voudrais que nous en parlions à Davy. Comment allons-nous faire ?

Sarah réfléchit en silence pendant quelques instants.

— Tu pourrais nous emmener dîner à la Truite samedi prochain. Je suis sûre que Davy serait ravie de cette sortie nocturne !

— Excellente idée ! As-tu l'intention de lui en parler avant le dîner ?

— Non, j'attendrai dimanche matin pour lui laisser le temps de faire mieux ta connaissance. Tu as donc tout intérêt à préparer ton numéro de charme !

A sa grande surprise, Jake parut prendre ombrage de cette dernière remarque.

— Je ne fais jamais délibérément de « numéro de charme », rétorqua-t-il un peu sèchement. Et même si c'était le cas, je ne le ferais pas avec Davy.

Confuse, Sarah posa la main sur la sienne pour s'excuser.

— Pardonne-moi si je t'ai blessé. Je me souvenais juste de ta manière de persuader la réceptionniste, hier…

— Je reconnais qu'il m'arrive d'user de ces ficelles un peu grossières en cas d'absolue nécessité ; mais jamais avec toi, Sarah ! Tu auras toujours le vrai Jake Hogan.

— C'est tout ce que je demande, assura-t-elle avec conviction.

En arrivant à Campden Road, Sarah le fit entrer dans la maison silencieuse.

— Je commence à me sentir fatiguée, dit-elle en réprimant un bâillement. Pas toi ?

— Nous avons peu dormi, lui rappela-t-il en la prenant dans ses bras. Tu devrais aller te reposer un moment… seule, hélas ! Je dois aller au bureau pour mettre à jour quelques dossiers. A quelle heure puis-je revenir ?

— Quand tu voudras ! Je préparerai le dîner.

— Merveilleux ! Je propose que nous nous couchions tôt ce soir, ensemble.

— Il me tarde de te revoir, murmura-t-elle avant de lui donner le plus langoureux des baisers. Pars vite ! dit-elle en s'arrachant péniblement à son étreinte. Je t'attends pour 20 heures.

— 19 heures, corrigea-t-il avant de partir, non sans l'avoir embrassée une dernière fois.

Plutôt que de s'offrir une sieste, Sarah décida d'aller faire quelques courses en prévision de la soirée. En rentrant de ses emplettes, elle s'octroya le luxe d'un long bain moussant, puis prépara tranquillement le repas. Quelques minutes avant 19 heures, elle était fin prête.

Se considérant attentivement dans le miroir, elle sourit avec satisfaction. Ses cheveux, qui flottaient librement sur ses épaules, étaient brillants et soyeux et la robe de lin blanc sans manches qu'elle portait mettait en valeur l'éclat naturel de son visage. Elle s'était à peine maquillée, mais resplendissait de bonheur. A l'arrivée de Jake, il ne lui resterait plus qu'à faire frire les fleurs de courgettes fourrées au fromage qu'elle avait amoureusement préparées et à griller la viande mise à mariner.

La sonnerie du téléphone retentit soudain et elle se sentit blêmir. Mon Dieu ! Jake ne venait plus ! Il avait eu un accident !

C'est avec soulagement que la jeune femme reconnut la voix de sa grand-mère qui appelait de Florence pour prendre des nouvelles.

Comme convenu, Jake arriva à 19 heures tapantes. Sarah lui ouvrit la porte et se jeta dans ses bras avec passion.

— Je viens de recevoir un coup de téléphone, lui annonça-t-elle, haletante, lorsqu'ils se furent embrassés.

— Quelque chose ne va pas avec Davy ? s'enquit-il aussitôt.

— Non, c'était simplement ma grand-mère qui venait aux nouvelles. Oh ! j'ai eu si peur que ce soit toi, pour annuler, lui apprit-elle, un peu penaude.

— Pourquoi imaginer une chose pareille ? demanda-t-il, l'air sidéré, en lui tendant une bouteille de champagne pour qu'elle la mette à rafraîchir.

— J'étais si heureuse… je craignais que mon bonheur ne soit gâché.

Jake l'attira à lui et planta ses yeux dans les siens.

— Sarah, je jure que je ne te ferai jamais souffrir. Crois-moi.

Il n'eut pas à la convaincre davantage. Pour le lui prouver, elle l'embrassa avec une fougue dont elle fut la première surprise.

— Il est temps de dîner, dit-elle d'un ton faussement sévère après avoir repris son souffle.

A table, Jake s'extasia sur la saveur des mets qu'elle lui servait. L'excellent champagne qu'il avait apporté contribua à donner un air de fête à leur repas.

— Je lève mon verre à notre mariage, dit-il avec gravité.

Plus tard dans la soirée, ils s'installèrent sur le sofa qui faisait face au jardin et admirèrent le coucher de soleil dans les bras l'un de l'autre. Tout à coup, Jake serra sa main plus fort et murmura :

— Ne bouge pas. Je reviens dans une seconde.

Il s'éclipsa dans l'entrée et réapparut avec un écrin en velours qu'il lui tendit.

Sarah le regarda avec surprise et prit le coffret d'une main tremblante. Ses yeux s'agrandirent lorsqu'elle y découvrit quatre bagues.

— Je sais que tu préfères attendre que Davy soit au courant avant d'officialiser nos fiançailles, mais je tenais absolument à t'offrir une bague ce soir. Le joaillier de la ville est un ami. Il a eu la gentillesse de m'en confier plusieurs pour que tu puisses choisir celle qui te plaît le plus.

Sarah poussa un petit cri, referma l'écrin et se jeta au cou de son fiancé.

— Je t'aime tant, Jake !

— Seigneur ! Tu m'as fait peur. J'ai bien cru que tu allais me jeter cette boîte à la figure, dit-il en riant.

Sarah ouvrit de nouveau la boîte et regarda les joyaux avec émerveillement.

— Laquelle préfères-tu ?

— Et toi, laquelle préfères-tu ? répondit-elle timidement.

— Elles ont toutes la même valeur, si tel est le sens de ta question. Tu vois, je commence à bien te connaître !

Les quatre bagues étaient splendides, mais l'une d'entre elles lui avait plu au premier regard : un magnifique rubis entouré de petits diamants.

— Les autres sont plus modernes ; celle-ci date de l'époque édouardienne, lui apprit-il en passant l'anneau à son doigt.

— Qu'elle est belle ! s'extasia-t-elle.

— Tu ne veux pas essayer les autres ?

— Non, c'est celle-ci que je choisis.

— Dans ce cas, tout comme moi, elle t'appartient, à présent.

11.

Au grand soulagement de Sarah, la soirée avec Davy fut un vrai succès. Très excitée à l'idée de dîner avec des adultes, la fillette attendit toute la journée que Jake vienne les chercher. Lorsqu'il sonna enfin à la porte, elle se précipita pour lui ouvrir et l'accueillit avec un enthousiasme qui parut le ravir. Comme prévu, le restaurant et sa terrasse lui plurent beaucoup. Pas intimidée pour un sou, elle discuta avec Jake comme si elle l'avait connu toute sa vie.

Quand Davy partit se coucher, peu après leur retour à Campden Road, Jake prit Sarah dans ses bras et frotta tendrement sa joue contre la sienne.

— Ce fut plutôt un succès, non ?

— Un franc succès, même. Je lui apprendrai la nouvelle demain. A moins, bien sûr, que tu ne souhaites prévenir ta famille d'abord.

— Je voulais justement t'en parler. Dans combien de temps te sentiras-tu capable d'affronter un repas de famille chez les Hogan ? Autant te prévenir tout de suite, ma mère mettra les petits plats dans les grands pour l'occasion. Si tu préfères attendre un peu, ce n'est pas grave.

— Je voudrais juste attendre le retour de ma grand-mère. Il est préférable que je la mette au courant avant.

— Très bien, j'attendrai pour te présenter à mes parents. Davy sera de la partie, bien entendu. A propos, elle m'a reparlé de la course des pères pendant que tu préparais le café !

— Mon petit doigt me dit qu'elle se fera assez vite à

l'idée de t'avoir pour beau-père, dit-elle en riant avant de prendre l'air plus grave. Mais tu seras en fait son beau-frère.

— Personne d'autre que nous n'a besoin de le savoir.

— C'est vrai, reconnut-elle en poussant un soupir. Mais je suis si heureuse que tu le saches ! Je ne pensais pas que je pourrais partager un jour un tel secret.

— Je suis heureux que tu m'aies jugé digne de ta confiance déclara-t-il en lui baisant la main. Maintenant, je dois partir, ajouta-t-il à regret. J'ai hâte de connaître la réaction de Davy.

— Je passerai chez toi quand je l'aurai raccompagnée à Roedale. Mais, à ta place, je ne m'inquiéterais pas trop…

Sarah ne s'était pas trompée. Le lendemain matin, elle annonça la nouvelle à sa fille qui bondit de joie.

— Youpi ! J'adore Jake ! Est-ce qu'il m'aime bien, maman ? Je peux le raconter à Polly, dis ? Quand allez-vous vous marier ? Tu porteras une robe blanche ? J'aimerais bien être demoiselle d'honneur…

— Jake t'aime énormément, répondit Sarah, folle de joie. Je serai ravie de t'avoir comme demoiselle d'honneur. Par contre, tu devras attendre le retour de grand-mère avant d'en parler à tout le monde.

— Entendu ! s'écria Davy avec entrain. Je suis si contente !

— Manifestement, tu préfères Jake à Brian.

— Jake ne me parle pas comme à une petite fille, lui. Je lui ai demandé de venir à la fête de l'école. J'espère qu'il viendra.

— Je lui transmettrai le message, chérie.

— Appelle-le tout de suite !

— Dieu merci ! s'exclama le futur beau-père lorsque Sarah lui fit part de la réaction de Davy. Puis il ajouta : Maintenant, je suis sûr de profiter de mon déjeuner dominical, même si je vais avoir du mal à garder la nouvelle pour moi.

— Patiente encore quelques jours et la terre entière l'apprendra, lui promit-elle.

*
* *

Deux jours plus tard, Sarah alla chercher sa grand-mère à l'aéroport. Elle lui annonça la nouvelle sur le chemin du retour. Son aïeule la reçut avec son scepticisme habituel.

— C'est un choc pour moi, Sarah. J'ai toujours souhaité que tu rencontres quelqu'un digne de ta confiance, mais… tu connais à peine cet homme !

— J'ai tout de suite su que je pouvais lui faire confiance, affirma Sarah. Et je suis folle amoureuse de lui, ajouta-t-elle avec aplomb. Essaie d'être heureuse pour moi, je t'en prie ! Je l'ai invité à dîner ce soir. Il voulait nous emmener au restaurant, mais comme j'ignorais si ton voyage te fatiguerait, je lui ai dit que nous resterions à la maison. Du coup, il a fait appel à un traiteur.

— C'est gentil de sa part, concéda sa grand-mère à contrecœur. As-tu rencontré sa famille ?

— Pas encore ; je voulais d'abord te tenir au courant. Jake attend mon feu vert pour en parler à ses parents. Tu peux t'attendre à être invitée chez eux avec Davy et moi !

— Davy s'est-elle faite à l'idée d'avoir Jake comme beau-père ?

— Elle est ravie et l'a aussitôt invité à la fête de son école. Maintenant, parle-moi un peu de Florence.

Grâce à Jake, qui était en grande forme, le dîner fut très agréable. Margaret parvint à se détendre, allant même jusqu'à accepter une coupe de champagne. Elle monta néanmoins dans son appartement dès la fin du repas, sous prétexte que le décalage horaire l'avait fatiguée.

— Il n'y a que deux heures de différence, avec l'Italie, fit remarquer Jake après son départ. Est-elle vraiment fatiguée, ou est-ce ma présence qui la gêne ?

— Ce n'est pas ça, s'empressa de répondre Sarah. Elle est sous le choc, parce qu'elle sait que je t'ai tout dit au sujet de Davy. Laisse-lui le temps de s'habituer. De toute façon, je ne m'attendais pas à ce qu'elle saute de joie.

— Tout ce qui compte, à mes yeux, c'est que tu sois heureuse.

— Et je le suis, infiniment ! Cela dit, j'espère que ta famille sera plus enthousiaste que la mienne.

— Je suis certain qu'ils seront fous de joie. Je vais leur annoncer la nouvelle ce week-end, pour laisser à ma mère le temps d'organiser sa petite réception !

— Je suis un peu nerveuse à cette idée…

Jake planta son regard dans le sien, l'air grave et déterminé.

— Tu n'as aucun souci à te faire. Je suis sûr que ma famille va t'adorer. Mais si pour une raison extraordinaire ce n'était pas le cas, cela ne changerait rien à mes yeux. Du moment que tu m'aimes, le reste a peu d'importance.

Lorsque Jake arriva le vendredi suivant, Davy lui fit clairement comprendre qu'elle se réjouissait du prochain mariage. Durant le dîner, elle parla à bâtons rompus et sembla aussi déçue que Sarah lorsqu'il leur apprit qu'il serait absent le lendemain.

— J'aurais aimé que vous veniez à la piscine avec nous, dit-elle en faisant la moue.

— Je t'assure que cela m'aurait beaucoup plu. Mais je dois rencontrer des clients à Birmingham. En revanche, ajouta-t-il en jetant un coup d'œil à Sarah, je peux vous emmener déjeuner au restaurant dimanche.

— Grand-mère fait toujours la cuisine, le dimanche, répondit Davy.

— Elle viendra avec nous. Et la semaine prochaine, nous pourrons déjeuner avec ma famille, proposa-t-il avec entrain.

La perspective de rencontrer les parents de Jake inquiétait Sarah, mais lorsque ce dernier vint les chercher le surlendemain, il trouva le temps de lui dire que toute sa famille avait accueilli la nouvelle avec joie.

— Liam aussi, précisa-t-il.

— J'ai hâte de le rencontrer, assura-t-elle avant d'expliquer que sa grand-mère, qui souffrait d'une migraine, ne les accompagnerait pas au restaurant.

Plus tard dans la soirée, Jake reconduisit Davy à Roedale, à la grande joie de cette dernière qui, à peine arrivée, s'empressa d'annoncer la nouvelle à Polly.

— Je suis très heureuse qu'elle se sente enfin à l'aise à l'école, déclara Sarah sur le chemin du retour. Elle a même l'intention d'y passer la dernière semaine des vacances pour un stage de perfectionnement.

— Si cela implique des dépenses supplémentaires, laisse-moi m'en charger.

— C'est gentil de me le proposer, répondit-elle, reconnaissante. Mais c'est déjà réglé.

— Comme je vais être son beau-père, il est normal que je participe aux frais de son éducation.

— Tu as sans doute raison. Mais quitte à te paraître superstitieuse, je préfère attendre que nous soyons mariés. Je ne veux pas tenter le destin.

— Sarah, je sais que tu as traversé des épreuves douloureuses ; mais à partir de maintenant, les choses vont changer, je te le promets.

Décidant de lui faire confiance, Sarah se mit à croire en son bonheur. Il ne restait plus qu'un seul nuage à l'horizon : le fameux déjeuner chez les Hogan. Malgré les propos rassurants de Jake, elle demeurait persuadée que ses parents auraient préféré qu'il ne choisisse pas une femme déjà mère d'une fillette de neuf ans.

Le lendemain, elle décida de s'offrir de nouvelles chaussures pour l'occasion. Dès qu'elle eut achevé sa journée de travail, elle alla faire du shopping. Une heure plus tard, elle avait trouvé de ravissants escarpins, à la fois élégants et classiques. Il ne lui restait plus qu'à repasser au bureau pour récupérer les quelques dossiers qu'elle devait étudier dans la soirée.

Au moment où elle traversait la place centrale, elle aperçut Jake dans sa voiture, garée sous les arbres. Elle agita la main pour lui faire signe et sentit son sang se figer : une jeune femme venait de prendre place sur le siège passager. Avant même d'avoir refermé la portière, celle-ci embrassa Jake avec fougue. Tétanisée, anéantie, Sarah fut incapable de s'arracher à cette vision d'horreur. Au bout d'un moment, Jake releva la tête et croisa enfin son regard. Sans manifester le moindre trouble, il la regarda d'abord avec étonnement puis lui adressa un sourire complice qui acheva de la détruire.

Comme une automate, elle alla chercher ses affaires au bureau et rentra chez elle à pied. La terre venait de s'ouvrir sous ses pas. Dans son désespoir, elle songea à Davy. Comment allait-elle lui expliquer qu'il n'y aurait pas de mariage ? Comment imaginer qu'une enfant de neuf ans puisse comprendre une telle trahison ? Comme elle s'était leurrée sur le compte de Jake ! Et elle était la seule à blâmer pour avoir laissé les choses aller si loin. Quelle idée stupide de lui avoir demandé de partager la suite nuptiale avec elle ! Quelle honte de l'avoir supplié de lui faire l'amour !

— Tu as une mine épouvantable ! s'exclama sa grand-mère en la voyant. Que se passe-t-il ?

— Tout est fini avec Jake.

Margaret la regarda avec stupéfaction.

— Grand Dieu, Sarah ! Mais pourquoi ?

— Je viens de le voir avec une autre femme.

Pour une fois, son aïeule la prit dans ses bras et essaya de la consoler.

— Ne pouvait-il pas s'agir d'une sœur ?

— J'espère que non, vu la façon dont ils s'embrassaient !

— Où les as-tu vus ?

— Au beau milieu de la grande place.

— Il y a sûrement un malentendu, voyons !

— Si quelqu'un d'autre me l'avait raconté, je ne l'aurais sans doute pas cru. Mais je les ai vus de mes propres yeux. Après avoir embrassé cette… femme, il m'a même regardée droit dans les yeux… en souriant !

— Va t'asseoir dans le salon, lui ordonna sa grand-mère. Je reviens dans une minute.

Quelques instants plus tard, elle réapparut avec un verre de cognac à la main.

— Bois ça !

Sarah obéit et vida le verre d'une traite. Des larmes brûlantes coulaient le long de ses joues.

— Jake m'a donné du cognac le soir où je lui ai raconté pour Davy, dit-elle en sanglotant. J'ai été si bête de lui faire confiance !

— Je ne te cacherai pas que je désapprouvais le fait que tu lui aies confié notre secret, rétorqua sa grand-mère en lui tendant un Kleenex. Mais après avoir fait plus ample connaissance avec lui, je croyais sincèrement qu'il était digne de confiance.

— Ce n'est pas seulement pour moi que je m'inquiète. Davy aime tant Jake… Que vais-je lui dire ?

— Pourquoi as-tu raconté notre secret à Jake ? demanda Margaret, ignorant sa dernière question.

— Nous… nous avons fait l'amour après le mariage, expliqua Sarah en se sentant rougir jusqu'à la racine des cheveux. A cause de Davy, c'était la première fois pour moi. Alors… j'ai dû m'expliquer.

Margaret hocha la tête d'un air entendu.

— Cela devait arriver un jour. Tu ressembles tant à Anne !

— Comment ça ? s'étonna Sarah.

— Ta mère était exactement comme toi : éperdue d'amour lorsqu'elle a rencontré ton père. Comme tu étais déjà en route, ils ont dû se marier tout de suite. Mais tu es née avec un peu de retard, contrairement à Davy : personne n'en a jamais rien su.

— Cela a dû être un soulagement pour toi ! fit remarquer Sarah, acerbe.

— En effet. Je sais que tu trouves ça ridicule, mais la respectabilité a toujours beaucoup compté à mes yeux, répondit-elle avant de marquer un temps d'hésitation. Malheureusement, Anne ne pouvait sans doute pas lutter contre le tempérament dont elle avait hérité.

Oubliant pour un instant sa colère et son ressentiment, Sarah, estomaquée, dévisagea sa grand-mère.

— Tu avais le même tempérament qu'elle ? l'interrogea-t-elle, incrédule.

— Non, bien sûr ! Elle tenait de ton grand-père, qui m'a été infidèle dès le début de notre mariage. Anne n'en a jamais rien su parce qu'il a toujours été très discret. Mais ses mensonges ne m'ont pas laissée indemne. C'est pour cette raison que j'ai été si dure avec ta mère quand elle a grandi… et plus tard avec toi.

— Mon Dieu ! grand-mère, je n'en savais rien !

— Peut-être que tu comprendras maintenant quel a été mon désespoir quand j'ai appris ce qui s'était passé avec Anthony Barrett. Je savais que ton père risquait de souffrir énormément et je ne supportais pas cette idée. Et oui, je craignais également la réaction de mes amis.

Margaret soupira profondément et, pour la première fois depuis bien longtemps, parut son âge.

— Evidemment, rien de tout cela ne m'autorisait à exiger de toi ce sacrifice, poursuivit-elle en la regardant dans les yeux.

— Il y a eu des moments difficiles, mais je ne regrette rien, dit Sarah au bout de quelques secondes.

— Eh bien, qu'as-tu l'intention de faire lorsque Jake viendra te chercher tout à l'heure ? demanda sa grand-mère après s'être bruyamment éclairci la gorge.

— Aucune chance pour qu'il vienne ! Il m'a vue, et je peux t'assurer qu'il n'avait pas du tout l'air concerné.

*
* *

Certaine que Jake ne passerait pas, elle s'assit devant son ordinateur, bien décidée à mettre à jour les dossiers rapportés du bureau. Mais rester concentrée était impossible, dans ces circonstances. Comment pouvait-elle rédiger des phrases intelligibles alors que son esprit tournait à cent à l'heure ? Elle cherchait en vain une explication logique à ce qu'elle avait vu plus tôt dans l'après-midi, incapable d'accepter une si odieuse trahison. Et pourtant, le doute n'était pas permis.

Comme elle s'était persuadée qu'elle n'aurait plus de nouvelles du traître, elle décrocha machinalement le combiné lorsque la sonnerie de l'Interphone retentit. En entendant la voix de Jake, une fureur incontrôlable s'empara d'elle.

— Bonsoir, mon cœur, laisse-moi entrer. Cela fait près de dix-huit heures que je ne t'ai pas embrassée ! osa-t-il dire d'une voix chantante.

— Pars immédiatement ou j'appelle la police ! vociféra-t-elle en raccrochant violemment l'appareil.

A peine avait-elle tourné le dos que la sonnerie retentit de nouveau.

— Je t'ai demandé de partir, hurla-t-elle comme une furie.

— Bon sang, Sarah ! Qu'est-ce qui se passe ?

Quel culot ! songea-t-elle avec amertume en laissant pendre l'Interphone dans le vide, et en prenant sur elle pour ignorer les protestations de Jake qui résonnaient dans le combiné. Au bout d'un moment, comme elle n'entendait plus rien, elle remit l'appareil en place.

Bon débarras ! se dit-elle pour s'en convaincre. Puis, contente d'avoir réussi en début de soirée à persuader sa grand-mère de sortir comme prévu, elle se remit péniblement au travail dans le silence de la grande maison vide.

Sarah peinait sur ses dossiers depuis un moment lorsque, soudain, une main se referma sur son épaule. Elle sursauta violemment et ne put retenir un cri de frayeur en découvrant Jake derrière elle.

— Peux-tu me dire ce que tout cela signifie ? demanda-t-il en la forçant à se lever.

— Lâche-moi immédiatement ! siffla-t-elle en bondissant de l'autre côté de la pièce. Et d'abord, comment es-tu entré ?

— Par le jardin. J'ai crocheté la porte de la cuisine. Si j'étais toi, je ferais changer cette serrure, expliqua-t-il, le visage fermé. Et inutile de menacer d'appeler la police, je ne partirai pas avant de savoir ce qu'il se passe.

— Oh ! je t'en prie, Jake ! déclara-t-elle avec dédain. Pas la peine de jouer les innocents. Tu sais très bien ce que tu as fait !

Jake se campa devant elle, les bras croisés. Dans ce bureau un peu confiné, il semblait immense, menaçant.

— Je n'en ai pas la moindre idée, au contraire. Si tu veux bien éclairer ma lanterne…

— Tu imaginais que tu pouvais revenir ici et continuer comme si de rien n'était, après ce que j'ai vu aujourd'hui ?

— Mais enfin, de quoi parles-tu ?

— De toi en train d'embrasser une femme dans ta voiture, au vu de tous, moi y compris ! Allons, je sais que tu m'as vue. Tu as même eu le front de me sourire !

— Ce n'était pas moi, se contenta-t-il de répondre.

— Ne me prends pas pour une imbécile, par-dessus le marché ! Je t'ai parfaitement vu, dit-elle en sortant de la pièce. Sors d'ici, Jake. Sinon, j'appelle la police !

— Sarah, il y a une explication très simple à ce que tu as vu. Si seulement tu voulais bien m'écouter !

— Hors de ma vue ! ordonna-t-elle en s'engouffrant dans le couloir pour ouvrir la porte d'entrée.

Jake la suivit et, après un regard glacial, sortit sans ajouter un mot. Sa voiture démarra en trombe. Sarah claqua violemment la porte, se précipita dans sa chambre et se jeta sur son lit pour sangloter à sa guise.

Allons, ce n'est pas ton genre de pleurer ! se sermonna-t-elle au bout d'un moment. Avec un effort surhumain, elle gagna la salle de bains, se rafraîchit le visage et retourna s'asseoir à son bureau.

Ce soir-là, il lui fallut beaucoup de temps pour achever son travail. Alors qu'elle éteignait enfin son ordinateur, la sonnerie de l'Interphone retentit de nouveau. Le cœur battant à tout rompre, elle alla décrocher. C'était Jake.

— Juste un mot, Sarah. Je t'en prie !

La raison aurait voulu qu'elle l'envoie au diable, mais elle était malgré tout curieuse d'entendre ce qu'il avait à dire.

En ouvrant la porte, quelle ne fut pas sa stupeur de se trouver nez à nez avec deux hommes ! L'un comme l'autre étaient grands, blonds et dotés des mêmes yeux bleu marine. Le premier la regardait avec amusement, le second avec inquiétude et détermination.

— Nous aimerions entrer, dit Jake au bout d'un moment.

Abasourdie, Sarah s'écarta en silence pour laisser passer ses visiteurs.

— Sarah, je te présente mon frère, Liam.

Elle l'aurait deviné sans peine !

— Bonjour, mademoiselle Tracy, la salua ce dernier, d'une voix qui ressemblait tant à celle de Jake que la jeune femme frissonna. Pardonnez-moi, mais je ne savais pas qui vous étiez lorsque je vous ai souri, cet après-midi.

Sous le choc, elle lança un regard un peu fou à Jake qui hocha la tête, le visage crispé.

— Tu n'as pas voulu m'écouter, tout à l'heure ; alors j'ai demandé à Liam de m'accompagner pour clarifier la situation.

— Si vous voulez une preuve supplémentaire, Serena est dans la voiture.

— La jeune femme que tu as vue, précisa Jake.

— Oh ! ne put que murmurer Sarah, en proie à une violente émotion.

— On nous prend souvent l'un pour l'autre, expliqua Liam.

— Maintenant que vous êtes tous les deux en face de moi, la différence saute aux yeux.

Aux siens, tout du moins ! Ignorant délibérément Jake, elle adressa un sourire un peu pincé à son frère.

— Je suis navrée de vous avoir contraint malgré moi à venir jusqu'ici. Si j'avais su la vérité dès le départ, tout cela ne se serait jamais produit. Jake m'a souvent parlé de son frère, mais sans préciser qu'il s'agissait d'un jumeau…

12.

— Je dois filer, déclara Liam. Je ne veux pas faire attendre Serena trop longtemps.

— Vous ne voulez pas prendre un verre ici avec elle ? proposa poliment Sarah.

— Une autre fois, peut-être, répondit-il en lui tendant la main. Sarah, je suis désolé pour le malentendu.

— Ce n'est pas votre faute, assura-t-elle en le saluant.

— Prends la voiture, Liam. J'appellerai un taxi, intervint Jake.

— Tu peux rentrer avec ton frère, rétorqua Sarah avec hauteur.

— Je reste !

— Et moi j'y vais, annonça Liam avant de disparaître.

Après le départ de ce dernier, il y eut un silence assourdissant. Jake fut le premier à reprendre la parole :

— J'aurais dû te dire que Liam était mon jumeau.

— Pourquoi ne m'en as-tu pas parlé ? demanda-t-elle sans cacher son amertume.

— Parce que ça m'a posé des problèmes, autrefois. Mais j'avais l'intention de t'en parler avant dimanche, bien entendu.

— Dimanche ?

— Le jour où je devais te présenter à mes parents.

« Je devais » ? Il n'en était donc plus question !

— As-tu changé d'avis ? s'enquit-elle d'un ton neutre.

— Non, et toi ?

— J'ai acheté de nouvelles chaussures pour l'occasion, marnonna-t-elle en détournant la tête.

Jale s'approcha imperceptiblement.

— Dans ce cas, il serait dommage de ne pas les porter.

— Sans compter que Davy serait très déçue si nous devions annuler.

— Moi aussi, dit-il d'une voix altérée et s'approchant un peu plus pour la prendre dans ses bras. Ai-je la permission, ou vas-tu appeler la police ?

— Je n'appellerai pas la police, répondit-elle d'une voix tremblante en se blottissant contre lui.

Aussitôt, il la prit dans ses bras et s'assit avec elle sur le canapé.

— Ce furent les pires heures de mon existence, déclara-t-il d'une voix rauque en la serrant avec force.

— Pour moi aussi ! Quand je t'ai vu… je l'ai vu avec cette femme, j'ai eu le cœur brisé.

— J'ai eu une explication avec mon petit frère… Il n'a pas à se donner en spectacle dans un lieu public !

— Ton petit frère ? reprit-elle avec étonnement.

— Il est né une demi-heure après moi, expliqua-t-il en souriant pour la première fois de la soirée. Et il m'a entendu, crois-moi !

— C'est vrai que ces effusions publiques ne te ressemblaient pas. Mais comprends mon erreur, Jake ! Il était dans ta voiture.

— Liam fait toujours réparer sa voiture à Pennington. Après l'avoir déposée au garage ce matin, il a emprunté la mienne pour la journée. Il a une fâcheuse tendance à oublier que nous avons la même tête et que je suis connu dans cette ville, ajouta-t-il en se penchant pour l'embrasser.

Sarah poussa un soupir de soulagement et répondit avec ardeur à ses baisers. Une pensée lui traversa soudain l'esprit et elle s'arracha brusquement aux bras de Jake.

— Que se passe-t-il, à présent ? s'enquit ce dernier.

— Je viens de réaliser que je devais avoir une mine

épouvantable quand tu es arrivé avec ton frère. Je suis sûre qu'il doit se demander ce que tu me trouves !

— C'est tout ? Eh bien, figure-toi que ta mine me convient parfaitement, à moi. Pour tout te dire, elle me donne même des idées…

Pour illustrer son propos, il l'embrassa sauvagement, lui arrachant un gémissement de désir.

— Je suppose que ta grand-mère ne va pas tarder à rentrer, dit-il entre deux baisers. J'ai très envie de toi, mais vu les circonstances, je ferais mieux de partir tant que j'en suis encore capable.

— Et pourquoi ne m'emmènerais-tu pas avec toi ?

Une minute plus tard, ils prenaient place dans la voiture de Sarah. La jeune femme avait rapidement jeté quelques effets dans un sac et laissé un petit mot à l'intention de Margaret. Ils arrivèrent chez Jake en un temps record.

La porte de l'appartement à peine refermée, ils se jetèrent dans les bras l'un de l'autre. Jake captura ses lèvres avec fureur en posant les mains sous ses fesses pour la soulever dans ses bras. Gémissant contre sa bouche, Sarah enroula instinctivement les jambes autour de sa taille. Ils passèrent alors dans la chambre pour s'effondrer sur le lit, sans cesser un instant de s'embrasser. Leur désir atteignait une intensité telle qu'ils s'arrachèrent presque leurs vêtements. Sans s'encombrer de préliminaires, Jake entra en elle en émettant un son rauque. Sarah s'agrippa alors à ses hanches pour l'attirer davantage encore.

Très vite, un plaisir violent, dévastateur, les anéantit. Lorsque Sarah recouvra ses esprits, elle s'aperçut que ses joues étaient trempées de larmes.

— Tu pleures, mon amour ? murmura Jake en l'embrassant.

— De bonheur, répondit-elle d'une voix émue. Cela vaut presque la peine de se disputer pour se réconcilier ainsi.

— Presque, reconnut-il. Cependant, la prochaine fois, je propose que l'on passe directement à la réconciliation.

*
* *

Sarah passa le reste de la semaine sur un petit nuage. Sa grand-mère lui avoua qu'elle était très soulagée de la voir de nouveau heureuse et lui fit même comprendre qu'elle ne se formaliserait pas de rester seule à Campden Road jusqu'au retour de Davy. Sarah n'en crut pas ses oreilles !

— Je n'ai pas l'intention de passer toutes les nuits chez Jake, répondit-elle néanmoins. Hier soir, il était très tard quand nous avons enfin fini de nous expliquer. Nous avions besoin de passer un peu de temps ensemble...

Le samedi suivant, Davy vit son vœu exaucé : Jake les accompagna à la piscine, à la pizzeria et au cinéma. Puis, comme il faisait encore très bon en fin d'après-midi, Sarah proposa de faire une promenade au parc avant de rentrer à la maison.

— Comme une vraie famille ! commenta Davy en soupirant d'aise. Je pourrais avoir une glace ?

— Cette enfant est une vraie goinfre ! s'exclama Sarah en riant.

— Ma mère va l'adorer, décréta Jake en donnant quelques pièces à la jeune gourmande. Cela fait trois jours qu'elle est dans sa cuisine.

Davy remercia Jake et partit en courant rejoindre une amie qu'elle venait d'apercevoir après en avoir demandé la permission à Sarah.

— Je suis un peu angoissée pour demain, confia cette dernière à Jake lorsqu'ils furent seuls.

— N'aie pas peur, mon amour. Liam m'a dit qu'il te trouvait formidable.

— Avec la tête de folle que j'avais ?

— Imagine un peu ce que ce sera quand tu seras habillée pour les impressionner !

— Il n'est pas question de les *impressionner*, Jake. Je ne veux pas que tes parents se disent que tu commets une grosse erreur en m'épousant.

— Ce que j'ai l'intention de faire aussi vite qu'il est humainement possible, quel que soit leur verdict !

Après leur promenade, ils allèrent dîner chez Jake. En découvrant son appartement, Davy ne dissimula pas son enthousiasme.

— Allons-nous vivre ici avec toi ? demanda-t-elle, les yeux brillant d'excitation.

— Ce n'est pas assez grand, ma chérie, répondit-il, attendri, en lui ébouriffant les cheveux. Ta mère et moi allons chercher une grande maison pour nous trois.

De retour à Campden Road, Sarah eut toutes les peines du monde à coucher sa fille. Lorsqu'elle l'eut enfin bordée, elle alla retrouver Jake dans le salon.

— Viens me dire que tu m'aimes, dit-il en ouvrant les bras.

— Je t'aime, murmura-t-elle en se lovant contre lui. Alors, te sens-tu prêt à être le beau-père de Davy ?

— Je me suis beaucoup attaché à elle et je sais à présent que c'est réciproque. Evidemment, je suis conscient que tout ne sera pas toujours aussi simple. Dans quelques années, elle deviendra une adolescente et nos relations se compliqueront peut-être. Mais elle te ressemble tant que je n'aurai aucun mal à la considérer comme ma propre fille.

— Tout est si parfait que je ne peux m'empêcher d'avoir peur.

— Après le malentendu de l'autre jour, plus rien ne peut nous arriver.

— Liam sera-t-il accompagné de Serena ?

— Sûrement pas. C'est une histoire ancienne. Serena était au lycée avec nous. Depuis, elle a divorcé deux fois ! Liam la voit de temps à autre, quand son cœur n'est pas pris ailleurs ! Jamais il ne la présenterait à nos parents. Ce privilège est réservé aux relations sérieuses, comme la nôtre.

Sarah l'embrassa avec tendresse et se leva à contrecœur.

— Je suis désolée, mais il faut que je me couche tôt pour être en forme demain.

— Je passerai vous prendre à midi, dit-il avant de s'éclipser.

Le dimanche fatidique était enfin arrivé. Comme la journée promettait d'être chaude et ensoleillée, Sarah renonça à mettre sa robe rose et ses nouveaux escarpins. Lorsque Jake arriva, il éclata de rire en voyant que Davy et elle portaient le même haut de coton blanc — cadeaux rapportés de Florence par Margaret. Davy l'avait assorti à son jean brodé et Sarah à sa jupe de lin framboise.

— Vous êtes toutes les deux magnifiques ! s'exclama-t-il gaiement.

— Tu n'es pas mal non plus, Jake, répondit Davy en jetant un coup d'œil appréciateur à sa chemise et à son pantalon écrus.

Les Hogan habitaient de l'autre côté de Pennington, dans une maison surplombant un immense jardin. Lorsque Jake s'engagea dans l'allée, Sarah constata que plusieurs voitures étaient déjà garées. Des cris d'enfants résonnaient au loin. Davy, très détendue jusqu'alors, parut soudain un peu anxieuse.

— Tes neveux sont-ils plus âgés que moi ? demanda-t-elle à Jake pendant qu'il l'aidait à descendre.

— Pas beaucoup plus. Et rassure-toi, ils ne mordent pas.

Un homme dont les cheveux clairs grisonnaient sur les tempes s'avança pour les accueillir. Son regard — du même bleu que celui de ses fils — était chaleureux.

— Bonjour, mon fils ! Présente-moi vite ces ravissantes jeunes femmes !

Jake passa le bras autour des épaules de Sarah et Davy.

— Papa, voici Sarah Tracy et sa fille Davina, qui préfère qu'on l'appelle Davy.

— Soyez la bienvenue dans notre famille, Sarah, déclara John Hogan en l'embrassant sur les deux joues.

Puis il se tourna vers Davy en souriant.

— Puis-je t'embrasser aussi ?

Davy leva vers lui un visage radieux. Après avoir planté un baiser sur ses joues, John la prit par la main et remonta vers la maison. Sa femme les reçut dans l'entrée en remettant en place une mèche poivre et sel.

— *Bellissima !* s'exclama-t-elle en voyant Davy.

Puis elle la serra dans ses bras avant de lui chuchoter à mi-voix :

— Maintenant, présente-moi ta *mamma.*

— Ma mère s'appelle Sarah Tracy, répondit Davy que cet accueil enthousiaste avait visiblement rassurée.

— Je suis ravie de vous rencontrer, madame, dit alors Sarah. C'est si gentil de nous avoir invitées.

— Appelez-moi Teresa, dit la mère de Jake après l'avoir chaleureusement embrassée à son tour. Et votre fille se prénomme Davy, c'est bien ça ?

— Oui, en l'honneur de mon père qui s'appelait David.

— Ah ! s'écria Teresa en lui tapotant l'épaule. Jake m'a raconté pour vos parents… C'est si triste.

— Mamma, l'interrompit Jake. Il est temps d'aller rejoindre les autres au jardin.

— Ta mère les y a tous cantonnés pour avoir l'honneur de rencontrer Sarah et Davy en premier, expliqua John en prenant la fillette par la main. Viens, ma grande, nous allons trouver quelqu'un pour jouer avec toi.

— Vous devez être fière de votre fille, elle est si mignonne, dit Teresa à Sarah. Elle vous ressemble beaucoup.

— Liam est-il là ? s'enquit Jake.

— Non, répondit sa mère, le regard soudain sombre.

— Ne t'inquiète pas, il ne va pas tarder !

— En l'attendant, suivez-moi, Sarah, le reste de la famille brûle de vous rencontrer.

Les sœurs de Jake, Maddalena et Paula, deux jeunes femmes vives et ravissantes, ressemblaient beaucoup à leur mère. Elles entourèrent aussitôt Sarah, après avoir pris soin de lui présenter leurs maris et enfants respectifs.

Les neveux de Jake adoptèrent d'emblée Davy qui, oubliant très vite sa timidité, partit jouer avec eux au fond du jardin.

Lorsque Liam arriva enfin, Teresa Hogan rassembla les troupes et tous passèrent à table.

Le repas fut exubérant et chaleureux. La table croulait sous les plats et chacun se servait librement sous la houlette bienveillante de Teresa. Les cinq enfants étaient installés à côté, sur une nappe posée à même la pelouse. De toute évidence, Davy, qui riait aux éclats, passait un très bon moment en compagnie de ses futurs cousins. Maddalena et Paula demandèrent à Sarah de lui parler de sa grand-mère et de sa vie avec Davy. Lorsque la glace fut définitivement rompue, elles voulurent même savoir où Jake et elle habiteraient et ce qu'elle comptait porter pour le mariage.

— Pardonnez l'enthousiasme de ma femme, intervint Sam, le mari de Maddy. Cela fait des années qu'elle essaie de marier ses frères.

— Mais c'est bien normal, répondit Sarah en souriant à la jeune femme que les propos de son mari avaient manifestement agacée. Et j'ai peur qu'il nous reste encore beaucoup de détails à régler.

— Il faut d'abord que nous cherchions une maison, décréta Jake en prenant sa main. Et puis, j'aimerais fixer une date aussi vite que possible.

Sarah leva des yeux éperdus d'amour sur lui. Teresa, qui les couvait du regard, battit des mains et pressa tout le monde de se resservir.

A la fin du repas, Jake prit l'assiette de Sarah et alla lui chercher de la glace qui était tenue au frais dans la cuisine. Liam profita de l'absence de son frère pour venir s'asseoir à côté d'elle.

— Mes parents vous aiment beaucoup, dit-il avec sérieux.

— J'en suis heureuse ; je les trouve très gentils,

répondit-elle en souriant, un peu surprise par la gravité du regard de son interlocuteur.

— Je suis désolé pour ce qui s'est passé l'autre jour, Sarah.

— Vous n'étiez pas censé savoir que je vous verrais.

— Mais n'importe qui aurait pu me voir et commettre la même erreur, objecta-t-il avec une moue contrite. Je suis habitué à l'anonymat de Londres, mais à Pennington les jumeaux Hogan sont très connus.

— Moi, je ne les connaissais pas ! fit-elle aussitôt remarquer. Si j'avais su que Jake avait un jumeau, cela m'aurait épargné bien des souffrances.

— Je m'en veux vraiment d'avoir encore causé des problèmes à Jake…

Cette dernière phrase piqua la curiosité de Sarah, mais elle n'eut pas le temps de l'assouvir. Jake venait de réapparaître avec la glace et les enfants papillonnant gaiement autour de lui. Liam s'éclipsa alors et Jake reprit place à côté d'elle.

Le reste de la journée fut si agréable qu'elle regretta sincèrement de ne pouvoir s'attarder davantage. Il était temps de rentrer à Campden Road pour que Davy se prépare.

— Vous resterez plus longtemps la prochaine fois, déclara fermement Teresa. Et venez avec votre grand-mère, nous aimerions tant la rencontrer !

— J'aime beaucoup ta famille, Jake, déclara Davy sur le trajet du retour. Josh et Michael m'ont proposé de venir jouer aux jeux vidéo chez eux et Nina et Chloé veulent m'inviter à dormir pendant les vacances.

— Comme ils sont gentils…, murmura Sarah, plongée dans un petit nuage rose. Quelle belle journée, Jake !

— Finalement tu t'es bien amusée, on dirait, la taquina-t-il.

— Je me sens si bête d'avoir eu peur !

— Alors que les Hogan t'ont tout de suite adorée, comme je te l'avais dit.

A Campden Road, Margaret les attendait dans le jardin. Elle se leva en souriant, prête à écouter le rapport circonstancié que Davy allait lui faire.

— Mes parents étaient navrés de ne pas vous voir, Margaret. Vous n'y couperez donc pas la prochaine fois.

— Je viendrai, c'est promis, assura cette dernière en souriant avant de se tourner vers Davy. J'ai déjà préparé ton sac, ma chérie, mais tu dois prendre un bain avant de partir.

— Ta grand-mère commence à se montrer moins froide avec moi, fit remarquer Jake après le départ de l'intéressée.

— Et avec moi aussi, renchérit Sarah. Elle a eu du mal à accepter que tu connaisses notre secret, mais elle savait que cela arriverait un jour ou l'autre. Tu sais..., poursuivit-elle après avoir marqué une pause. Je n'y pense jamais, d'habitude, mais en regardant Davy jouer avec tes nièces, tout à l'heure, j'avais du mal à croire que je n'étais pas vraiment sa mère.

— Tu n'es peut-être pas sa mère biologique, mais tu es sa mère malgré tout. Si Davy est une enfant formidable, c'est grâce à toi. En parlant d'enfants, ajouta-t-il en la regardant avec gravité, aimerais-tu être la mère des miens ?

— Oh oui ! répondit-elle en l'embrassant sur les lèvres.

Ils restèrent assis l'un à côté de l'autre dans un silence rêveur jusqu'à ce que Margaret tousse discrètement sur le pas de la porte.

— Davy est prête, mais je vous préviens : elle n'a pas l'air ravie de rentrer à l'école. Ce qui est sans doute normal, après le bon week-end qu'elle vient de passer.

Davy attendait dans le hall à côté de ses bagages, la mine renfrognée.

— Je ne me sens pas très bien, dit-elle d'une voix boudeuse.

— Tu as sans doute mangé trop de pâtes et de glace, la

taquina Sarah. Si tu te sens mal, tu peux toujours t'installer à côté de Jake. J'irai à l'arrière.

Après avoir embrassé Margaret, ils montèrent dans la voiture. Davy prit place à l'avant et demanda à Jake de passer un CD qu'elle aimait bien. Puis elle écouta rêveusement la musique durant tout le trajet.

Le soir même, Jake et Sarah dînèrent sur le pouce et convinrent de se coucher de bonne heure, chacun de leur côté.

Le lendemain soir, Sarah rentra chez elle d'humeur un peu maussade parce que Jake était à Londres et ne rentrerait pas avant 22 heures. Lorsqu'il l'appela dans la soirée, ils se promirent de se revoir le lendemain en fin d'après-midi. En raccrochant le combiné, elle sourit béatement et se laissa tomber sur le canapé. Ce fut alors que la sonnerie du téléphone retentit de nouveau. En entendant la voix sèche de Mme Kendall, la directrice de Roedale, à l'autre bout du fil, Sarah se sentit soudain glacée.

— Davy est-elle malade ? demanda-t-elle aussitôt d'une voix inquiète.

— Non, mademoiselle Tracy. Avez-vous quelqu'un près de vous ?

— Oui, mais dites-moi ce qui ne va pas, je vous en prie !

— J'ai le regret de vous informer que Davy n'est plus là.

— Davy n'est plus là ? s'écria-t-elle, horrifiée. Mais comment est-ce possible ? L'avez-vous cherchée, au moins ?

— Bien sûr ! Elle est partie se coucher comme d'habitude, mais quand la responsable du dortoir a fait sa ronde, un peu plus tard dans la soirée, le lit de votre fille était vide. Nous avons tout fait pour la retrouver dans l'école et dans le parc, sans succès. J'espérais vraiment qu'elle serait chez vous.

— Je vous aurais tout de suite avertie, si tel avait été le cas, fit remarquer Sarah d'une voix brisée. Avez-vous appelé la police ?

— Je voulais d'abord m'assurer que Davy n'était pas avec vous. Je vais appeler le commissariat immédiatement.

— J'arrive tout de suite…

— Non, mademoiselle Tracy, la coupa la directrice. Vous devez rester chez vous, au cas où votre fille essaierait de vous joindre. Je vous appellerai dès que j'aurai du nouveau.

— Bien sûr. Je vous tiens au courant de mon côté, dit-elle avant de raccrocher en tremblant comme une feuille et de se précipiter à l'étage pour prévenir Margaret.

— Mon Dieu ! s'exclama sa grand-mère en pâlissant. Ne paniquons pas, nous avons besoin de tous nos esprits.

Elles échangèrent un regard éloquent, conscientes des dangers auxquels était exposée une fillette de neuf ans, perdue dans la nature. Sans ajouter un mot, elles s'installèrent dans le salon, à côté du téléphone.

— J'ai peur d'appeler Jake sur son portable, dit Sarah en faisant les cent pas. Il est sûrement en voiture, à l'heure qu'il est. Je ne voudrais pas qu'il conduise comme un fou pour arriver plus vite si je lui raconte.

— A quelle heure doit-il rentrer ?

— Aux alentours de 22 heures.

— Tu l'appelleras à ce moment-là.

Lorsque le téléphone sonna, à 21 h 30, Sarah se précipita pour répondre, espérant de toutes ses forces qu'il s'agirait de Davy.

— Sarah, c'est Jake. Mais que se passe-t-il ?

Retenant ses sanglots, elle lui expliqua rapidement la situation, avant de lui dire qu'elle devait raccrocher « au cas où Davy se manifesterait ».

— J'arrive tout de suite.

Margaret tendit en silence une tasse de thé à Sarah qui la laissa tomber sur le sol alors que le téléphone sonnait de nouveau.

— Irène Kendall, à l'appareil, mademoiselle Tracy. Pas de nouvelles pour le moment. La police est ici. Elle va passer les environs au peigne fin. L'inspecteur me charge de vous dire que des agents vont venir sous peu chez vous… Ma seule consolation, c'est qu'à cette époque de l'année, il fait encore jour tard.

— C'est vrai, merci beaucoup, madame Kendall, répondit Sarah d'une voix misérable.

— Je vais raccrocher, maintenant, pour ne pas occuper votre ligne trop longtemps. Tâchez de ne pas trop vous inquiéter.

— Elle ose me demander de ne pas m'inquiéter ! hurla Sarah en reposant violemment le combiné.

— Calme-toi, lui conseilla Margaret. C'est le genre de petite phrase idiote que les gens disent lorsqu'il n'y a rien d'autre à dire.

On sonna alors à l'entrée.

— C'est Jake ! s'écria Sarah en se précipitant dans le couloir.

En ouvrant la porte, elle poussa un cri étranglé : Davy se tenait sur le pas de la porte. Le visage baigné de larmes, sa fille lui lança un regard inquiet et déchirant.

— Ne sois pas fâchée, dit-elle en pleurant. Il fallait que je rentre à la maison.

N'écoutant que son instinct, Sarah la serra contre elle de toutes ses forces. Au bout de quelques minutes, elle releva la tête et découvrit que sa fille n'était pas rentrée seule : Alison Rogers les observait un peu en retrait, à côté de sa voiture.

— Mme Rogers m'a raccompagnée à la maison, expliqua Davy en s'essuyant les yeux.

— J'ai vu Davy qui marchait seule sur la route, précisa Alison en s'approchant. Malheureusement, je n'avais pas de téléphone pour vous prévenir. Davy va bien, Sarah, elle est juste bouleversée.

— Alison, je ne pourrai jamais vous remercier assez…

— Je suis contente de l'avoir vue, répondit cette dernière. Bon, vous devez avoir des choses à vous dire. Je vais vous laisser, à présent.

— Merci beaucoup, madame Rogers, dit Davy en lui tendant la main.

— J'ai été contente de te rendre service. Mais la prochaine fois, évite de terrifier ta mère à ce point. Au revoir !

— Tu étais terrifiée ? demanda Davy à Sarah en entrant dans la maison.

— Tu ne devineras jamais à quel point !

A ce moment-là, Margaret les rejoignit dans l'entrée et serra la jeune imprudente dans ses bras.

— Il fallait que je rentre, grand-mère ! hoqueta Davy entre deux sanglots. Dimanche, avant de retourner à Roedale, j'ai entendu maman dire à Jake qu'elle n'était pas ma vraie mère. Depuis, j'y pense tout le temps… Je ne pouvais plus supporter de rester à l'école… Alors j'ai attendu que toutes les lumières soient éteintes, et je suis partie. J'ai voulu prendre le bus, mais il n'est pas venu. Je me suis mise à marcher et c'est là que la maman de Polly m'a trouvée.

En entendant ces explications, Sarah crut qu'elle allait se trouver mal. Qu'allait-elle dire à Davy, à présent ? N'était-elle pas trop jeune pour apprendre la vérité ?

— Avant tout, jeune fille, vous allez prendre un bain, ordonna Margaret en regardant sévèrement Sarah par-dessus l'épaule de Davy. Nous serons toutes un peu plus calmes quand tu redescendras. Car tu nous as fait une belle peur, Davina Tracy !

— Pendant ce temps, je vais appeler Mme Kendall, dit Sarah.

— Elle va être furieuse après moi, gémit Davy en reniflant.

— Pas quand je lui aurai expliqué.

Peu de temps après, Jake arriva à son tour. Il avait l'air si soucieux que Sarah tomba dans ses bras en riant.

— Davy est rentrée ! Elle prend un bain au premier !

— Dieu soit loué ! Que s'est-il passé ?

— Tout est ma faute. Elle m'a entendue, l'autre soir, lorsque je disais que je n'étais pas sa mère. Maintenant, il faut que je trouve une explication.

— Nous allons d'abord boire un café, ma chérie, décida-t-il en la conduisant dans la cuisine. Puis nous réfléchirons ensemble à la meilleure manière de lui apprendre la vérité.

Rassurée par le « nous », Sarah mit en route la cafetière et sortit des tasses.

— Il aurait fallu le lui dire un jour ou l'autre, de toute façon, fit-il remarquer à juste titre.

— Je sais… Tu resteras avec moi pendant que je lui parlerai ?

— Si tu veux. Mais Davy aura-t-elle envie que je sois là ?

— Moi j'en ai besoin.

Lorsque Davy redescendit en compagnie de Margaret, son regard s'éclaira en apercevant Jake. Manifestement ravie de le voir, elle se jeta dans ses bras.

— La prochaine fois que tu décides de partir en promenade, appelle-moi. Je viendrai te chercher moi-même, dit-il, l'air faussement menaçant, en la prenant sur ses genoux.

Lorsqu'elle fut confortablement installée, Davy leva un regard plein d'angoisse sur Sarah.

— Grand-mère a dit que tu m'expliquerais tout après mon bain.

— Mais oui, répondit Sarah en rassemblant son courage. J'avais l'intention de t'en parler quand tu serais plus grande.

— J'ai neuf ans, la coupa sa fille avec irritation. Je ne suis plus un bébé.

— Je sais.

— Alors… j'ai été adoptée ?

— Non, ma chérie.

— Alors qui est ma mère, si ce n'est pas toi ?

Consciente qu'elle ne pouvait plus reculer, Sarah prit une profonde inspiration avant de se lancer.

— C'était mamie, Davy. Mais elle a été si malade après ta naissance qu'elle ne pouvait pas s'occuper de toi. Alors elle t'a confiée à moi. Tu as été mon bébé depuis le début, même si j'ai dû te partager avec mamie et papy pendant quelques années et avec grand-mère, bien sûr. Tu as eu la chance d'avoir quatre personnes pour prendre soin de toi.

— J'ai demandé à Sarah d'être ta mère, intervint Margaret d'une voix enrouée. Anne — ta mamie — n'était pas en état de veiller sur toi et moi, j'étais trop âgée pour le faire. Alors je me suis dit que Sarah serait la meilleure maman possible pour toi. Et je ne me suis pas trompée, n'est-ce pas ?

Au grand étonnement de Sarah, des larmes coulaient sur les joues de Margaret qui se moucha bruyamment. Tous retenaient leur respiration dans l'attente de la réaction de Davy. Au bout d'un temps qui leur parut interminable, celle-ci descendit des genoux de Jake et se jeta dans les bras de Sarah.

— Je ne pensais pas que j'étais adoptée, parce que tout le monde dit que je te ressemble tant.

Dieu merci ! songea Sarah qui tenait à peine sur ses jambes tant elle se sentait soulagée.

— Est-ce que tu as faim, ma puce ? s'enquit Margaret. Je peux te préparer quelque chose.

— J'ai une meilleure idée ! Si nous commandions une gigantesque pizza ? proposa Jake. Aimez-vous la pizza, grand-mère ?

— J'en raffole, confessa cette dernière en souriant.

Quelques semaines plus tard, Jake et Sarah se marièrent enfin. Davy, qui était demoiselle d'honneur avec Nina et Chloé, portait la traîne de la longue robe blanche de Sarah.

Pendant le voyage de noces des jeunes mariés, il fut convenu que Davy passerait la moitié du temps chez les Rogers, l'autre en compagnie de Nina et Chloé.

Jake et Sarah n'eurent aucun mal à trouver une maison. Barbara, la meilleure amie de Margaret, fut ravie de leur vendre l'immense demeure qu'elle occupait à deux pas de chez les Rogers pour s'installer à Campden Road.

En arrivant à l'hôtel de Greenacres, le soir de leur mariage, Sarah alla contempler à la fenêtre les reflets argentés de la lune et se pinça fortement.

— Mais que fais-tu ? demanda Jake.

— Je veux être sûre que je ne rêve pas ! répondit-elle

en lui adressant un sourire radieux. Il n'y a pas si longtemps, j'étais une mère célibataire et puis je suis tombée amoureuse du merveilleux, de l'unique Jake Hogan…

Jake éclata de rire et l'attira tout contre lui.

— Pas si unique que ça ! Tu oublies qu'il y a un deuxième exemplaire…

— A mes yeux, mon époux adoré, tu es unique !

En guise de réponse, il pencha doucement la tête pour l'embrasser langoureusement.

— Il fait froid, murmura-t-il contre ses lèvres. Allons nous mettre sous la couette.

— Il ne fait pas froid du tout, répondit-elle d'un ton mutin. Cela dit, je n'ai rien contre le fait d'aller au lit. Mais il y a d'abord une question que j'aimerais te poser.

— Je t'écoute.

— Le jour où tu nous as emmenées chez tes parents pour la première fois, Liam m'a présenté ses excuses pour le malentendu et a ajouté qu'il t'avait déjà posé des problèmes par le passé.

— Je t'avais parlé de cette femme qui m'a préféré un autre homme, peu de temps avant notre rencontre ? Eh bien, je lui ai présenté Liam un week-end…

— Que s'est-il passé ? s'enquit-elle, curieuse.

— Elle m'a laissé tomber pour mon frère jumeau.

— Comment ? Cette femme n'avait vraiment aucun goût ! s'exclama-t-elle, l'air scandalisé. Et puis vous n'êtes pas absolument identiques, Liam et toi. Pour moi, tu es irremplaçable.

— Sur ces bonnes paroles : au dodo ! décida Jake en la soulevant dans ses bras.

— Est-ce différent de faire l'amour lorsque l'on est marié ? demanda-t-elle lorsqu'il l'étendit sur le grand lit blanc.

— A vrai dire, je n'en sais rien…, répondit-il, les

yeux brillant d'excitation. Je n'ai jamais fait l'amour à une femme mariée !

— Et moi à aucun autre que toi, murmura Sarah en souriant avec béatitude. Tu es le seul, Jake, pour toujours.

Découvrez la saga *Azur* de 8 titres

Et plongez au cœur d'une principauté où les scandales éclatent et les passions se déchainent.

1er avril | 1er mai | 1er juin | 1er juillet

1er août | 1er septembre | 1er octobre | 1er novembre

Rendez-vous dans vos points de vente habituels
ou en e-book sur www.harlequin.fr

Ne manquez pas, dès le 1er juin

UN BOULEVERSANT INTERLUDE, *Anna Cleary* • *N°3356*

Quand elle croise le regard brûlant de son nouveau voisin, Guy Wilder, Amber sent la panique l'envahir. Certes, cet homme est beau à se damner, et son sourire irrésistible, mais comment peut-il déclencher en elle un désir aussi soudain, aussi violent ? Une question qu'elle cesse très vite de se poser lorsque Guy lui fait clairement comprendre qu'elle lui plait : sans pouvoir résister, Amber se laisse emporter par la passion. Jusqu'à oublier, l'espace d'une nuit, que ces moments magiques ne sont sûrement pour lui qu'un délicieux interlude, et qu'il se lassera très vite d'elle…

CONQUISE PAR UN PLAY-BOY, Lucy Ellis • *N°3357*

Alors qu'elle passe des vacances à Saint-Pétersbourg, Clémentine fait la connaissance de Serge Marinov, un séduisant homme d'affaires russe qui lui inspire tout de suite un intense désir. Si intense, qu'elle n'a pas la force de lui dire non lorsqu'il lui propose de prolonger ses vacances en l'accompagnant à New York pour quelques jours. Comment refuser, alors qu'elle n'attend qu'une chose : qu'il la prenne dans ses bras et l'embrasse avec passion ? Pourtant, elle pressent qu'elle commet peut-être une terrible erreur : supportera-t-elle le moment, inéluctable, où ce séducteur invétéré, lassé d'elle, la rejettera sans pitié ?

UN INCONNU TROP SÉDUISANT, *Kim Lawrence* • *N°3358*

Engagée pour garder un cottage durant l'été, Miranda espérait profiter du calme de la campagne anglaise pour réfléchir à la nouvelle vie qu'elle veut se construire. Un calme très relatif, puisqu'elle a la stupeur de se réveiller un matin avec un inconnu dans son lit ! Un inconnu qui s'avère être le neveu de la propriétaire, et qui semble n'avoir *aucune* intention de quitter les lieux. Si elle ne veut pas renoncer à ce travail, Miranda comprend qu'elle va devoir cohabiter avec cet homme dont l'arrogance, mais aussi la beauté virile, la perturbent au plus haut point...

ENTRE DÉSIR ET VENGEANCE, Sara Craven • N°3359

En se faisant engager chez Brandon Industries, Tarn n'avait qu'une idée en tête : rendre fou de désir Caz Brandon, le P.-D.G., avant de le rejeter publiquement. Autrement dit l'humiliation suprême pour ce don Juan, qui n'a pas hésité à profiter de la naïveté de sa jeune sœur pour la séduire… Mais dès leur première rencontre, Tarn a la stupeur de découvrir en Caz un homme qui n'a rien à voir avec le séducteur sans morale qu'elle imaginait. Une découverte qui la déstabilise et la trouble. Comment pourra-t-elle, dans ces conditions, exécuter son plan… jusqu'au bout ?

LE SECRET DE JAKE FREEDMAN, Emma Darcy • N°3360

Lorsqu'elle rencontre pour la première fois Jake Freedman, le nouvel associé de son père, Laura est aussitôt sur ses gardes. D'abord parce que ce brillant homme d'affaires, arrogant et sûr de lui, est précédé d'une sulfureuse réputation de séducteur. Ensuite parce qu'elle a du mal à croire qu'il veuille investir son temps et son argent dans l'entreprise familiale. Alors, que cherche vraiment Jake Freedman ? Décidée à découvrir la vérité sur les véritables motivations de ce dernier, Laura sait aussi qu'elle va devoir résister à tout prix à l'attirance irraisonnée qu'il lui inspire...

ENCEINTE D'UN SÉDUCTEUR, Heidi Rice • N°3361

En acceptant de passer deux semaines avec Mac Brody, le célèbre acteur de cinéma, Juno pensait pouvoir profiter sans arrière-pensée de cette parenthèse enchantée, sans imaginer une seule seconde que sa vie serait à ce point bouleversée. Car non seulement elle est tombée éperdument amoureuse de cet homme beau à se damner, habitué à fréquenter les plus belles femmes du monde, mais elle est enceinte de lui ! Comment réagira Mac, lorsqu'elle lui apprendra qu'elle attend son enfant ?

PASSION DANS LE DÉSERT, Carol Marinelli • N°3362

En se rendant auprès de sa sœur, princesse de Zaraq, Georgie sait qu'elle va revoir au palais le prince Ibrahim, l'homme dont elle est amoureuse, mais qui a toutes les raisons de la détester. N'a-t-elle pas dû le repousser, quelques mois plus tôt, sans même pouvoir lui donner un mot d'explication ? Mais une fois sur place, Georgie a la surprise de se voir proposer par Ibrahim une excursion de quelques jours dans le désert. Une proposition qu'elle n'ose refuser, mais qui la plonge dans l'angoisse. Quand elle sera seule avec lui, pourra-t-elle continuer à lui cacher les sentiments qu'il n'a jamais cessé de lui inspirer ?

UNE ALLIANCE SOUS CONTRAT, Sharon Kendrick • *N°3363*

Lily retient avec peine ses larmes de colère et de désespoir. Ainsi, Ciro d'Angelo, cet arrogant homme d'affaires italien, est le nouveau propriétaire de la maison familiale où elle a grandi ! Une demeure que Lily croyait avoir héritée de son père mais que sa belle-mère s'est visiblement empressée de vendre sans rien lui en dire. Que va-t-elle devenir si Ciro lui demande de quitter les lieux ? Où ira-t-elle, avec son jeune frère dont elle a la charge ? Mais alors que le désespoir menace de la submerger, Ciro lui fait une incroyable proposition : elle pourra rester dans la maison de sa famille, à condition de l'épouser...

UNE EXQUISE FAIBLESSE, Anne Oliver • *N°3364*

Emma est stupéfaite. Comment Jake Carmody ose-t-il lui faire des avances, alors qu'il n'a jamais daigné lui accorder un regard par le passé S'il croit qu'elle est toujours la jeune fille naïve et inexpérimentée d'autrefois, follement amoureuse de lui, il se trompe : hors de question qu'elle cède à ce play-boy sans scrupules ! Et de toute façon, n'a-t-elle pas décidé de se consacrer exclusivement à sa carrière professionnelle Mais lorsque Jake lui propose une escapade romantique de quelques jours, loin de Sydney, Emma sent toutes ses résolutions s'évanouir…

LE PARI D'UN MILLIARDAIRE, *Kate Hewitt* • *N°3365*

- La couronne de Santina - 3e partie

Quand Ben Jackson, le célèbre milliardaire, la met au défi de participer à un ambitieux projet caritatif, Natalia sait qu'elle tient enfin une occasion de prouver qu'elle n'est pas l'héritière capricieuse et gâtée,comme tout le monde le pense. Pour une fois, elle sera digne de son titre de princesse de Santina ! Et par la même occasion, elle effacera, sur le visage de Ben, ce sourire narquois qui l'irrite tant. Même si, elle le sait, travailler avec cet homme arrogant et insupportable sera pour elle une véritable épreuve…

Attention, numérotation des livres différente pour le Canada : numéros 1799 à 1804.

Composé et édité par les
éditions HARLEQUIN
Achevé d'imprimer en avril 2013

La Flèche
Dépôt légal : mai 2013
N° d'imprimeur : 71860

Imprimé en France